히팅 & 조명류

SHM28R

RL04L

R630

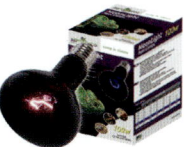
D630

B630

DRL01

CT20

CT50

CT10

은신처

EHR07   ERS39

ERS37   EHR09

기타용품

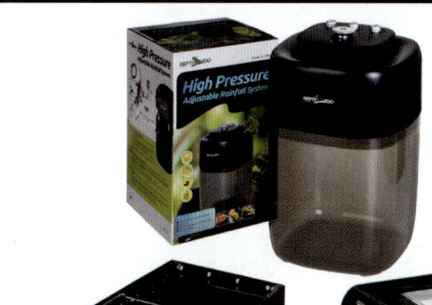
TR05

ACR01B   RT2003B

크레스티드 게코 용품

RV0410

TP003

FR03

TB09

SX01

DC09P

파충류 전 제품 도소매 및 창업 문의 환영
메일 : reptizookorea@naver.com
전화 : 010-4803-9731

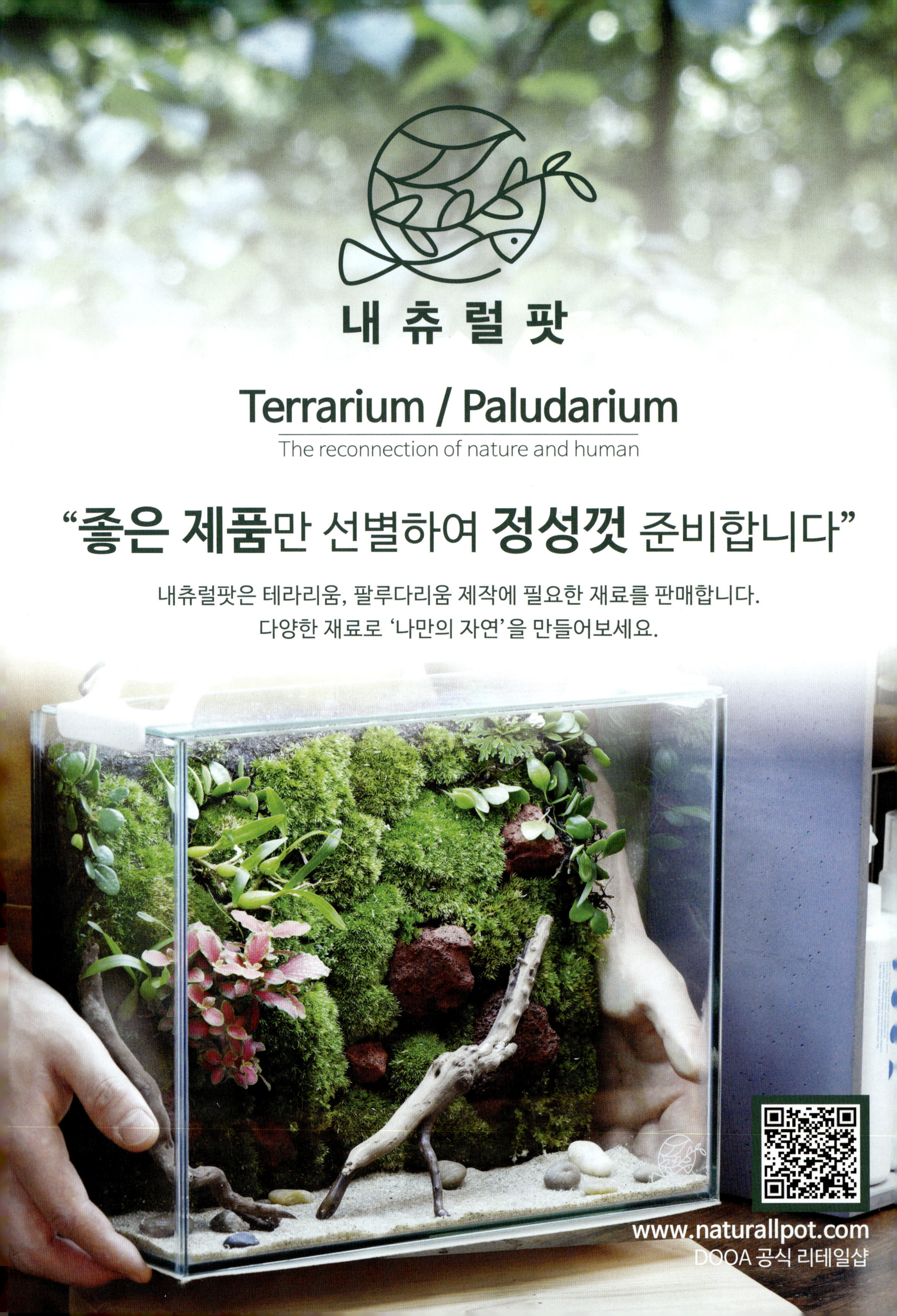
내 츄 럴 팟
Terrarium / Paludarium
The reconnection of nature and human
“좋은 제품만 선별하여 정성껏 준비합니다”
내츄럴팟은 테라리움, 팔루다리움 제작에 필요한 재료를 판매합니다.
다양한 재료로 ‘나만의 자연’을 만들어보세요.
www.naturallpot.com
DOOA 공식 리테일샵

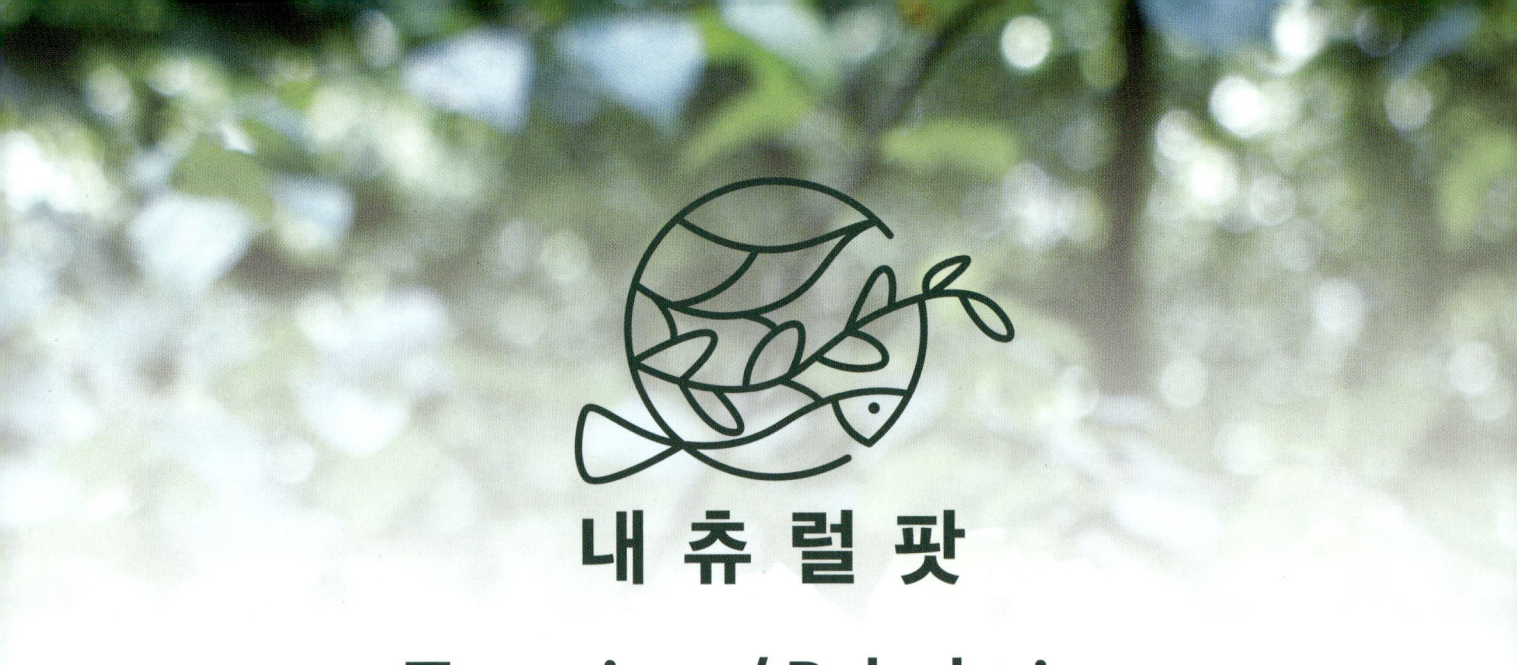

팔루다리움과 아쿠아테라리움
~ 글래스 속의 보태니컬 가든 ~

수조 속에 녹색 풍경을 만들어내는 팔루다리움과 아쿠아테라리움의 인기가 높아지고 있습니다. 관련 상품도 많이 발매되고 있어 이전보다 손쉽게 즐길 수 있게 되었지만 생물을 육성하기도 해서 다소의 요령은 필요합니다. 이 책은 그 요령을 듬뿍 담아서 여러분에게 전달해드리고자 하는 마음을 바탕으로 기획되었습니다. 이제부터는 이 책을 옆에 두고 그린 라이프를 즐기시기 바랍니다.

팔루다리움, 아쿠아테라리움의 세계

딱딱한 룰은 존재하지 않고 다채롭게 즐길 수 있는 팔루다리움과 아쿠아테라리움.
처음에는 모르는 것도 많겠지만 "좋아하는 생물을 소중히 한다"는 것만 의식하고 있다면
자신만의 스타일이 만들어질 것이다

N.B.A.T

특대 팔루다리움

폭 2m는 되어 보인다. 거대한 글래스 온실에 빽빽하게 열대식물을 심은 예. 이쪽은 네덜란드 애호가의 집이다. 네덜란드는 수초 등의 식물재배에 관한 독자적인 문화를 구축했다.

T.I

극소 팔루다리움!

커다란 팔루다리움도 있지만 작은 팔루다리움도 있다. 이쪽은 폭 13cm 정도의 케이스라서 손바닥 위에 올라갈 정도다. 전용 키트도 발매되고 있다.

인기 있는 이끼 재배도

팔루다리움에서는 이끼가 많이 사용된다. 장기육성 포인트를 파악하는 것이 쉽지는 않지만 최근에는 노하우가 현저하게 축적되고 있다.

T.I

협력 /Aqua Tailors, AQUA free, N.B.A.T, Kanedai 히가시토츠카점 , Shimorin, SENSUOUS, Taiki Murota, yossie-y2k

동경하는 공간!

케이스가 아니라 실내 벽면을 팔루다리움으로 만든 예.
에어컨, 조명 등도 전용으로 설계되었다. 네덜란드 애호가의 집

상쾌한 인테리어로

밝은 실내에 개방적인 아쿠아테라리움.
물속에서는 금붕어들이 헤엄치고 있다

소중한 식물을 키우고 싶다

포인트로 마음에 드는 식물을 심으면 팔루다리움에 대한 애착도 늘어날 것이다. 오른쪽은 엽맥이 빛나는 쥬얼 오키드의 일종, 왼쪽은 울퉁불퉁한 잎이 재미있는 게스네리아의 일종

펫의 육성 케이스로도

팔루다리움과 아쿠아테라리움에서 키우기에 적합한 동물도 있고 키우고 싶은 동물에 맞춰서 레이아웃을 하는 것도 좋다. 오른쪽은 소드테일 뉴트, 아래쪽은 범블비 다트프록

만드는 것 자체가 즐겁다!

흙을 반죽하고 식물을 심고. 머릿속에 떠올린 레이아웃에 가깝게 만들어 가는, 그 과정 자체가 즐거운 것도 이 취미의 매력

팔루다리움/아쿠아테라리움이란 무엇인가?

○○리움이라는 장르는 몇 가지가 있다. 가장 유명한 것은 아쿠아리움일 것이다. 팔루다리움과 아쿠아테라리움을 구분하는 명확한 기준은 없지만 이 책에서는 대략 다음과 같이 단어를 구분하여 사용하고 있다

일러스트 /Yo Izumori

팔루다리움
Paludarium

유럽에서 시작된 레이아웃 스타일이며 주로 열대우림의 다습환경을 재현한 케이스다. 특히 식물 육성에 중점을 둔 것을 팔루다리움이라고 부르는 경우가 많다. 물이 있는 공간은 얕거나 (작거나) 없다. 다습환경을 유지하기 위해 케이스는 뚜껑이 있는 밀폐형인 경우가 많다

아쿠아테라리움
Aqua-Terrarium

아쿠아리움과 테라리움을 조합한 조어. 그렇다고는 해도 일본에서는 적어도 1980년대 초반부터 잡지 등에서도 사용되었고 현재는 널리 알려진 단어라고 해도 좋을 것이다. 아쿠아테라리움에도 다양한 스타일이 있지만 팔루다리움에 비해 물이 있는 공간이 크고 케이스는 뚜껑이 없는 개방형인 경우가 많다.

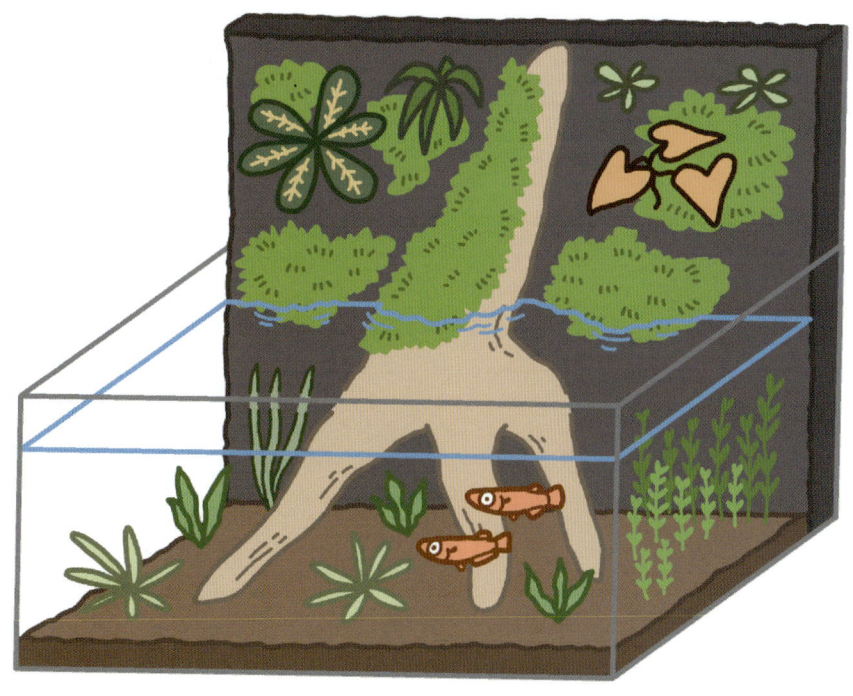

그 외의 "리움"

아쿠아리움
Aquarium
물고기 등의 수생생물을 사육하는 케이스. 물은 가득 채우는 것이 보통. 수족관도 영어로는 아쿠아리움.

테라리움
Terrarium
흙을 넣어 식물을 육성하는 케이스. 또는 동물을 사육하는 케이스. 물이 있는 공간은 없거나 작다.

비바리움
Vivarium
자연환경의 일부를 잘라내어, 인공적으로 재현하여 즐기는 것. 원래는 아쿠아리움, 테라리움, 팔루다리움 등을 포괄하는 말이었지만 특히 파충류·양서류를 사육하는 케이스의 호칭으로 널리 사용되고 있다.

이끼(모스)리움
Mossrium
최근 붐이 일고 있는 이끼. 그것을 팔루다리움처럼 관리하여 육성하는 케이스를 이렇게 부르는 경우가 있다. 최근에 만들어진 조어.

이모리움
Imorium
팔루다리움/아쿠아테라리움의 주민으로 인기 있는 뉴트. 그 뉴트를 키우는 케이스를 이렇게 부르는 경우가 있다. 최근에 만들어진 조어.

팔루다리움과 아쿠아테라리움
~글래스 속의 보태니컬 가든~

팔루다리움 / 아쿠아테라리움의 세계　6
팔루다리움 / 아쿠아테라리움이란 무엇인가 ?　9

팔루다리움 작품 소개　12
아쿠아테라리움 작품 소개　36

제작 길잡이
1 육지 만드는 법 !　52
2 육지로의 배수 !　53
3 식물 취급 방법　54

전 11 예 !
팔루다리움과 아쿠아테라리움 제작　56

팔루다리움과 아쿠아테라리움의 관리　92
테라베이스를 사용하여 이끼탑을 만든다 !　94
버섯 테라리움으로의 초대　97

수조에서 그린을 즐기는 애호가 6인을 소개　100

채집하지 않는 필드행
경치를 헌팅하여 수조로 !　112

기본을 여기에서 !
열대식물 육성 Q&A　120

입수하기 쉬운 추천 종류를 소개
팔루다리움 / 아쿠아테라리움에서 사용하기 쉬운 식물도감　126

가는물봉황이끼

너구리꼬리이끼

깃털이끼

비꼬리이끼

나무이끼

구슬이끼

털깃털이끼

CONTENTS

진일보한 인도어 그린 라이프
팔루다리움에서 꽃을 즐긴다 128

3개의 그룹에서 선발한
아쿠아테라리움과 팔루다리움에 적합한 이끼·양치식물·지생란 131

이끼·양치식물·지생란
자연 채집과 트리트먼트 136

이제 시들게 하지 않는다 !
타입별 이끼 생육방법 138

아쿠아샵에서 살 수 있는
팔루다리움 / 아쿠아테라리움에서 사용하고 싶은 수초 140

주역에 앉히다!?
존재감이 있는 식물들 143

동물이 있으면 즐겁다 !
팔루다리움 / 아쿠아테라리움에서 키우고 싶은 생물들 146

알아두고 싶다!
일본 파이어벨리 뉴트의 생활과 사육 148

카탈로그
팔루다리움과 아쿠아테라리움에서 사용하기 쉬운 용품 154

색인 이 책에 등장한 식물들 159

`column`

있으면 편리한 도구들   곰팡이 예방 62
팔루다리움 / 아쿠아테라리움에 적합한 식물 이야기 125
팔루다리움의 식물과 삼림의 생태계 130

톱니잎물이끼

물이끼

아기들덩굴초롱이끼

주름솔이끼

덩굴초롱이끼

가는흰털이끼 　작은흰털이끼

11

팔루다리움 작품 소개

자유분방하게 자라나는 식물의 모습을 즐기는 것도 좋고, 디자인을 중시하여
토대를 만들고 식물을 배치하는 것도 좋다. 한마디로 팔루다리움이라고 말해도
다양한 스타일이 있다

소개하는 레이아웃에 관해
· 뚜껑이나 앞문을 떼어내고 촬영한 작품도 있다
· 수조(케이스) 사이즈는 폭×안길이×높이cm

작고 상쾌한 팔루다리움 3작품

레이아웃 제작 / Aqua Forest 신주쿠점 촬영 / Toshiharu Ishiwata

　일본에는 오래전부터 계절 풍물시가 있어서 각 계절을 풍부한 마음으로 살아가려고 노력했다.

　팔루다리움은 특정 계절 한정은 아니지만 여기에서 소개하는 3작품은 특히 여름과 어울리는 시원한 작품이다. 전체적으로 상쾌한 색조의 식물을 사용했고 식물의 종류도 적은 편이며 빽빽하게 심지 않았다.

　제작순서는 저상을 넣고 돌을 배치한 다음 식물을 심는 것. 벽 전체를 녹색으로 뒤덮거나 수조 안에 폭포를 만들거나 하지 않는다면 관엽식물 화분 느낌으로 제작할 수 있다.

　찌는 듯한 더위가 계속되는 요즘 여름. 이런 팔루다리움을 준비하여 한 모금의 시원함을 맛보는 것도 좋을 것 같다.

DATA

※팔루다리움 3작품 공통
조명●소형 LED 라이트 11시간/일
저상●플래티넘 소일(JUN)
관리●1일 2회 분무

자잘한 잎을 가진 아스파라거스가 시원해 보인다

DATA
수조●15.8×13×17cm
식물●
　①아스파라거스
　②가는흰털이끼

프테리스 등의 일반적인 관엽식물도 유리 너머로 보면 인상이 달라보인다

DATA
수조●20×20×30cm
식물●
　①헤데라
　②가는흰털이끼

DATA
수조●
　15×15×20cm
식물●
　①프테리스
　②소엽맥문동
　③이오니머스
　　미크로필러스 '골드'
　④가는흰털이끼 외

큰 황호석을 중앙에 배치했다. 그것만으로도 "레이아웃 느낌"이 만들어진다

팔루다리움 호랑이의 숲

레이아웃 제작 / Onesmall 로열 홈센터 치바키타점
촬영 / Toshiharu Ishiwata

DATA
- **수조** ● 25×25×24.5cm
- **조명** ● 10W 4~5시간/일
- **관리** ● 수조 앞쪽의 모래가 마르면 흙을 쌓아올려 만든 언덕 위에서 물을 붓는다(앞쪽의 모래가 잠길랑 말랑할 정도)
- **식물** ●
  ① 드라세나
  ② 조릿대
  ③ 구슬이끼
  ④ 비꼬리이끼
  ⑤ 가는흰털이끼
  ⑥ 피커스 푸밀라 '미니마'
  ⑦ 솔레이롤리아
  　(아이리쉬 모스)

　동물 등의 피겨를 넣은 팔루다리움도 많은 사람들이 즐기고 있다. 이 레이아웃은 중국 북동부의 정글에 서식하는 호랑이가 물이 있는 곳까지 아이를 옮기는 장면을 재현한 것이다. 중국 느낌을 내기 위해 사용한 조릿대는 수조 안에서 키우려면 약간의 요령이 필요하다. 여기에서는 용토의 보수성을 향상시키기 위해 케토흙에 식물용 조형재(조형군)을 섞어서 사용하여 아름답게 육성하는 것에 성공했다.

게의 거처

레이아웃 제작 / Yoshikazu Takahashi
　　　　　　(Onesmall 로열 홈센터 치바키타점)
촬영 / Toshiharu Ishiwata

　팔루다리움에서 소형 담수 게를 사육. 게와 열대식물을 잘 공존시키는 포인트는 지나치게 고습한 환경이 되지 않도록 하는 것이다. 여기에서는 가는흰털이끼와 석창포 등, 비교적 건조한 환경에서도 자라는 식물을 사용했다. 또한 레이아웃이 게에게 파괴되는 일이 없도록 식물 주변을 이끼로 빽빽하게 덮고 식물이 뿌리를 단단히 내릴 수 있도록 했다. 게는 이 레이아웃이 마음에 들었는지, 바위에 매달리거나 이끼 벽을 기어 올라가는 등, 입체적인 행동을 보여주었다.

DATA
- **수조** ● 20.5×20.5×20.3(H)cm
- **조명** ● 8W 5시간/일
- **관리** ● 건조해지기 시작하면 물을 붓는다
- **사육종** ● 딥 오키드 뱀파이어 크랩
- **식물** ●
  ① 피커스 푸밀라 '미니마'
  ② 석창포
  ③ 크립탄서스 '그린'
  ④ 가는흰털이끼
  ⑤ 폴리시아스 프루티코사

씨앗부터 키운 팔루다리움

레이아웃 제작/Shigeru Takitani(AQUA free)
촬영/Toshiharu Ishiwata

  수초의 씨앗을 뿌려서 육성하는 키트(호토리에)를 사용한 수상 레이아웃. 손쉬운 키트이기는 하지만 세세한 부분은 제작자의 손길이 들어가 있다. 목화석들 사이로 늘어지듯 자라나는 수초는 일부를 잘라내서 가지런하지 않게 하여 아래쪽으로 길어지는 모습을 강조했다. 이런 테크닉에 의해 폭 13cm 라고는 생각할 수 없을 정도의 스케일감도 느껴진다. 세팅하고 17일 후.

DATA
- 수조 ● 13×8×15cm (호토리에M / Suisaku)
- 조명 ● LED 라이트 (라이트업150 / Suisaku) 10시간/일
- 저상 ● 베이스 소일, 베이스 샌드 (호토리에 / Suisaku)
- 관리 ● 적당히 물을 추가, 뚜껑을 닫아서 보습(일부를 열어두어서 환기도 배려)
- 온도 ● 25~26℃
- 식물 ● 수초의 씨앗 (호토리에 / Suisaku)

작으면서 대담

레이아웃 제작/Kei Hinata(aquarium shop earth)
촬영/Toshiharu Ishiwata

  원예에서는 잔디, 아쿠아에서는 글롯소스티그마 등, 카펫 모양으로 자라는 식물은 사람의 마음을 두근거리게 한다. 팔루다리움에는 수초의 씨앗(대부분은 하이그로)을 뿌려서 카펫 모양으로 전개하는 어린 싹을 즐기는 스타일도 많아졌다. 씨앗을 뿌리고 일주일 정도가 지나면 다 자라는 간편함이 매력이다. 전용 키트도 충실한데, 대부분은 소형수조지만 간편함에서 한 걸음 더 나아가 즐기는 방식을 제안한 것이 이 수조. 유목을 동굴 형태의 공간이 만들어지도록 배치했다. 저상은 대담하게 비스듬한 라인이 생기도록 쌓아올렸다. 이 테크닉에 의해 음영이 생겨나서 귀엽다기보다 "멋진" 레이아웃이 되었다.

DATA
- 수조 ● 직경 15×높이 15cm (호토리에 그린 카펫 키트P/Suisaku)
- 조명 ● LED 라이트 8시간/일
- 저상 ● 베이스 소일, 베이스 샌드 (호토리에/Suisaku)
- 관리 ● 가끔 물을 뿌리고 저상이 건조해지면 약간 물을 추가한다, 보습을 위해 평소에는 뚜껑을 닫아둔다
- 온도 ● 약 25℃
- 식물 ●
  ① 수초의 씨앗 (호토리에/Suisaku)
  ② 미크로소리움 디베르시폴리움
  ③ 스파이키 모스
  ④ 미역고사리
  ⑤ 다발리아 피지엔시스

수초의 수상엽을 이용하여

레이아웃 제작/Aqua Forest 신주쿠점
촬영/Toshiharu Ishiwata

주역으로 앉힌 식물은 붉은색 수초인 알테르난테라 레이넥키이며 제작자의 가게 안에 있던 레이아웃 수조에서 수상엽을 잘라내 온 것이다. 손쉽고 멋진 수초 재이용이다. 세팅하고 약 1개월 후.

수상엽이지만 건조에 강하지는 않다. 그래서 평소에는 시트를 뚜껑처럼 닫아두어서 습도를 유지한다

DATA
- 수조●직경 20×높이 20cm (글래스 아쿠아리움 티어/GEX)
- 조명●LED 라이트 (코모레비/Suisaku) 10시간/일
- 저상●라플라타 샌드(ADA), 식재부분은 소일
- 관리●적당히 물을 분무
- 온도●25~26℃
- 식물●
  ①알테르난테라 레이넥키
  ②줄고사리
  ③호주 노치도메
  그 외 헤데라, 향나무솔이끼, 털깃털이끼

유현하고 장대하다…하지만 작다

레이아웃 제작/Kazuki Izumi(aquarium shop suisai)
촬영/Toshiharu Ishiwata

여기에서 사육하는 것은 마블 뉴트다. 입체 활동을 좋아해서 중앙의 유목을 기어 올라가기도 한다. 판매 케이스도 겸하고 있어 개체수는 증감한다.

앞쪽에는 커다란 식물, 안쪽에는 작은 식물을 배치하거나 해서 20cm 큐브 수조이지만 볼만한 가치가 있는 경관으로 만들었다. 수초 레이아웃이 특기인 제작자다운 작품이다. 세팅하고 약 3개월 후.

DATA
- 수조●20×20×20cm (네오 글래스 에어/DOOA)
- 조명●LED 라이트 (CLEAR LED 리프 글로우/GEX) 10시간/일
- 저상●아쿠아소일 아마조니아 파우더(ADA)
- 관리●가끔 쓰레기 제거(물을 채워서 배출), 뚜껑을 닫고 보습, 때때로 물 추가
- 온도●25℃
- 사육종●마블 뉴트(1~3)
- 식물●
  ①닭의장풀 sp. 'KEISAK'
  ②시페루스
  ③부세파란드라의 일종
  ④라게난드라의 일종
  ⑤워터론과 글롯소스티그마 (혼재)
  ⑥불꽃 모스
  ⑦위핑 모스

카니바리움 제안!

레이아웃 제작/Sho Yamamoto (Ichigaya Fish Center)
촬영/Toshiharu Ishiwata

식충식물(Carnivorous plant)은 그 기이한 모습 때문에 인기가 있는 식물이다. 화분에서 육성하면 원예 범주이지만 그것을 글래스 용기에 넣으면 어떨까? 즉, "리움"의 한 종류가 된다. 제작자에 의하면 실제로 이 육성방법(밀폐 상태에서 뚜껑에 틈을 만들어둔다)으로 여러 종의 벌레잡이통풀을 좋은 상태로 육성할 수 있었다고 한다. 다음은 이곳에서 키울 수 있는 동물을 발견한다면 재미있어질 텐데……(적당한 크기라면 먹혀버릴지도 모른다). 세팅하고 약 10개월 후.

DATA
- **수조** ● 직경 22×높이 30cm
- **조명** ● 스팟형 LED 라이트 10시간/일
- **저상** ● 아래부터 밀리온 에이스, 경석, 물이끼
- **관리** ● 세팅 초기에는 물을 많이 뿌리고 그 후에는 저상이 건조해지면 물을 추가
- **온도** ● 25~26℃
- **식물** ● 벌레잡이통풀, 파리지옥, 털깃털이끼

매혹적인 Wetland

레이아웃 제작/Aqua Forest 신주쿠점
촬영/Toshiharu Ishiwata

제작자가 습지대를 떠올리면서 제작했다는 이 레이아웃. 어딘지 모르게 매혹적이라고 할까 요염하다고 할까. 기이한 형태의 식충식물 2종 때문에 그런 느낌이 나는 것일지도 모른다. 세팅하고 약 3개월 후.

파리지옥은 성장한 뉴 라지 펄그라스에 파묻혀서 잘 보이지 않지만 건강하게 유지되고 있다. 수조 우측 안쪽이 또 다른 식충식물 사라세니아

DATA
- **수조** ● 직경 16×높이 30cm
  (Mossarium ML-1/Aqua Tailors)
- **조명** ● 수조부속 LED 라이트 10시간/일
- **저상** ● 플래티넘 소일(JUN)
- **관리** ● 주1회 물을 뿌리고 저상이 마르면 물을 추가, 그 외, 글래스면의 칼슘 제거
- **온도** ● 20~30℃
- **식물** ●
  ① 파리지옥
  ② 사라세니아
  ③ 네프로레피스 '블루벨'
  ④ 뉴라지 펄그라스
  　외 애기모람, 드워프 머쉬룸

작은 팔루다리움 2개

사진제공/ADA

　물고기 등의 동물을 사육하지 않는 식물 메인 팔루다리움은 작은 수조에도 만들기 쉽다. 여기에서 소개하는 2개의 팔루다리움은 둘 다 폭과 안길이가 20cm이지만 각각 높이가 높은 것과 낮은 것, 초본 중심과 모스류 중심이라서 꽤 분위기가 다르다. 각각의 자세한 내용은 사진을 보면 알 수 있지만, 우선은 입문을 해보고 싶다면 이런 작은 용기를 고르는 것이 좋을 것이다. 다양한 생활공간으로 이동이 가능하다는 점도 이점이다.

- **수조** ● 20×20×35cm(네오 글래스 에어/DOOA)
- **저상** ● 정글 소일, 정글 베이스(둘 다 DOOA)
- **온도** ● 26℃
- **관리** ● 주1회 물을 뿌림(습도는 75%. 뚜껑이 열려있는 정도를 조절해서 온도와 습도를 조정한다)
- **식물** ●
  ① 라게난드라 케랄렌시스
  ② 라게난드라 나이리
  ③ 베고니아 콰드리알라타
  ④ 베고니아 루조넨시스
  ⑤ 베고니아 sp.
  ⑥ 플레우로탈리스 테레스
  ⑦ 덴드로비움 리케나스트럼 프렌티세이
  ⑧ 주름솔이끼

운산석을 중심으로 배치한 레이아웃. 이 돌은 울퉁불퉁해서 베고니아와 모스, 난을 단단히 착생시킬 수 있다. 무기질 돌이 식물로 채색되어 생명감을 두르게 되었다. 서로의 개성을 돋보이게 하고 있는 것 같은 인상적인 작품이다(레이아웃 제작/Yusuke Honma(ADA))

- **수조** ● 20×20×20cm(네오 글래스 에어/DOOA)
- **저상** ● 정글 소일, 정글 베이스(둘 다 DOOA)
- **온도** ● 26℃
- **관리** ● 주1회 물을 뿌림(습도는 75%. 뚜껑이 열려있는 정도를 조절해서 온도와 습도를 조정한다)
- **식물** ●
  ① 뉴 라지 펄그라스
  ② 워터론
  ③ 피그미 머쉬룸
  ④ 라게난드라 케랄렌시스
  ⑤ 크립토코리네 루켄스
  ⑥ 림노필라 sp. 베트남
  ⑦ 하이그로필라 핀나티피다
  ⑧ 에피덴드럼 포팩스
  ⑨ 세라토스틸리스 필리피넨시스
  ⑩ 크리스마스 모스

이끼가 자라나고 동물이 놔 둔 채 잊어버린 도토리에서 싹이 피었다. 자연의 쓰러진 나무에서 전개되는 드라마를 상상하면서 제작한 레이아웃. 가만히 유목을 바라보고 있으면 그런 세월이 떠오르는 것 같다(레이아웃 제작/Kota Iwahori(ADA))

수초를 심어두었기 때문에 물을 부으면 그대로 수초 레이아웃이 된다. 아쿠아리스트만의 즐기는 방법이라고 할 수 있겠다

팔루다리움의 산악 레이아웃

레이아웃 제작/Shigeru Takitani(AQUA free)
촬영/Toshiharu Ishiwata

험준한 느낌의 용왕석이 레이아웃의 인상을 만들어내고 있다. 사실 이 수조에서는 워터론이 꽃을 피웠는데, "산악"의 스케일감을 해치기 때문에 꽃눈을 잘라냈다

수초를 즐기다보면 트리밍한 수초를 어떻게 처리할지 고민되는 경우가 있다. 모처럼 키웠는데 버릴 수밖에 없나……하고.

이 레이아웃은 그런 트리밍을 했을 때에 떠올려서 만든 것이다. 수초 레이아웃에서 자라난 뉴 라지 펄그라스와 워터론을 돌을 배치한 수조에 놓아두었다. 물론 사진을 보면 알 수 있듯이 석조 자체도 레이아웃으로서 형태를 갖추고 있다. 밝은 색의 모래, 험준한 표정의 돌, 그리고 선명한 녹색 수초로 구성되어 있는 이 작품은 수초 레이아웃에서 말하는 이른바 "산악계"다.

뉴 라지 펄그라스와 워터론은 육성이 어려운 종은 아니지만 그래도 물속에서 키우려면 CO_2는 필수다. 하지만 물 위에서는 무척 튼튼해서 물을 얕게 부어놓고 빈틈없이 뚜껑을 닫아서 습도를 유지하면 왕성하게 증식한다.

애초에 수초를 심어놓은 것이라 여기에 물을 부으면 그대로 수초 레이아웃이 된다. 사실 그것도 염두에 두고 있어서 물고기의 유영 공간을 많이 확보할 수 있도록 돌을 그다지 높게 쌓아올리지 않았다. 수륙을 자유자재로 즐긴다. 이것도 팔루다리움의 한 형태일 것이다.

수조● 60×30×23cm
조명● LED 라이트(아쿠아 스카이 G/ADA) 10시간/일
저상● 수초가 많은 뒤쪽은 아마조니아 라이트(ADA), 앞쪽은 라플라타 샌드(ADA)
온도● 25℃
관리● 식물 활력제 적당량, 매일 물을 뿌림
식물● ①워터론&뉴 라지 펄그라스(혼재)

DATA

생물도 사육자도 쾌적 팩맨이 사는 팔루다리움

레이아웃 제작/Takuya Maruyama (Green aquarium Maruyama)
촬영/Toshiharu Ishiwata

제작하고 약 1개월 후. 개구리도 레이아웃 상태도 양호하다

레이아웃 제작하면 멋진 유목과 돌을 사용하여 쿨하게 완성시키고 싶은 마음이 있을지도 모른다. 그것은 그것대로 좋지만 사육하는 생물을 생각했을 때에는 무리한 부분이 생기는 경우도 있다.

이 레이아웃은 팩맨을 위해 만든 것이다. 평면적인 활동을 주로 하고 그다지 많이 움직이지 않는 팩맨이기는 하지만 그래도 레이아웃 식물을 이동시키면 애가 타기도 한다. 그래서 처음부터 저상에는 식물을 별로 심지 않았다. 또한 평소에는 작은 구멍 등에 몸을 숨기고 있는 개구리이기 때문에 레이아웃 하부에는 전용 방도 만들어두었다.

이것도, 저것도 하면서 욕심을 부리는 것보다는 우선시할 것을 정하고 그 부분을 중심으로 레이아웃하면 생물도 관리하는 사람도 쾌적한 공간이 만들어진다. 이 레이아웃은 그 좋은 예라고 할 수 있을 것이다.

애교가 넘치는 오네이트 팩맨. 먹이는 매번 핀셋으로 주고 있다. 이렇게 하면 모래를 잘못 먹는 일 같은 것도 방지할 수 있다

DATA

- **수조** ● 25cm 큐브 (크리스탈 큐브/Kotobuki Kogei)
- **조명** ● LED 라이트 (리프 글로우/GEX) 9시간/일
- **저상** ● 아마조니아 라이트(ADA), 아쿠아 그라벨(ADA)
- **조형재** ● 극상 조형군(Picuta)
- **온도** ● 26℃
- **관리** ● 매일 물을 뿌림
- **사육종** ● 오네이트 팩맨(1)
- **식물** ●
  ① 서리이끼
  ② 네오레겔리아 '파이어볼'
  ③ 다발리아와 프테리스
  ④ 너구리꼬리이끼
  ⑤ 작은흰털이끼
  ⑥ 봉황이끼

배면에는 식물을 빽빽하게 심었다. 오네이트 팩맨은 거의 입체적인 활동을 하지 않기 때문에 배면에 장식을 할 수 있다

부스스한 이끼류가 좋은 분위기를 만들고 있다!

인기! 소드테일 뉴트의 작은 팔루다리움

레이아웃 제작/Norikazu Murata(Kanedai 히가시토츠카점)
촬영/Naoyuki Hashimoto

지금 SNS에서 인기가 있는 뉴트. "이모리움"으로 검색하면 아름다운 팔루다리움을 얼마든지 볼 수 있을 것이다. 이 수조도 사랑스러운 소드테일 뉴트를 소중하게 키우기 위해 세팅한 것이다.

수조는 폭 40cm 정도로 작지만 오히려 뉴트 2마리의 존재감을 크게 만들어주고 있다. 수조 앞에 서면 먹이를 조르기 위해 뉴트가 구멍에서 나오는 등, 커뮤니케이션이 되고 있다는 것을 실감할 수 있다.

이 레이아웃, 처음에는 수조 앞쪽 우측(큰 유목이 보이는 부근)을 연못으로 만들어두었지만 현재는 이끼를 깔아서 육지로 만들었다. 번식행동을 관찰하고 싶을 때에는 물을 부은 아쿠아 테라리움으로 이사를 하는 것도 좋을 것이다.

다음은 제작자의 어드바이스. "세팅할 때에는 배면 글래스에 실리콘으로 유목을 접착했는데, 너무 복잡하면 나중에 손을 넣기 어려워지므로 적당히 틈을 만들어두는 것도 요령입니다"

DATA

수조 ● 40×20×35cm
조명 ● LED 라이트(Flat LED 400/ Kotobuki Kogei) 9시간/일
저상 ● 흑경석(하), 적옥 소일(상)
조형재 ● 모델링 소일(배면)
온도 ● 25℃
관리 ● 1일 2회 물을 뿌림
사육종 ● 소드테일 뉴트(2)
식물 ●
 ①펠리오니아
 ②셀라기넬라
 ③피커스의 일종
 ④털깃털이끼
 ⑤가는흰털이끼
 ⑥아기들덩굴초롱이끼
 그 외 자연스럽게 자라난 양치식물 등

수조에 가까이 다가가면 판타지 세계 같은 세계가 펼쳐진다. 동물이 있는 팔루다리움은 정말 좋다

농밀한 식물 세계가 전개되어 있다. 친근한 원예식물뿐이지만 글래스 케이스에 넣으면 색다르게 보이게 된다

폭 60cm의 유럽풍 팔루다리움

레이아웃 제작/Aqua Tailors
촬영/Toshiharu Ishiwata

유럽, 특히 네덜란드는 팔루다리움의 본고장이라고 할 수 있으며 한쪽 벽 전체 정도 되는 크기의 커다란 케이스에 팔루다리움을 만들어 즐기는 애호가도 있다. 스타일의 특징은 이른바 네이처계라기보다 계단식으로 식물을 배치하는 경우가 많다. 즉, 배면이 보이는 "틈"을 만들지 않고 정글처럼 밀도 높게 식물을 보여준다.

이 레이아웃은 그런 유럽풍 향기가 나는 팔루다리움이다. 폭 60cm라서 그다지 거대하지는 않지만 작은 식물을 식재함으로써 상대적으로 케이스가 크게 보이도록 했다. 식물의 색조도 풍부해서 아쿠아리움 세계라기보다 시각적으로는 원예 세계에 가까운 화려함이 있다.

꽤나 본격적인 것처럼 보이지만 사실 식물은 배면의 조형재에 핀으로 고정시키기만 한 것이다. 식물의 종류도 마니악한 것은 없고 일반적인 원예점이라면 입수할 수 있는 종류뿐이다.

제작은 천천히 했고 완성까지 대략 1개월 정도가 걸렸으며 케이스를 설치한 후에 밸런스를 보면서 조금씩 식물을 추가했다. 어려운 식물은 없지만 환경과의 상성문제도 있어서 잘 성장하지 않는 종류도 있었다. 그럴 때에는 핀을 뽑고 다른 식물을 보충했다. 손쉽게 이 정도까지의 팔루다리움을 만들 수 있다는 하나의 좋은 예라고 할 수 있는 레이아웃. 흥미가 생겼다면 한 번 참고해서 제작해보기 바란다.

수조 ● 60×45×90cm
조명 ● LED 라이트 8시간/일
저상 ● 흑경석(Aqua Tailors), 적옥 소일(노멀 알갱이)
조형재 ● Epiweb(Aqua Tailors), 극상 조형군(Picuta), 우레탄폼
온도 ● 25℃
관리 ● 물을 적당히 뿌림 (1일 2회 정도)
식물 ●
① 털깃털이끼
② 피토니아
③ 아디안텀
④ 피커스 푸밀라 '미니마'
⑤ 세인트폴리아
⑥ 히포에스테스 '레드'
⑦ 긴콩짜개덩굴
⑧ 피토니아 '레드'
⑨ 히포에스테스 '핑크'
⑩ 히포에스테스 '화이트'
⑪ 네프로레피스
⑫ 피토니아 '핑크'
⑬ 무늬 프테리스
⑭ 보스턴 고사리
⑮ 안수리움
⑯ 칼라테아
⑰ 작은흰털이끼
⑱ 프테리스
⑲ 피커스 푸밀라

DATA

다양한 형태, 색, 크기의 식물이 빽빽하게 모여 있다. 물을 붓지 않았고 식물 이외의 생물은 넣지 않았지만 컬러풀한 개구리나 뉴트 등이 어울릴 것이다

뒤도 앞도 없이 아름답게 만든다. 사각 수조의 레이아웃과는 또 다른 조건을 즐기고 싶다

원형 케이스에 봉긋한 이끼 언덕을

레이아웃 제작/Yoshikazu Takahashi(Onesmall 로열 홈센터 치바키타점)

촬영/Toshiharu Ishiwata

공 모양의 커다란 전용 케이스에 만든 팔루다리움. 공 모양은 눈길을 끄는 형태이지만 360도 전부 관상면이라서 수조와는 다른 레이아웃 작법이 필요하다. 우선 뒤도 앞도 없기 때문에 레이아웃의 볼거리는 필연적으로 중심에 모인다. 또한 공간이 허전해보이지 않도록 하기 위해 구조의 높이가 높아지게 되는 식이다.

사진의 레이아웃은 그런 점들을 고려하여 만든 것이다. 중앙에 높게 자리 잡은 유목은 여러 각도에서 봐도 다 그럴듯해 보이도록 배치했으며 이끼도 아름답게 자라나있어 팔루다리움 애호가라면 좋아할만한 경치를 보여주고 있다.

이 케이스는 습도가 설정한 수치 이하로 내려가면 자동으로 미스팅하는 기능이 있다

수조● 직경 51.2×높이 57.8cm (biOrb AIR/OASE)
조명● LED 라이트(수조에 세팅) 12시간/일
저상● 소일
온도● 26℃
관리● 자동 미스팅(수조에 세팅)
식물●
① 포고나테룸 '모니카'
② 대만고무나무
③ 가는흰털이끼
④ 쿠션 모스
그 외, 바위취, 오오쿠보 고사리, 신닌기아 푸실라, 애기모람(야쿠시마산)

DATA

사용한 케이스는 이끼 육성을 위한 다양한 기능을 갖추고 있다. 예를 들어 수조 뚜껑 일부를 열고 닫을 수 있어서 습도 조정이 가능하다.

옆에서만이 아니라 위에서도 관상할 수 있도록 식물과 소재를 배치했다

폭신폭신해 보이는 가는흰털이끼. 이끼 등의 식물은 가장자리가 잘 정돈되어 있어 360도 어디에서 봐도 위화감이 없다

수조 ● 직경 21×높이 33cm (Mossarium CL-1/Aqua Tailors)
조명 ● LED 라이트 (수조에 부속된 것) 10시간/일
저상 ● 화장모래, 이끼 전용 소일, 이끼 전용 베이스
온도 ● 25℃
관리 ● 매일 물을 뿌림
식물 ●
① 너구리꼬리이끼
② 가는흰털이끼
③ 참양털이끼
④ 네프로레피스 '라임샤워'
⑤ 프테리스 멀티피다

용암석으로 만든 언덕을 녹색으로 뒤덮었다. 어딘지 모르게 환상적인 풍경이 만들어졌다

360도 관상면

레이아웃 제작/Keisuke Onodera(color)
촬영/Toshiharu Ishiwata

원주형 케이스에 만든 이끼 메인의 레이아웃. 이미지는 서 있는 나무처럼 보이는 유목(혼우드)을 중심으로 부풀려나갔다. 용암석 언덕에 우뚝 솟은 나무, 그 주변에 전개되어 있는 이끼 등의 식물들⋯⋯이런 경치다.

수조의 형태를 살려서 빙 둘러봐도, 위에서 봐도 위화감이 없도록 만든 것도 포인트다. 화장모래가 보이는 쪽이 정면이지만 제작할 때에는 360도에서 체크하여 신경 쓰이는 부분을 수정했다.

베이스로 이끼 전용 저상재를 사용하기도 해서 이끼 이외의 식물도 그것을 기준으로 선정했다. 이끼 전용 저상재는 비료분이 적어서 왕성한 성장을 하는 식물에게는 적합하지 않다.

귀엽게 보이지만 곳곳에 세세한 배려가 숨겨져 있는 레이아웃이다. 제작 후 5개월 정도가 지났지만 식물은 생생하게 성장하고 있다.

물가의 이끼에 푹 잠겨 있는 브라키오사우루스의 두꺼운 다리! 현장감이 느껴져서 박력 만점이다

수조 안쪽에 만들어둔 작은 연못. 이것은 장식뿐만 아니라 수위계 역할도 한다. 이 연못의 물이 줄어들면 물을 뿌리는 것이다

쥬라기 팔루다리움!

레이아웃 제작 / Yoshikazu Takahashi
(Onesmall 로열 홈센터 치바키타점)

촬영/Toshiharu Ishiwata

영화 "쥬라기 공원"에서 영감을 받아 만든 레이아웃이다. 재미있는 점은 그 제작이 피겨로부터 시작된 것이다. 커다란 브라키오사우루스의 피겨를 시작점으로 하여 조형과 식물 배치 등을 결정했다. 피겨가 정교해서 그런지, 이 팔루다리움을 보고 있으면 타임머신을 타고 태고의 숲을 방문한 것 같은 착각이 든다. 팔루다리움과 고대의 세계, 의외로 상성이 좋은 것일지도 모른다.

DATA

- **수조** ● 90×45×45cm
- **조명** ● 스팟형 LED 라이트 10시간/일
- **저상** ● 소일
- **조형재** ● 극상 우에레루군(Picuta)
- **온도** ● 26℃
- **관리** ● 대략 주1회, 식물 전체에 물이 골고루 미치도록 상부에서 물을 뿌린다

식물 ●
①피커스 푸밀라 '코알라'
②대만고무나무
③드라세나
④아디안텀
⑤포토스
⑥피커스 푸밀라 '미니마'(대엽)
⑦가는흰털이끼
등

설치 후 2년 정도가 지나서 그야말로 정글 같은 분위기가 되었다. 피겨는 Papo사 제품

침팬지가 사는 숲

레이아웃 제작/Yoshikazu Takahashi(Onesmall 로열 홈센터 치바키타점)
촬영/Toshiharu Ishiwata

정글 깊숙한 곳에서 조용히 살고 있는 침팬지. 그 생활하는 모습을 수조에 재현하고자 만든 레이아웃이다. 곳곳에 피겨가 놓여 있는데, 그것이 전면으로 나오는 것이 아니라 주위와 조화를 잘 이루고 있다. 작은 피겨로 인해 수조가 거대하게 보이는 효과도 있다. 최근에는 레이아웃에 피겨를 사용하는 사람도 늘어나고 있다고 하는데, 아직 체험해보지 못한 사람은 한 번 해보는 것도 좋을 것이다. 유쾌하면서도 심오한 세계가 기다리고 있을 것이다.

마치 다큐멘터리 사진 같다!

오카피의 다리가 잠겨 있는 모습도 리얼하다

DATA

- **수조** ● 60×30×36cm
- **조명** ● 형광등 10시간/일
- **저상** ● 소일
- **조형재** ● 극상 우에레루군
- **온도** ● 26℃
- **관리** ● 육상 식물에는 수중 펌프로 물을 끌어올려 뿌리고 환수는 하지 않는다(물 추가만)
- **사육종** ● 골든 백운산(7)
- **식물** ●
  ① 대만고무나무
  ② 폴리시아스 프루티코사
  ③ 필레아 글라우카 '그레이지'
  ④ 이미테이션 플랜츠

특히 우측의 산이 현저한데, 코르크 바크에 붙은 지의류를 일부러 보이게 함으로써 이 레이아웃의 콘셉트를 알기 쉽게 전달하고 있다

거친 계곡이 수조에!

레이아웃 제작/Takuya Maruyama(Green aquarium Maruyama)
촬영/Toshiharu Ishiwata

선명한 고산식물의 꽃, 같은 피토니아

2개의 산을 잇는 쓰러진 나무가 레이아웃에 깊이감을 부여하고 있다. 잔가지처럼 보이는 것은 채집한 나무뿌리다

수초 레이아웃에서는 산줄기 같은 멀리 있는 풍경을 수조에 재현하는 것이 일반적으로 행해진다. 랜드스케이프라고 불리는 이 스타일은 하나의 장르라고 해도 좋을 정도로 정착되어 있는데, 그 팔루다리움판이라고 할 수 있는 것이 이 레이아웃이다.

깎아지른 듯한 절벽이 눈앞으로 다가올 것 같은 박력은 높이 45cm 케이스 때문일까? 바람을 받아서 기둥이 성장한 수목……처럼 보이는 잔가지는 제작자가 직접 산에 들어가서 조달한 것이다. 코르크 바크 표면에 붙은 지의류도 레이아웃에 거친 인상을 주는 데 한몫하고 있다

뉴트 등의 동물은 지금은 넣지 않았는데, 스케일감을 해치지 않기 위해서다. 예를 들어 여기에서 10cm의 뉴트가 걸어 다니면(벼랑의 스케일감에 맞추면) 공룡이나 괴수처럼 보일 것이고 그러면 약간 흥이 깨져버리고 만다.

마지막으로 팔루다리움만의 이야기를 또 하나. 사실 이 레이아웃, 촬영일 전날에 만든 것이다. 특히 성장속도가 느린 이끼를 메인으로 사용한 팔루다리움은 만든 직후가 거의 완성된 모습인 경우가 많다. 그 경우, 수초처럼 성장 상태에 맞춰서 형태를 정돈할 필요가 없다는 점은 장점이라고 할 수 있지만 입체적으로 보이게 하기 위해서는 상응하는 테크닉도 필요하다. 그런 점도 알기 쉽게 전해주는 레이아웃이다.

2개의 산을 흙을 쌓아서 만들려고 하면 엄청난 양의 소재가 필요하지만 코르크 바크의 뒷면은 이런 느낌으로 비어있다

수조 ● 60×30×45cm
　　　(네오 글래스 팔루다60/DOOA)
조명 ● LED 라이트
　　　(MULTI COLOR LED/ZENSUI)
　　　※다른 수조와 공용 9시간/일
저상 ● 트로피컬 리버 샌드(DOOA),
　　　아쿠아 그라벨(ADA), 적옥토
조형재 ● 극상 조형군(Picuta)
온도 ● 25℃
관리 ● 적당량 분무
식물 ●
　①작은흰털이끼
　②구슬이끼
　③깃털이끼
　④윤이끼
　⑤피토니아 '러버스'
　⑥피토니아 '레드 플레임'
　⑦피토니아 '핑크 톱니잎'
　⑧피토니아 '정글 플레임'
　⑨피커스 푸밀라 '미니마'

DATA

미스트는 식물 육성뿐만 아니라 팔루다리움 연출에도 도움이 된다

안개 낀 정글 풍경

제작/Keisuke Onodera(color)
촬영/Toshiharu Ishiwata

미스트와 팬의 ON/OFF 등의 팔루다리움을 위한 기능을 가지고 있는 시스템을 사용한 레이아웃. 미스트를 사용할 수 있기 때문에 수초로 유통되는 식물을 육상에 풍부하게 식재해서 레이아웃을 장식했다. 특히 배면의 피콕모스는 수중화되어 있는 것을 사용한 것이라 미스팅 시간을 1시간당 15분으로 길게 설정해두었다.

레이아웃에 관해서는, 깊이감을 연출하기 위해 크고 작은 유목을 입체적으로 배치했다. 이른바 오목형 구도인데, 배경에는 모스가 무성하게 자라나 있어 더 울창한 느낌이 든다. 제작자에 의하면 가지고 있던 소재들을 잘 조합하려고 노력했다고 하는데, 결과적으로 깊은 정글 같은 경치를 완성시켰다.

관리는 일주일에 한 번, 고인 물을 빼거나 너무 많이 자라난 잎을 트리밍하는 정도. 특히 수조 오른쪽 아래에 보이는 라게난드라의 성장속도가 빠르다고 한다. 그렇다고는 해도 수중에서 육성하는 수초에 비해 육상 식물은 성장속도가 느린 경우가 많다. 손쉬운 관리도 팔루다리움의 매력 중 하나다.

DATA

- **수조** ● 60×30×45cm (시스템 팔루다 60/DOOA)
- **조명** ● LED 라이트(팔루다 라이트 60/DOOA) 10시간/일
- **저상** ● 정글 소일, 정글 베이스(둘 다 DOOA)
- **배면** ● 와비쿠사 매트(ADA)
- **온도** ● 25°C
- **관리** ● 1시간마다 15분간 미스팅, 1시간마다 6분간 팬 가동 (미스팅 개시 5분 후부터)
- **식물**
  ① 뉴 라지 펄그라스
  ② 워터론
  ③ 코브라 그라스
  ④ 애기모람(야쿠시마산)
  ⑤ 아누비아스 나나 '쁘띠'
  ⑥ 라게난드라 나이리
  ⑦ 하이그로필라 핀나티피다
  ⑧ 라게난드라 케랄렌시스
  ⑨ 베고니아 폴리로엔시스
  ⑩ 라게난드라 미볼디 '그린'
  ⑪ 베고니아 '핑크 서프라이즈'
  ⑫ 볼비티스 헤우델로티
  ⑬ 자바 펀
  ⑭ 메디오칼카 버스테지
  ⑮ 셀로기네 핌브리아타
  ⑯ 세라토스틸리스 필리피넨시스
  ⑰ 피콕 모스

크고 작은 유목을 사용하여 스케일감을 연출. 유목의 이음새를 숨기기 위해 모스를 일부에 활착시켰는데, 유목의 윤곽을 해칠 정도는 아니라서 그 조형이 적당히 존재감을 주장하고 있다

배면에 우거져 있는 것은 수륙양용 피콕 모스. 수초로도 유통되는 모스류 중에서는 육상에서도 아름답게 번성하는 종류다

안개에 둘러싸여 환상적인 분위기가 된 레이아웃. 곳곳에 개성적인 식물을 배치했고 콜렉션적인 요소도 있다

큰 유목을 중심으로 레이아웃하다

레이아웃 제작/Kei Hinata(aquarium shop earth)
촬영/Toshiharu Ishiwata

전용 시스템을 사용하여 세팅한 후 1개월 정도 지난 팔루다리움. "마음가는대로 만들어보았다"고 제작자는 말하지만 그곳에서는 개성이 빛난다. 팔루다리움의 골격으로 가지 모양 또는 봉 모양의 유목을 배치하고 그곳에 모스를 착생시키는 경우가 많은데, 이 작품은 큰 유목을 툭하고 2개 놓아두었다. 이 술라웨시산 유목은 곳곳에 움푹 파인 곳이 있고 그곳에 식물을 심으면 재미있지 않을까……라는 것이 처음의 발상이다. 또한 곳곳에 붉은색 식물을 심어두었는데, 이것은 강조색 역할을 한다. 눈길을 끄는 포인트가 되고 보색이라서 녹색도 돋보이게 해준다.

제작한지 얼마 지나지 않은 상태라서 하초와 모스류는 조금 더 시간이 지나야 볼만해지겠지만 양치식물이나 베고니아는 크게 전개하기 시작했다. 어떤 레이아웃으로 "성장"시킬 것인가. 세팅 후의 즐거움도 크다.

수조 ● 60×30×45cm (시스템 팔루다 60/DOOA)
조명 ● LED 라이트(팔루다 라이트 60/DOOA) 8시간/일
저상 ● 경석, 물이끼, 후지사, 리베라 소일(Delphis)
온도 ● 약 25℃
관리 ● 수조에 부속된 미스팅 시스템을 1시간마다 10분간 가동, 그 외에 매일 물을 뿌림
식물 ●

① 베고니아 세라티페탈라
② 피콕 모스
③ 애기모람
④ 아르디시아 '터틀백'
⑤ 프테리스 멀티피다
⑥ 공작고사리
⑦ 스킨답서스 sp.
⑧ 피토니아 '포레스트 플레임'
⑨ 워터론
⑩ 불꽃 모스
⑪ 큰꽃송이이끼
⑫ 피토니아 '핑크'
⑬ 피토니아 '러버스 트랩'

분무 없이 관리

레이아웃 제작/Aqua Tailors
촬영/Toshiharu Ishiwata

이 레이아웃을 제작한 샵은 일본 팔루다리움의 선구자적인 존재다. 이끼 등의 습도를 좋아하는 식물을 관리할 때에는 물을 분무하여 관리하는 방식이 오랫동안 권장되어왔지만 분무라고는 해도 그 횟수와 물의 양이 충분하지 않으면 물기가 부족해서 건조해버린다. 그리고 건조한 상태라는 것 자체를 알기 어려워서 많은 사람들이 이런 방법을 어려워한다는 것을 알아차렸다고 한다. 중요한 것은 토대에 함유되어 있는 수분이라는 관점에 서서 분무가 아니라 물주기만으로 팔루다리움을 관리하는 방법을 연구했다.

결과적으로 이끼의 토대에 수분을 유지시키는 소재(조형군 등)를 사용하고 뚜껑을 잘 닫아두면 3개월에 한 번 정도 물을 주는 것만으로 팔루다리움을 유지할 수 있는 방법에 도달했다. 이런 관리방법으로 잘 하면 반년이나 물을 주지 않아도 된다고 하니, 거의 멘테넌스가 필요 없는 수준이다.

도중에 약간 식물이 마른 것처럼 느껴질 때에는 안이하게 물을 주지 말고 꽉 닫아둔 뚜껑을 반나절 정도 살짝 열어두면 된다. 그렇게 하면 흙 속에 있는 수분이 증발하면서 식물이 싱싱하게 부활한다고 한다. 이 정도 되면 상당한 관찰안도 필요해질 것 같은데, 애초에 손쉬운 방법이고 시험해볼 가치는 있다.

팔루다리움이 많은 사람들에게 알려지게 된 것은 5년 정도 전부터일 것이다. 그 사이에 다양한 사람들이 시행착오를 겪었고 조금씩 육성방법도 진화해왔다. 점점 더 많은 사람들이 즐길 수 있는 취미가 될 것이 틀림이 없다.

분무를 하지 않고 관리한 레이아웃. 수조는 뚜껑을 빈틈없이 닫아둘 수 있는 것을 사용했다(글래스테리어 피트). 물이 튀면 글래스면을 닦는 번거로움이 늘어나기 때문에 물을 줄 때에는 배면을 타고 가도록 조심스럽게 물을 붓고 있다

수조 ● 10×10×20cm
(글래스테리어 피트 100/GEX)
조명 ● LED 라이트
(소다츠 라이트/Aqua Tailors)
8-12시간/일
저상 ● 소다츠 소일(Aqua Tailors)
소재 ● 우드스톤(Aqua Tailors)
조형재 ● 극상 조형군(Picuta)
온도 ● 25℃
관리 ● 3개월에 1회 물을 준다
식물 ● ①작은흰털이끼

DATA

레이아웃 소재로는 우드스톤을 사용했다. 돌이지만 나무 같기도 한 모습이 유니크하다. 펜치 등으로 쪼갤 수도 있다

화려한 금박을 두른 오키나와 소드테일 뉴트에 맞춰서 선명한 색조를 가진 식물로 레이아웃했다

뉴트를 위한 팔루다리움 2개

레이아웃 제작/Takuya Maruyama (Green aquarium Maruyama)
촬영/Toshiharu Ishiwata

오키나와 소드테일 뉴트. 비교적 활발하여 입체적인 레이아웃에서 노는 모습을 관찰할 수 있다

뉴트를 위한 팔루다리움을 2개 소개해보겠다.

왼쪽 페이지의 작품은 순환 펌프를 사용한 것이다. 정면에서 찍은 사진에서는 펌프가 보이지 않지만 그것은 저상에 묻어두었기 때문이다. 막히는 것을 방지하기 위해 펌프 주위를 경석으로 덮은 다음 기초가 되는 적옥토를 쌓고 코르크 바크와 식물로 표면을 장식했다. 식물에 의한 정화 외에 물이 순환함으로써 생물여과도 작용하여 좋은 환경을 오래 유지하기 쉽다.

오른쪽 페이지의 팔루다리움은 육생경향이 있는 크로카투스 뉴트에 맞춰서 저상을 적시는 정도의 물만 넣고 순환 펌프는 사용하지 않았다. 그렇다고는 해도 이쪽도 제대로 식물을 키워서 마찬가지로 환경 유지를 꾀하고 있다.

둘 다 뉴트의 사육을 고려했기 때문에 은신처가 되는 쉘터를 설치하거나 작은 틈을 막는 등의 배려를 했다(틈에 낀 뉴트가 죽는 경우가 있다).

관리를 중시한 뉴트 사육에서는 플라스틱 케이스를 많이 사용하지만 그래서는 재미가 없다. 그런 식으로 생각하는 당신이라면 레이아웃도 뉴트 사육도 즐길 수 있는 이런 스타일을 검토해보면 어떨까?

DATA

- **수조** ● 36×20×20cm(샵 오리지널)
- **조명** ● LED 라이트(아쿠아 스카이 RGB60/ADA) 9시간/일 ※다른 수조와 공용
- **저상** ● 적옥토, 경석(펌프 주위)
- **여과** ● 아쿠아 테라 메이커(GEX)를 저상에 묻어서 저면여과
- **조형재** ● 극상 우에레루군(Picuta)
- **온도** ● 26℃
- **관리** ● 물 추가
- **사육종** ● 오키나와 소드테일 뉴트(3)

식물 ●
① 깃털이끼
② 가는흰털이끼
③ 아기들덩굴초롱이끼
④ 피토니아
⑤ 크립탄서스 '핑크 스타라이트'
⑥ 미크로소리움 디베르시폴리움
⑦ 더피고사리

왼쪽 페이지 수조

흩뿌려진 낙엽의 분위기가 좋은 크로카투스 뉴트를 위한 레이아웃. 차갑고 서늘한 환경을 좋아하기 때문에 여름에는 에어컨 등으로 온도관리를 하고 있다

좌우 페이지 둘 다 수조는 샵 오리지널이고 전면의 문을 들어 올려서 개폐한다. 차이점은 전면 글래스의 높이다(오른쪽은 물을 부을 수 있도록 높은 위치까지 전면 글래스가 있다)

코르크 바크를 엎어 놓거나 해서 쉘터를 만든다. 특히 부끄러움이 많은 종을 키울 때에는 사람이 내부를 보기 쉽도록 설치하는 것이 중요하다. 건강상태 확인과 급이를 하기 쉬워진다

수중 펌프를 저상 속에 묻어서 물을 순환(왼쪽 페이지 수조). 배수는 에어튜브로 갈라져서 수조 곳곳으로 운반된다

수조 사이즈, 조명, 저상, 조형재는 앞의 수조와 같다(여과는 없다)
온도● 22-23℃
관리● 물을 적당량 분무
사육종● 크로카투스 뉴트(2)
식물●
①가는흰털이끼
②피커스 박시노이데스 등
③양치식물의 일종
④크립탄서스 비타투스 '레드'
⑤피커스 푸밀라 '미니마'
⑥더피고사리
⑦피토니아
⑧깃털이끼

오른쪽 페이지의 수조

오른쪽 페이지 레이아웃의 주민은 이쪽. 물방울무늬가 아름다운 크로카투스 뉴트다. 약간 부끄러움이 많은 종이라서 쉘터 안에 있는 경우가 많다. 참고로 이 뉴트는 제작자의 펫이라서 비매품이다

※같은 케이스의 세팅된 모습은 84페이지에 있다

푸른 보석이 사는 작은 정글

레이아웃 제작/Takuya Maruyama (Green aquarium Maruyama)
촬영/Toshiharu Ishiwata

팔루다리움의 단골, 다트프록을 사육하는 레이아웃을 소개해보겠다. 수조 배면 전체에 깔아놓은 깃털이끼는 가근을 뻗으면서 단단히 고정되었고 상부에 심은 피커스는 축 늘어지듯이 자라나 있어 그들이 사는 운무림(이끼숲)과 같은 자연스러운 경관을 만들어내고 있다. 또한 가는흰털이끼의 융단 위에는 용암석 등을 배치하고 그곳에 유목을 기대어 놓음으로써 다트프록이 놀거나 숨어서 쉴 수 있는 장소를 만들었다.

이끼가 메인인 레이아웃이므로 트리밍 등은 최소한만 하고 70% 정도의 습도를 유지하면 다트프록, 식물 모두 장기간 즐길 수 있을 것이다.

수조 ● 45×31.8×35.5(H)cm
조명 ● 15W 5시간/일
관리 ● 수조 바닥에 1cm 정도 물이 고이도록 1주일간 약 200㎖의 물을 추가한다
사육종 ● 아주레우스 다트프록(2)

식물 ●
① 피커스 푸밀라
② 깃털이끼
③ 줄고사리
④ 가는흰털이끼

아주레우스 다트프록. 높은 인기를 자랑하는 다트프록계의 슈퍼스타. 체장 2.5cm

자연 그자체이며 옛날이야기 같기도 하다. 신기하게 정겨운 풍경

스팟 무늬를 가진 클루기 몬테네그로. 붉은색 스커트도 세련되었다

한쪽 손으로 들 수 있을 정도의 작은 용기에서 대략 30마리의 공벌레가 조용히 살고 있다

제안! 공벌레 사육

제작/Hiromi Nakama(사무스이 수족관)
촬영/Naoyuki Hashimoto

　최근에 공벌레가 인기라서 일부 아쿠아리움 샵에서는 여러 종을 볼 수도 있다. 레오폴디 가오리 같은 물방울무늬를 가진 아름다운 종도 있어서 아쿠아리스트 등의 생물 애호가들의 사육욕을 자극하는 존재다.

　공벌레 사육의 기본은 습도를 유지한 용기에 부엽토나 낙엽을 넣고 때때로 물을 뿌리고……이런 느낌인데, 레이아웃파로서는 약간 재미가 없다. 관상용으로 만든 레이아웃에서 키우는 것은 불가능할까? 이런 생각으로 시행착오를 겪은 끝에 만든 것이 이 작품이다.

　종별 자세한 사육정보는 적지만 적극적으로 살아있는 식물을 먹지 않는다고 생각되는 공벌레를 골라 넣어보았다. 또한 식물도 공벌레에게 잘 먹히지 않을만한 종을 골랐다. 그렇게 한 보람이 있었는지, 레이아웃 설치 후 1개월 정도가 경과했지만 큰 문제는 일어나지 않고 있다.

　애초에 공벌레가 먹어도 괜찮도록 근처에서 채집한 식물을 주로 심은 것도 포인트이기는 하다. 덧붙여서 공벌레가 배고프지 않도록 의식적으로 먹이(렙토민)를 주고 있다.

　낮에는 거의 모습을 보이지 않는 공벌레도 어두워지면 어슬렁어슬렁 기어 나와서 활동을 시작한다. 인간과 가축에 무해하고 얌전하며 느릿느릿하고 사랑스럽다. 피곤하지 않은 펫과 살고 싶다! 이렇게 생각하는 사람이라면 한번쯤 흥미를 가져보길 권하고 싶은 종류다.

수조 ● 직경 20×높이 20cm
(글래스 아쿠아리움 티어/GEX)
조명 ● 없음
(양지바른 실내에 놓아두었다)
저상 ● 모델링 소일(JUN)
온도 ● 25~26℃
관리 ● 물을 적당히 분무,
뚜껑을 닫고 보습
사육종 ● 쿠바리스 팍총, 클루기 몬테네그로(크라운 공벌레), 매직포션(불가레 공벌레), 레드 스커트 합계 30마리 정도

식물 ●
①양치식물의 일종
②초롱이끼와 깃털이끼
③가는흰털이끼
④부처손
⑤구슬이끼
⑥애기모람
⑦피토니아
⑧너구리꼬리이끼
그 외, 피쿠스 sp.

DATA

아쿠아 테라리움 작품소개

크게 물터를 만들어둔 작품~아쿠아 테라리움~의 레이아웃집.
물고기 등의 수생생물을 키우기 쉽기 때문에 움직임이 느껴지는 존재가 더 많아진다

·소개하는 레이아웃에 관해
·뚜껑이나 앞문을 열고 찍은 것도 있다
·수조(케이스)의 사이즈는 폭×안길이×높이cm

좌/둥근 수조에 뉴트를 한 마리 넣었다. 심은 수초(워터 머쉬룸)는 성장속도가 빨라서 뉴트를 위해 때때로 가위로 잘라낸다
우/원주형 수조에 메다카를 한 페어 넣었다. 레이아웃 소재로 돌을 사용했는데, 메다카가 끼지 않도록 글래스와의 틈을 흙으로 채웠다

우선은 기죽지 말고……!

레이아웃 제작/편집부

촬영/Naoyuki Hashimoto　기재제공/GEX

아쿠아 세계에 들어온지 얼마 되지 않은 사람이라면 팔루다리움 또는 아쿠아 테라리움이라는 분야에 흥미를 가지고 있다고 해도 주저할지 모른다. 특히 녹색이 빽빽한 작품 등을 보면 도저히 손을 댈 수 없다……라고 생각하는 것이 보통일 것이다.

그렇다고 해서 그다지 어렵게 생각할 필요는 없다. 얕게 물을 붓고 수초 또는 물에 강한 식물을 놓아두면 대부분의 식물은 잘 자라준다. 이때 수초라면 물 위에서 자란 것(수상엽)을 고르고 세팅 초기에 뚜껑을 닫아두면 건조로 인해 시드는 일을 방지할 수 있다.

그런 간단한 레이아웃이라고 해도 생활 한 구석에 두면 정서적으로 윤택해진다. 식물만으로는 허전하다면 뉴트 등의 키우기 쉬운 동물을 넣는 것도 좋다. 관리방법은 자연스럽게 익히게 될 것이고 매일 물을 주지 않아도 되는 만큼 일반적인 화분보다 덜 번거로울지도 모른다. 우선은 시작해보자.

DATA

좌
- **수조** ● 직경 22.5×높이 18.5cm(글래스 아쿠아리움 스피어)
- **조명** ● LED 라이트 (클리어 LED 피테라) 10시간/일 글래스 베이스 메이플에 설치
- **저상** ● 여과하는 적옥토(여기까지 모두 GEX)
- **온도** ● 실온　**관리** ● 일주일에 한 번 1/2 환수
- **동물** ● 일본 파이어벨리 뉴트(1)
- **사육종** ●
  ① 워터 머쉬룸
  ② 날개이끼 sp.

우
- **수조** ● 직경 18×높이 20cm(글래스 아쿠아리움 실린더)
- **조명** ● LED 라이트 (클리어 LED 리프글로우) 10시간/일
- **저상** ● 여과하는 적옥토(여기까지 모두 GEX)
- **온도** ● 실온　**관리** ● 일주일에 한 번 1/3 환수
- **사육종** ● 히레나가 양귀비(1페어)
- **식물**
  ③ 윌로 모스
  ④ 나자스
  ⑤ 자이언트 살비니아

튼튼한 뉴트는 추천하는 생체이지만 탈주의 명인이다. 소개한 수조도 평소에는 투명한 뚜껑을 닫아두고 있다

우측 수조에는 인기 있는 메다카를 페어로 넣어두었다. 용량이 4ℓ 정도 되므로 여기에서 채란하는 것도 가능하다. 넣어둔 수초는 모두 메다카의 산란상도 된다

환수를 하는 김에 글래스면도 닦고 있다. 깨끗하게 유지하는 것은 동기부여라는 의미에서도 중요하다 (사진은 마그 피트 플로트 ROUND/GEX)

플래티와 관엽식물이 컬러풀한 광경을 만들고 있다

물고기도 식물도 즐길 수 있는 간단 아쿠아 테라리움

레이아웃 제작/편집부
촬영/Naoyuki Hashimoto
기재협력/Spectrum Brands Japan

육지부분은 돌과 유목을 배치하고 화분째 식물을 놓아두기만 했다

본지에서는 많은 작품들을 소개하고 있는데, 언뜻 보면 복잡해 보이는 것도 있어서 망설이게 되는 사람도 있을 것이다. 그렇다면 이런 아쿠아 테라리움은 어떨까? 우측의 식물 공간은 돌과 유목을 놓아두었을 뿐이다. 그 위에 작은 관엽식물을 화분째 놓아두었다.

이런 레이아웃부터 시작해서 다음에는 화분을 떼어내고 식물을 심으려면 어떻게 해야 하지? 배면도 식물로 덮으려면? 이런 식으로 한 단계씩 올라가면 된다. 그리고 의외로 이렇게 간단한 레이아웃도 방에 놓아두면 장식적인 효과가 높다는 것을 알 수 있을 것이다.

수조 ● 52×27×30cm
조명 ● LED 라이트 10시간/일
저상 ● 규사
여과 ● 내부식 필터(테트라 미니 테라리움 필터 TF45)
온도 ● 25℃
관리 ● 일주일에 한 번 1/2 환수
사육종 ● 플래티&블랙몰리(15)
식물
　①포토스　　　　　　　③헤데라 헬릭스 '미니에스터'
　②캄파눌라 '블루원더'　④드라세나 '레인보우'

DATA

필터가 만드는 폭포 아래에서 활발하게 헤엄치는 플래티들

사용한 것은 수조와 필터 등이 세트로 되어 있는 "글래스테리어 아쿠아 테라 200 큐브 H 세트"(GEX)

육상 식물은 "라쿠라쿠 수초 P 큐브"(Kamihata Yogyo). 수초 여러 종의 수상엽이 섞여 있다

육지는 돌에 올린 라쿠라쿠 수초 P 큐브에 윌로 모스를 씌워두었을 뿐이다

수조의 가장자리에 거북이의 발톱이 걸리면 도망치기 쉬워지므로 수위를 낮춰두었다

작은 거북이의 작은 아쿠아 테라리움

레이아웃 제작/편집부
촬영/Naoyuki Hashimoto

귀여운 거북이를 키우기 위해 설치한 수조이며 필터에 돌을 기대어 놓고 육지로 만들었다. 머스크 터틀 종류는 수생경향이 강하지만 육지를 만들어두면 가끔 올라오기도 한다. 그런 행동을 보는 것이 즐겁고 육상에 식물을 놓아두면 화려한 장식도 되므로 베어탱크에서 사육하는 것보다 만족감이 더 느껴질 것이다. 또한 거북이는 작아도 물을 잘 더럽히기 때문에 때때로 청소를 해줘야 한다. 그럴 때에도 해체, 조립이 쉬운 간단한 구조의 아쿠아 테라리움이라면 크게 귀찮지 않을 것이다.

커먼 머스크 터틀. 작을 때에는 특히 수생경향이 강하다

DATA
- 수조 ● 20×20×24cm (GEX)
- 조명 ● LED 라이트 10시간/일
- 저상 ● 메다카의 자갈 펄 화이트 (GEX)
- 여과 ● 내부식 필터 (사일런트 플로우 슬림 블랙/GEX)
- 온도 ● 25℃
- 관리 ● 일주일에 한 번 1/2 환수
- 사육종 ● 커먼 머스크 터틀(1)

서양식 방에도 일본식 방에도 놓기 쉬운 입체 레이아웃

레이아웃 제작 / Takuya Maruyama
(Green aquarium Maruyama)

촬영/Toshiharu Ishiwata

펌프(여과) 없이 유지하고 있는 아쿠아 테라리움. 유목은 블룸 우드와 가지 유목, 돌은 황호석을 사용하고 있다

제작 테마는 수중 펌프를 사용하지 않고 어디까지 레이아웃을 높게 만들 수 있는가. 기초로 사용한 발포재(우에레루군)는 흡수성이 있어서 모세관현상을 통해 물을 빨아올리므로 식물에 물을 공급할 수 있다. 그리고 윌로 모스가 물을 좋아해서 1일 1회 물을 뿌려주고 있다.

레이아웃에 관해서는, 물속은 돌을 사용하여 일본풍으로 만들고 물위는 관엽식물과 드라이플라워로 어느 쪽인가 하면 서양풍으로 만들어보았다. 수조는 약간 큰 화분 정도의 크기라서 물을 빼면 이동도 어렵지 않고 집안 곳곳에 놓아둘 수 있다.

DATA

- **수조** ● 30×30×30cm
- **라이트** ● LED 라이트
  (아쿠아 스카이 601/ADA) 9시간/일
- **저상** ● 콜로라도 샌드, 아쿠아 그라벨
  (둘 다 ADA)
- **조형재** ● 극상 우에레루군(Picuta)
- **온도** ● 25℃
- **관리** ● 일주일에 1~2회 1/2 환수,
  1일 1회 분무
- **사육종** ● 청라메 미유키(7), 새뱅이(10)
- **식물** ●
  ① 테이블 야자
  ② 소엽맥문동
  ③ 가는흰털이끼
  ④ 윌로 모스
  ⑤ 아마존 프로그비트
  ⑥ 드라이플라워

물속에는 강하게 반짝이는 메다카. 온도 변화에도 강해서 히터를 넣을 수 없는 수조에서도 키우기 쉽다

벌렁 드러누워 있는 코르크 바크, 실제 사이즈
감을 의식하여 제작한 레이아웃

발밑에 베타가 있는 것 같은······

Takuya Maruyama(Green aquarium Maruyama)
촬영/Toshiharu Ishiwata

　레이아웃에는 여러 가지 접근방법이 있지만 이것은 실제 크기의 자연을 잘라온 것 같은 이미지다. 썩은 나무를 연기하는 코르크 바크를 번쩍 들어 올리면 그곳에는 베타가 있다······그런 콘셉트로 만들었다. 그러기 위해 장식은 가능한 한 자연스럽게 보이게 하기 위한 테크닉을 많이 사용했다. 코르크 바크는 자르는 것이 아니라 손으로 꺾었고 단면도 정리하지 않았다. 이끼도 깔끔하게 식재하는 것이 아니라 일부 자갈을 노출시키거나 잘게 부순 낙엽을 뿌려서 살짝 감추기도 했다. 코르크 바크에서 나온 성분에 의해 물이 갈색으로 물들어서 마치 베타의 서식지 같다.

　제작한 지 얼마 되지 않았지만 오랫동안 그곳에 있었던 것 같은 풍경인 이유는 이런 테크닉들 덕분이다.

수조 ● 36×20×20cm(삽 오리지널)
조명 ● 아쿠아 스카이 RGB 60(ADA) 9시간/일
　※다른 수조와 공용
저상 ● 아쿠아 그라벨 (ADA), 전사(AF Japan)
순환펌프 ● 아쿠아 테라 메이커(GEX)
온도 ● 26℃
관리 ● 일주일에 한 번 1/2 환수
사육종 ● 플라캇(1)
식물 ●
　①작은흰털이끼
　②윤이끼
　③더피 고사리
　④카렉스 엘라타 '아우레아'

DATA

일부러 정돈하지 않고 자연감을 연출했다

필드를 표현한 것이기는 하지만 관상이 목적이므로 키우기 쉬운 플라캇(캔디)을 도입했다

어두운 색의 유목과 소일에 밝은 녹색을 올린 아쿠아 테라리움. 중앙에 수조 안쪽까지 이어지는 탁 트인 공간을 만든 것으로 인해 개방감도 느껴진다

밝은 물속을 염두에 두고 만든 레이아웃

레이아웃 제작/Tomoaki Ueno(Aqua Take-E)
촬영/Toshiharu Ishiwata

아쿠아 테라리움은 수면보다 높은 위치에 식물을 우거지게 만들 수 있기 때문에 아무래도 물속은 어두워지기 쉽다. 하지만 아쿠아리스트라면 물속도 즐기고 싶을 것이다. 그런 콘셉트로 만든 것이 이 레이아웃이다.

어두워지기 쉬운 수중부분에 밝은 녹색 하초 뉴 라지 펄그라스를 깔았다. 튼튼한 수초이기는 하지만 융단처럼 전개시키기 위해 CO_2도 첨가했다.

한편, 수상부분도 리시아와 후마타 고사리 등의 밝은 색 잎을 가진 식물을 사용해서 전체적으로 밝고 화려한 레이아웃으로 만들기 위해 노력했다. 설치 후 10개월 정도가 지난 현재는 수륙 모두 각종 그린으로 장식되어 있다.

구도는 유목을 오목형으로 배치했으며 이것은 네이처 아쿠아리움 작법을 따른 것이다. 이대로 수몰시켜도 수초 레이아웃으로서 충분히 통용되는 완성도다.

수면이 낮은 위치에 있기 때문에 위와 옆, 어디에서 봐도 눈에 잘 띄는 개량 메다카를 도입했다

수조●60×30×18/23cm(네오 글래스 테라/DOOA)
조명●36W 형광등×4 9시간/일
저상●아마조니아 II (ADA)
여과●저면식 여과, 외부식 필터(슈퍼 제트 필터 ES-150/ADA)
CO_2●1초에 1방울
온도●25℃
관리●저면식 여과기로 끌어올린 물을 분수기(아쿠아 테라 메이커/GEX)를 사용하여 육상부에 배수, 환수 없음(물 추가만), 2일에 한 번 정도 분무
사육종●앙귀비 메다카(10), 미유키 슈퍼(10)
식물●
①뉴 라지 펄그라스
②아누비아스 나나 '미니'
③미크로소리움 프테로푸스
④리시아
⑤미니 속새
⑥필로덴드로 sp. '파푸아뉴기니'
⑦후마타 고사리
⑧볼비티스 헤우델로티
그 외에 부세파란드라 sp. '그린 웨이비', 볼비티스 '베이비리프', 윌로 모스 등

DATA

폭포가 흐르는 큐브형 팔루다리움

레이아웃 제작/Remix mozo 원더시티점(현 Remix 카스가이점)
촬영/Naoyuki Hashimoto

물이 많은 아쿠아 테라이움에 가까운 팔루다리움. 볼거리는 뭐니 뭐니 해도 우측 안쪽에 있는 폭포. 흘러내리는 물이 사람의 시선을 끌어당기고 물가에서 노는 메다카(개량 송사리)들도 어딘지 모르게 즐거워 보인다.

폭포 외에, 또 하나의 펌프로는 레이아웃 곳곳에 분수기로 물을 배급하고 있다. 또한 팔루다리움치고는 물이 많기 때문에 습도로 인해 글래스가 뿌옇게 되기 쉽다. 그래서 케이스 상부에 작은 팬을 설치하여 수조에서 공기를 빨아내도록 순환시키고 있다.

육지부분은 조형재 위에 용암석을 접착하여 만들었다. 여기에서는 메다카가 헤엄치고 있지만 일본산 개구리나 뉴트도 어울릴 것이다

DATA

- 수조 ● 45×45×45cm
- 조명 ● LED 라이트 11시간/일
- 저상 ● 자갈(중립)
- 조형재 ● Epiweb(Aqua Tailors)
- 여과 ● 소형 내부식 필터×2
- 온도 ● 23℃
- 관리 ● 육상 식물에는 아쿠아 테라 메이커(GEX)로 물을 뿌리고, 2주에 한 번 2/3 환수, 적당량의 물을 추가하고 분무
- 사육종 ● 홍제(10)
- 식물 ●
  ① 피커스 박시노이데스
  ② 윤이끼
  ③ 섞여 들어온 양치식물
  ④ 너구리꼬리이끼
  ⑤ 줄고사리
  ⑥ 흑송(프리저브드 플라워)
  ⑦ 프테리스 앙구스티핀나
  ⑧ 후마타 고사리
  ⑨ 위핑 모스
  그 외 공작이끼

열대우림에서 숨 쉬는 식물들

레이아웃 제작 / Kota Iwahori
(Aqua Design Amano)

촬영/Toshiharu Ishiwata

물속에는 수생 이끼, 물 위에는 양치식물과 난, 토란 등의 다양한 식물을 배치한 레이아웃이다. 녹색의 밀도가 높아서 마치 열대우림의 물가 같다.

사진에 보이는 안개는 전용 기구(미스트 플로우)로 만든 것이며 이것이 식물에 습도를 공급할 뿐만 아니라 운무림 같은 연출도 해준다.

수조배면 상부에는 물이 흐르고 있어서(캐스케이드 시스템) 그곳에 모스가 활착한 유목이 닿으면 물을 끌어들이고 다른 육상 식물에도 물이 돌아간다. 설치 후 약 3개월이 지났다. 빽빽하게 자라난 모스 등, 애호가라면 설렐 만한 광경이 전개되어 있다.

수조 상부에서 안개가 떨어져 수면 부근에 멈춰있다. 마치 습도 높은 정글 같다

제작할 때에는 2개의 큰 유목(혼우드)을 배치하면서 생긴 움푹 파인 곳에 물이끼를 깔고 각종 식물들을 심었다

DATA

수조	30×30×40cm (시스템 테라30)
조명	LED 라이트 (솔 스탠드 G) 8시간/일
저상	트로피컬 리버 소일, 파워샌드 스페셜 S
여과	수조에 부속된 여과 장치
그 외 기구	미스트 플로우
온도	24℃
관리	일주일에 한 번 1/3 환수, 1일 2회 분무, 적당량 물 추가, 와비쿠사 미스트(스프레이식 영양소) (기구 외 모두 DOOA 또는 ADA)
사육종	피그미 구라미(10), 시아미즈 플라잉폭스, 오토싱클루스, 야마토 새우

식물
① 아스플레니움 안티쿰
② 에피프레넘 sp.
③ 자바 펀
④ 콜리시스 sp.
⑤ 말락시스 로위
⑥ 소네릴라 sp.
⑦ 호말로메나 sp.
⑧ 베고니아 루조넨시스
⑨ 볼비티스 헤테로클리타 '커스피다타'
⑩ 아리다룸 sp.
⑪ 세라토킬루스 비그란듈로서스
⑫ 자와 모스
⑬ 핍토스파사 리들레이

배면의 수초는 전용 매트(와비쿠사 매트)에 활착시킨 것이다

여러 겹으로 겹쳐진 피콕 모스가 강하게 시선을 끄는 레이아웃이다

눈에도 선명한 피콕 모스

레이아웃 제작/Noboru Okina(AQUA World 판타날)
촬영/Toshiharu Ishiwata

수조 ● 30×30×40cm(시스템 테라 30/DOOA)
조명 ● LED 라이트(솔 스탠드 G/DOOA) 8시간/일
저상 ● 트로피컬 리버 소일(DOOA),
　　　　운산석 XXS(ADA), 용암석
여과 ● 수조와 세트
CO_2 ● 1-2초에 1방울
온도 ● 26-27℃
관리 ● 환수 없음(매일 물을 추가), 미스트 플로우
　　　　(DOOA)로 24시간 안개 발생
사육종 ● "라스보라" 헨겔리(5)
식물 ●
　①쇼트 헤어 그라스
　②부세파란드라 sp. '케다강'
　③하이그로필라 핀나티피다
　④피콕 모스
　⑤라게난드라 미볼디 '레드'
　⑥아누비아스 나나 '쁘띠'
　⑦스파이키 모스
　⑧크리스마스 모스

촉촉하게 우거진 이끼를 동경하는 사람은 많으리라 생각한다. 여러 가지 이끼가 있지만 아쿠아리움 샵에서 유통되는 것 중에서는 피콕 모스의 모습이 꽤 멋지다. 이 피콕 모스를 메인으로 제작한 것이 이번에 소개하는 아쿠아 테라리움이다.

유목에 올린 피콕 모스는 대략 반년의 세월을 거쳐 아름답게 자라났다. 여러 겹으로 겹쳐진 그 밝은 녹색은 수조중앙에서 발군의 존재감을 발휘하고 있다.

이 피콕 모스와 그 외의 배면의 수초는 캐스케이드(안개와 물이 흐르는 수조상부의 홈통)에 의해 수분을 공급받는다. 특히 피콕 모스는 캐스케이드에 일부가 잠겨있어서 모세관현상(과 중력)으로 인해 유목전체에 물이 골고루 퍼지게 된다.

폭 30cm의 결코 크지 않은 수조지만 강한 포인트 하나를 만들면 볼만해진다. 특히 레이아웃이 정해지지 않아서 고민 중인 사람은 참고할 만 할 것이다.

이끼 낀 낡은 우물

레이아웃 제작 / Shigeru Takitani
(AQUA free)

촬영/Toshiharu Ishiwata

　테라 베이스라는 도자기로 된 탑을 사용한 레이아웃. 테라 베이스는 뚜껑이 닫히는 수조 등에 넣어서 높은 습도를 유지하며 관리하는 것이 보통이지만 이쪽은 개방형이다. 이 레이아웃에서도 습도를 좋아하는 이끼와 수초를 사용하고 있지만 건조방지책으로 야간에 비닐봉지를 씌워두기도 하고 시간이 생기면 테라 베이스에 물을 부어넣어서 잠시 넘쳐흐르게 한다(식물에 붙어 있는 이물질을 제거하려는 목적도 있다).

　그런 부지런한 관리방법 덕분인지, 착생한 크리스마스 모스는 짧고 빽빽하게 자라나 있다. 테라 베이스 안쪽까지 이끼가 자라나 있는 모습은 오랜 시간이 경과한 것 같은 느낌을 주고 마치 오래된 낡은 우물 같은 정취가 느껴진다. 식물의 특성을 살피면서 다양하게 어레인지한다. 그것도 팔루다리움, 아쿠아테라리움의 재미다. 그런 점을 이 레이아웃에서 느낄 수 있다.

테라 베이스를 사용한 레이아웃의 제작은 94페이지에 게재되어 있다

사용한 것은 테라 베이스 S사이즈. 측면에 유목을 붙이거나 해서 변화를 주었다

물이 얕게 고여 있는 수역에는 아누비아스와 윌로 모스 등의 수초를 배치했다

수조 ● 20×20×18cm(네오 글래스 에어/DOOA)
조명 ● LED 라이트 10시간/일
저상 ● 라플라타 샌드(ADA)
온도 ● 약 25℃(실온)
관리 ● 생각나면 테라 베이스에 물을 붓는다(잠시 넘치게 한다), 분무는 하지 않는다
사육종 ● 백운산(5)
식물
　① 크리스마스 모스
　② 프테리스
　③ 디네마 폴리불본
　④ 호주 노치도메
　⑤ 아누비아스 나나 '쁘띠'
　⑥ 윌로 모스
　⑦ 아마존 프로그비트
　⑧ 아라과이아 레드 샤프리프 하이그로

DATA

> 물이 있는 공간이 넓어서 물고기들도 느긋하게 헤엄치고 있다

알기 쉽고 보기 좋게

레이아웃 제작/Aqua Forest 신주쿠점
촬영/Toshiharu Ishiwata

샵이 주최한 워크샵에서 견본으로 제작한 아쿠아 테라리움. 이제부터 시작하고 싶은 사람 앞에서 실제로 제작한 것이기 때문에 알기 쉽게, 그러면서 본격적으로……라는 콘셉트가 있다.

많은 돌(산곡석)이 쌓여 있는 것처럼 보이지만 돌만으로 레이아웃을 높게 만드는 것은 어렵기 때문에 돌 안쪽에 있는 토대로 가공하기 쉬운 발포 조형재를 사용했다.

촉촉한 일본풍 분위기를 노린 작품이라 차분한 인테리어에도 잘 어울릴 것이다. 폭포 옆에 서 있는 개구리도 어딘지 모르게 즐거워 보이는 아쿠아 테라리움이다.

DATA
- 수조 ● 45×30×32cm
- 조명 ● LED 라이트 11시간/일
- 저상 ● 콜로라도 샌드(ADA), 자갈(AF japan)
- 조형재 ● 극상 우에레루군(Picuta)
- 여과 ● 저면식 필터(아쿠아 테라 메이커/GEX)
- 온도 ● 26℃
- 관리 ● 육상 식물에는 아쿠아 테라 메이커로 물을 뿌리고 일주일에 한 번 1/2 환수, 적당량 분무
- 사육종 ● 네온 드워프 레인보우(10)
- 식물 ●
  ① 자바 펀
  ② 후마타 고사리
  ③ 펄그라스
  ④ 가는흰털이끼
  ⑤ 자와모스
  ⑥ 파리지옥
  ⑦ 아주비아스 나나 '미니'
  ⑧ 부세파란드라 sp. '쿠알라쿠아얀 I'
  ⑨ 크립토코리네 파바
  ⑩ 소엽맥문동

앞에 서면 우선 이 폭포가 눈에 들어온다. 여과기와는 다른 수중펌프(리오 플러스 200)로 물을 끌어올려서 돌과 조형재로 만든 수로에 떨어뜨리는 심플한 설계다

암체어 같은 형태로 돌을 배치한 팔루다리움. 큰 수조지만 식물의 색조가 밝아서 압박감은 없다

석조 중심의 아쿠아 테라리움적인 팔루다리움

레이아웃 제작/Kenshi Hoshina(사무스이 수족관)
촬영/Naoyuki Hashimoto

DATA
- **수조** ● 60×45×45cm
- **조명** ● LED 라이트 10시간/일
- **저상** ● 보이는 부분은 라플라타 샌드(ADA), 아쿠아소일 아마조니아(ADA)
- **여과** ● 외부식 필터 ※펌프에서 나오는 물을 에어튜브로 나눠서 육상 식물에게 준다
- **온도** ● 25℃
- **관리** ● 일주일에 한 번 1/2 환수, 1일 1회 분무
- **동물(물고기)** ● 오토싱클루스, 야마토 새우
- **식물** ●
  ① 미크로소리움 sp.
  ② 스킨답서스 sp. '무나섬'
  ③ 펠리오니아 레펜스
  ④ 볼비티스 sp.
  ⑤ 워터 머쉬룸
  ⑥ 크리스마스 모스
  ⑦ 자와모스
  ⑧ 부세파란드라
  ⑨ 미크로소리움 "트라이던트"

산간 도로변에서도 볼 수 있는 바위를 타고 흐르는 청수. 그것을 재현하고자 한 팔루다리움이 이 작품이다.

수조의 크기는 60×45×45cm로 약간 크다. 그래서 메인인 돌(산곡석/ADA)을 20kg 전후로 많이 사용했다. 상당히 입체적으로 돌을 배치했지만 접착제는 사용하지 않았다. 퍼즐처럼 끼워 넣기 좋은 위치를 찾으면서 돌을 놓았다. 그래도 불안정한 부분에는 울매트 등을 끼워서 안정감을 유지하고 있다.

식재 포인트는 모스류를 올리는 부분에 흡수성이 높은 테라 테이프(ADA)를 감아서 건조를 방지하고 있는 점이다. 또한 평소에는 뚜껑을 닫아서 고습도를 유지하고 있다.

예상대로 되지 않았던 점으로는 수위가 있다. 필터의 스트레이너의 높이 문제로 사진보다 수위를 낮출 수가 없었다. "원래는 조금 더 수위를 낮춰서 팔루다리움에 가깝게 만들고 싶었다"고 제작자는 말한다.

초반에는 에어튜브에서 나오는 배수가 폭포처럼 기세 좋은 부위도 있었지만 모스가 우거지면서 그것도 완화되어 노리던 대로 바위를 타고 흐르는 청수가 되었다. 수위는 계획과 달랐지만 오히려 레이아웃 전체의 싱싱한 인상이 더 강해졌다고도 할 수 있다.

뚝뚝 떨어지는 물방울이 시원해 보인다. 수조 이곳저곳에서 볼 수 있는 광경이다

육상과 수중 식물의 밸런스가 좋은 레이아웃. 미러 유닛이 밝은 분위기를 더욱 강조하고 있다

빛나는 아쿠아 테라리움

레이아웃 제작/Shigeru Takitani(AQUA free)
촬영/Toshiharu Ishiwata

아쿠아 테라리움 전용 수조와 시스템을 사용하여 만든 레이아웃이다. 그때그때 손질을 하면서 세팅 후 3년 정도가 경과했다.

육상 식물은 와비쿠사(ADA)에서 유래한 식물이 많고 특히 유경초는 다양한 종이 자라나고 있다. 다른 수조에서 늘어난 수초를 가지고 온 것도 있지만 그 때에는 물 위에 자라나 있는 것을 잘라내어 이식했다. 물속에 있는 수초를 갑자기 물 밖에 놔두면 대부분 잘못되기 때문이다.

물속에 이산화탄소는 첨가하고 있지 않지만 펄그라스는 적당히 번성해 있다. 특히 아쿠아 테라리움에서는 수상 식물이 번성하면 물속이 어두워지기 쉽지만 펄그라스는 약한 빛에도 잘 적응하는 것 같다.

현재는 잎의 색이 밝은 히드로코틸레 레우코세팔라가 우세하여 상쾌한 경관을 보여주고 있다. 제작자에 의하면 다양한 레이아웃을 Instagram에 업로드하고 있는데, 그 중에서도 특히 이 작품에 대한 반응이 좋았다고 한다. 그 반응이 납득이 가는 완성도다.

수조 ● 60×30×16/36cm (네오 글래스 테라/DOOA)
배면 ● 와비쿠사 월 60(DOOA)
조명 ● LED 라이트 (아쿠아 스카이 G 미러 유닛/ADA) 10시간/일
저상 ● 트로피컬 리버 소일(DOOA)
여과 ● 외부식 필터 (슈퍼 제트 필터 ES-150/ADA)
온도 ● 약 25℃(실온)
관리 ● 일주일에 한 번 1/2 환수, 적당량 분무
사육종 ● 다이아몬드 레드 네온테트라(20), 글로라이트 테트라
식물 ●
①아누비아스 나나
②펄 그라스
③히드로코틸레 레우코세팔라
④시페루스
⑤아메리칸 스프라이트
⑥필로덴드론 sp. '파푸아뉴기니'
⑦아글라오네마 '실버퀸'
그 외, 각종 유경초

DATA

다이아몬드 레드 네온테트라의 무리와 펄그라스가 분위기 좋게 조화를 이루고 있다

물 위에는 다양한 식물이 번성해 있다. 정기적으로 물을 뿌려서 잎에 붙어 있는 이물질을 떨어뜨리고 있다

그 종이 좋아하는 습도에 따른 분류, 또는 육성에 관해서는 138페이지에 해설이 있다

이끼를 건강하게 육성하기 위해 배치를 생각한 아쿠아 테라리움

레이아웃 제작·사진·글/Naoto Tomizawa
(오카야마 이과대학 전문학교 아쿠아리움 학과장)

건조한 환경을 좋아하는 종류는 기본적으로 아쿠아 테라리움에는 적합하지 않기 때문에 여기에서는 중간 타입과 습기를 좋아하는 타입의 이끼를 사용했다. 중간 타입의 이끼 중에서도 비교적 건조한 환경을 좋아하는 레우코브리움 스카브룸은 가장 상부에 놓고, 상부부터 중간부분까지는 건조한 환경에도 강한 비꼬리이끼, 구슬이끼, 털수세미이끼, 좀벼슬이끼를 배치했다. 물에 가까운 부분 중에 용토가 젖지 않는 장소에는 습도를 좋아하는 너구리꼬리이끼와 덩굴초롱이끼를 놓아두고, 습기를 좋아하는 가는물우산대이끼, 큰잎덩굴초롱이끼는 물가와 물속에 잠기게 하듯이 레이아웃했다.

수조 ●60×45×45cm
조명 ●LED 라이트(LED 라이너 600 실버/Nisso) 10시간/일
저상 ●강모래
여과 ●내부식 필터(Suisaku 스페이스 파워 피트 플러스 M/Suisaku)
온도 ●25℃
관리 ●1일 1회 분무, 일주일에 한 번 물주기, 환수는 적당량
사육종 ●소드테일 뉴트(3)
식물
①레우코브리움 스카브룸
②털수세미이끼
③구슬이끼
④비꼬리이끼&털깃털이끼
⑤좀벼슬이끼
⑥비꼬리이끼
⑦너구리꼬리이끼
⑧부채괴불이끼
⑨콩짜개덩굴
⑩아기들덩굴초롱이끼
⑪누운괴불이끼
⑫가는물우산대이끼
⑬덩굴초롱이끼
⑭큰잎덩굴초롱이끼

콩짜개덩굴, 부채괴불이끼, 누운괴불이끼 등의 양치식물도 사용했지만 이끼 같아 보이는 종류를 사용했기 때문에 전체적으로 이끼가 메인인 레이아웃으로 완성되었다.

물은 1일 1회 분무기로 뿌린다. 습도는 글래스 뚜껑의 개폐구를 조절해서 70% 이상이 되도록 컨트롤하고 있다.

DATA

유목 끝까지 식물이 있어서 더 크게 보인다

수상부에 포인트를 둔 아쿠아 테라리움

레이아웃 제작/Yusuke Honma(Aqua Design Amano)
촬영/Toshiharu Ishiwata

물 위에 크게 전개된 유목을 놓아둔 아쿠아 테라리움. 수상부가 커서 수조 사이즈에 비해 더 개방적으로 보인다. 그 유목에는 네펜테스(벌레잡이통풀)와 난, 방사상으로 자란 양치식물 등의 포인트가 되는 식물이 배치되어있어 시선을 끈다.

육성에 관해서는, 캐스케이드(물과 안개를 받는 홈통 같은 부품)에 유목이 닿게 해서 모세관현상으로 물을 끌어들이고 유목에 있는 식물에게 수분을 공급하고 있다. 또한 미스트로 광범위하게 습도를 유지하여 식물 육성을 촉진하고 있는데, 이 레이아웃의 경우 유목을 V자 모양으로 배치하여 그 안쪽에 미스트가 모이게 함으로써 안에 있는 베고니아 등에게 더 많은 습도를 공급하고 있다. 시스템, 레이아웃 소재의 구성, 식물 배치를 잘 조합했다고 할 수 있다.

앞으로 식물들이 번성하면 더 자연감이 늘어날 것이다. 그 과정을 즐기고 싶은 레이아웃이다.

수조 ● 60×30×18/23cm(네오 글래스 테라(H23)/DOOA)
배면 ● 수초 미스트 월 60(DOOA)
조명 ● LED 라이트(솔라 RGB/ADA) 9시간/일
여과 ● 외부식 필터(슈퍼 제트 필터 ES-150 Ver.2/ADA)
CO_2 ● 1초에 3방울
저상 ● 아마조니아 II (ADA), 트로피컬 리버 샌드(DOOA)
온도 ● 25℃(수온)
관리 ● 일주일에 한 번 1/3 환수, 미스트 플로우로 분무
식물 ●
① 블레크넘 '실버 레이디'
② 에피덴드럼 포팍스
③ 네펜테스 벤트리코사
④ 셀로기네 핌브리아타
⑤ 아스플레니움 안티쿰 '빅토리아'
 (사진에서는 잘 보이지 않음)
⑥ 베고니아 루조넨시스
⑦ 베고니아 sp. '카푸아스 훌루'
⑧ 불보필럼 암브로시아
⑨ 펠리오니아 레펜스
⑩ 아넥토킬루스 알보리네아투스
⑪ 양치식물(불명종)
⑫ 베고니아 네그로센시스
 (사진에서는 잘 보이지 않는다)
⑬ 디네마 폴리불본
⑭ 블레크넘 니포니쿰
⑮ 라비시아 sp.
⑯ 아글라오네마 '미니마'
⑰ 라게난드라 미볼디
⑱ 자와모스

미스트가 공급되어 식물들의 상태는 양호하다. 앞으로 잎이 우거지게 되면 더 공기 속 보습력이 늘어날 것이다

제작 안내서

1

육지 만드는 법!

자갈에 경사를 만들고 쌓아올리는 것만으로는 험준한 레이아웃을 만들 수 없다. 여기에서는 팔루다리움, 아쿠아테라리움에서 자주 사용되는 육지 만드는 법을 소개해보도록 하겠다. 실제로는 한 가지 방법만 사용하기 보다는 여러 방법을 조합하여 육지를 만드는 경우가 많다

일러스트/Yo Izumori(좌우 양면)

돌과 유목을 쌓아 올린다

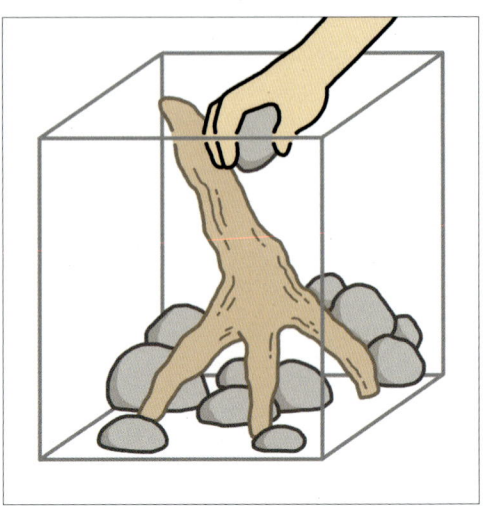

수조 벽면에 의지하면서 유목과 돌을 높게 쌓아 올린다. 안정적인 배치를 찾으면서 작업해야 하는데, 불안정하게 느껴지면 울매트나 흙을 각 소재들 사이에 끼우면 되고 아니면 각 소재를 접착제나 목공나사로 고정하면 된다

전용 조형재를 붙인다

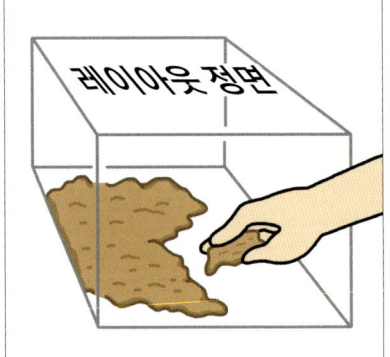
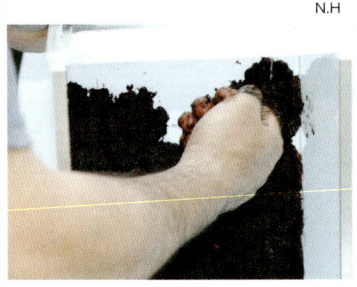

물을 머금게 해서 점토처럼 만든 전용 조형재를 수조 벽면에 붙인다. 이때 수조 밑에서 쌓아올리거나 일러스트처럼 수조를 한 번 눕힌 다음 붙이는 것도 한 가지 방법이다(마르면 수조를 세운다).

포켓을 만든다

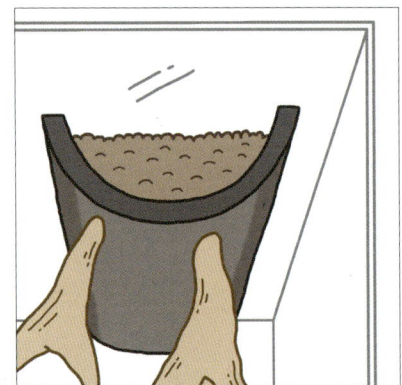

돌이나 유목으로 육지를 만들거나 전용 소재로 벽을 만들거나 하는 것만으로는, 원하는 식물을 심는 공간을 확보할 수 없는 경우도 있다. 그럴 때는 화학섬유 매트 등을 포켓 모양으로 만들어 흙을 넣어도 된다.

전용 소재를 붙인다

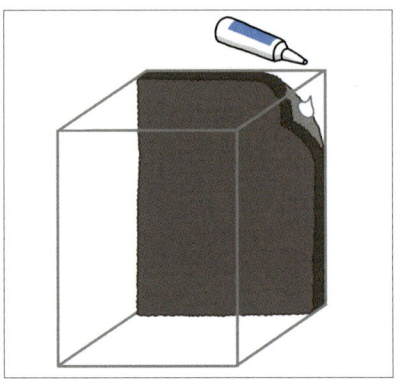

매트나 스펀지 형태(원예에서 사용하는 오아시스 같은 것)의 전용 소재를 세워서 벽으로 사용한다. 수조에 약간 꽉 끼는 사이즈로 잘라서 끼워 넣어 고정시키는 것도 좋지만 불안정하다면 실리콘(곰팡이 방지제가 들어있지 않는 것)이나 핫글루(글루건)로 수조 벽면에 고정시키면 된다

육지로의 배수!

육상에서 식물을 키우기 위해서는 물을 꼭 줘야 한다. 팔루다리움, 아쿠아 테라리움에서 자주 사용되는 식물에 급수하는 방법을 정리해서 소개해보도록 하겠다. 방향성은 "가능한 한 번거롭지 않게"다

손으로 분무한다

특히 다습한 환경을 좋아하는 식물을 키울 때에는 필수적이다. 가능한 한 용량이 큰 분무기를 고르면 물을 추가하는 번거로움이 줄어든다.

미스팅 시스템을 사용한다

양수 펌프를 타이머로 제어하여 일정한 간격으로 미스트(안개)를 보낸다. 매일 물을 주는 번거로움은 줄어들지만 초기 설치비가 필요하다. 미스팅 시스템을 갖추고 있는 수조 세트도 있다.

양수 펌프에서 나오는 물을 튜브로 나눈다

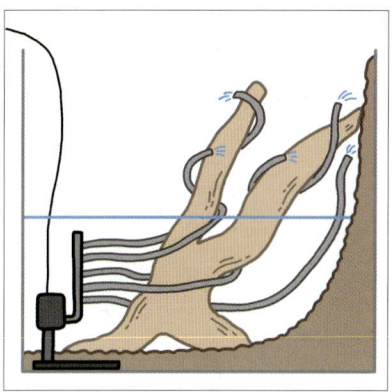

양수 펌프에 전용 분수기를 부착하여 튜브로 육지에 배수한다. 양수 펌프와 전용 분수기, 튜브가 세트로 된 상품도 있다. 튜브에는 녹슬지 않는 소재의 철사를 넣어두면 원하는 형태로 구부리기 쉽고 잘 막히지도 않는다. 이 방법은 물을 채워두는 아쿠아 테라리움 한정이다.

흡수성 높은 소재를 사용한다

듬뿍 물을 머금은 테이프 모양의 전용소재를 유목이나 돌에 감는다. 테이프의 한 쪽 끝을 물에 담가두거나 하면 물을 빨아올리므로 그 위에 이끼 등을 놓아서 육성할 수 있다.

소재에 때때로 물을 공급한다

오아시스나 매트 형태의 전용소재를 토대로 사용하고 있는 경우에는 그것이 마르기 전에 페트병 등으로 물을 위에서 뿌려서 물을 머금게 하면 된다. 소재와 환경에 따라 다르지만 일주일에 한 번 정도 물을 주면 충분히 수분을 유지할 수 있다.

식물 취급방법

심기 전의 처리와 심는 방법 등은 원예나 아쿠아리움과 거의 같다. 여기에서는 기초적인 부분을 몇 가지 소개해보도록 하겠다

협력 /Kuniyuki Takajo(Ichigaya Fish Center), Yoshikazu Takahashi(Onesmall 로열 홈센터 치바키타점)
촬영협력 /Aqua Gallery Ginza, Aqua Forest 신주쿠점, H2 토요스점, H2 메구로점, 사무스이 수족관, SENSUOUS
촬영 /Toshiharu Ishiwata, Naoyuki Hashimoto, 편집부

심기 전의 처리

용토 취급

포트에 들어 있는 식물은 뿌리가 용토를 안고 있는 그 상태 그대로 저상에 놓아두면 좋다. 이것은 와비쿠사(ADA) 등의 전용 베이스에서 자라난 식물도 마찬가지다. 뿌리가 안고 있는 용토가 너무 큰 경우에는 용토를 씻어낸 후에 심으면 된다.

포트에서 꺼내서 그대로 둔다

와비쿠사도 베이스째 놓을 수 있다

안고 있는 용토가 큰 경우에는 씻어낸다

물을 좋아하는 식물은 근본을 물이끼로 감은 후에 심으면 좋다

컵에 들어 있는 수초 (조직배양)의 취급

간편함으로 인해 널리 보급된 컵에 들어 있는 수초. 사용 전에 컵에서 꺼내서 배지(한천 또는 액체)를 씻어낸다. 포기가 작고 빽빽하게 얽혀있다면 적당한 사이즈로 분할한 다음 사용하면 된다.

컵에 들어 있는 워터론(BIO 미즈쿠사노모리/ADA)

컵에서 꺼내서 적당한 사이즈로 분할한다

배지를 씻어낸다

씻은 다음 그대로 물에 띄워두거나 한다 (수초이므로 건조에 약하다)

식물 심는 법 · 배치법

핀셋이나 손으로 심는다

식물의 뿌리 쪽을 잡고 저상이나 조형재에 집어넣는다. 이 방법으로 대부분의 식물을 심을 수 있다. 저상이나 조형재가 단단한 경우, 또는 식물이 부드러운 경우에는 먼저 핀셋의 손잡이 쪽 등으로 구멍을 뚫어두면 된다.

부세파란드라를 심고 있는 모습

작은 식물은 여러 개를 모아서 심으면 좋다

큰 식물은 손으로 심는다

심기 전에 저상에 구멍을 뚫는다(심은 후에는 용토를 덮어씌우거나 해서 식물을 고정시킨다)

시트째 놓는다(이끼)

서로 얽혀있어 시트처럼 되어 있거나 어느 정도 큰 크기의 덩어리를 이루고 있는 이끼는 그대로 놓아둔다. 수직면 등의 각도가 있는 장소에 배치할 때에는 U자핀으로 고정하는 것이 간단하다. 어찌되었든 이끼 시트가 저상에 닿게 한다. 떠 있으면 이끼가 말라서 시들어버리는 경우가 있다.

시트처럼 되어 있는 각종 이끼

흩뜨리지 않고 덩어리째 놓아두었다

각도가 있는 장소에는 U자핀으로 고정

흩어진 이끼는 핀셋으로 심는다

활착(착생)시킨다

유목이나 돌 같은 물건에 붙어서 성장하는 식물도 있다(이끼나 양치식물에 많다). 그들은 실이나 케이블타이, 또는 순간접착제를 사용하여 물건에 고정시켜두면 된다. 1개월 정도 지나면 단단히 고정된다.

케이블타이로 아누비아스를 유목에 고정(이때 근경을 유목에 댄다)

윌로 모스를 실로 유목에 고정

순간접착제로 윌로 모스를 돌에 고정

씨앗을 뿌린다

최근에 대중화된 방법. 시판되는 수초의 씨앗(주로 하이그로필라)을 축축한 저상에 뿌려두고 일주일만 지나면 녹색 카펫이 만들어진다. 육상에서라면 카펫 모양 그대로 비교적 오랫동안 즐길 수 있다(자라면 리셋한다)

손쉽게 녹색 카펫을 만들 수 있다

수초를 사용할 때에는…

아쿠아리움 샵에서 유통되는 "수초"도 팔루다리움/아쿠아 테라리움에 사용할 수 있다. 다만, 육상부분에 수초를 사용하는 경우에는 주의가 필요하다.

대부분의 수초는 물 위에서도 자라나고 수상(기중)에서 자란 것을 "수상엽", 수중에서 자란 것을 "수중엽" 등으로 구분하지만 이 "수중엽"을 육상에 심으면 대부분은 건조해서 쇠약해지고 시들어버린다.

또한 수상엽이라고 해도 원래 수초는 건조에 약하기 때문에 케이스의 뚜껑을 제대로 닫아두거나 해서 고습도 환경을 유지해야 한다.

컵에 들어 있는 수초(조직배양)는 물위에서 자랐기 때문에 육상부분에도 적응하기 쉽다(사진은 뚜껑을 열어두었다)

물속에서 판매되는 수초들. 이들을 육상부분에 사용하면 건조해서 시들어버리기 쉽다

같은 수초(로탈라의 일종)의 수상엽과 수중엽. 비교하면 수상엽 쪽이 튼실하고 건조에도 강하다

다음 페이지부터 실제 레이아웃 제작 사례를 여러 개 게재하고 있으니 참고하기 바란다!

팔루다리움과 아쿠아 테라리움 제작

얼마나 자기 취향의 풍경을 만들어 낼 것인가. 팔루다리움과 아쿠아 테라리움의 재미는 거기에 있다고 해도 과언이 아닐 것이다. 여기에서는 다양한 테크닉을 이용한 레이아웃의 제작 사례 11개를 소개한다. 전반에는 펌프를 사용하지 않는 팔루다리움에 가까운 작품, 후반에는 펌프를 사용하여 물을 순환시키는 아쿠아 테라리움에 가까운 작품을 모아보았다

57~59 페이지

인기 있는 이끼리움을 만들자!

60~61 페이지

작은 게가 사는 팔루다리움

63~65 페이지

수조에 아이디어 활용!
모노노케풍? 팔루다리움

66~69 페이지

원종 베고니아를 곁들인 팔루다리움

70~73 페이지

수초를 다용한 팔루다리움

74~76 페이지

보르네오의 정글을 표현

77~79 페이지

언덕을 형상화한 이끼리움을 만들어 보았다

80~83 페이지

수중 펌프를 사용한 이끼가 가득한 팔루다리움

84~85 페이지

소형 이모리움 세팅

86~88 페이지

돌과 유목을 토대로 하여 만든 아쿠아 테라리움

89~91 페이지

발포 스티로폼을 토대로 하여 만든 다이나믹한 레이아웃

Paludarium & Aqua-terrarium

인기 있는 이끼리움을 만들자!

"이끼리움"라는 말이 생길 정도로 유행하고 있는 이끼. 팔루다리움 인기에 한몫하고 있는 것은 틀림없다. 여기에서는 이끼를 메인으로 한 팔루다리움 세팅을 소개해보도록 하겠다!

레이아웃 제작 / Yoshikazu Takahashi(오른쪽), Wakaba Yasue
(Onesmall 로열 홈센터 치바키타점)

일상적으로 이끼리움 등의 팔루다리움을 제작하는 두 사람. 여기서는 서로 아이디어를 내면서 공동으로 제작했다.

촬영/Toshiharu Ishiwata

준비한 식물

①가는흰털이끼
②아스파라거스 플루모서스
③대만고무나무
④아디안텀 미크로필름
⑤이오니마스 미크로필라
⑥피커스 '화이트 써니'
⑦쿠션 모스

준비한 소재

①극상 우에레루군(Picta)
 - 식물 식재용 폼
②극상 활착군(Picta)
 - 식물 활착용 소재(천 소재)
③돌
④가지 모양의 유목
(사진의 소일은 사용하지 않았다)

준비한 기구류

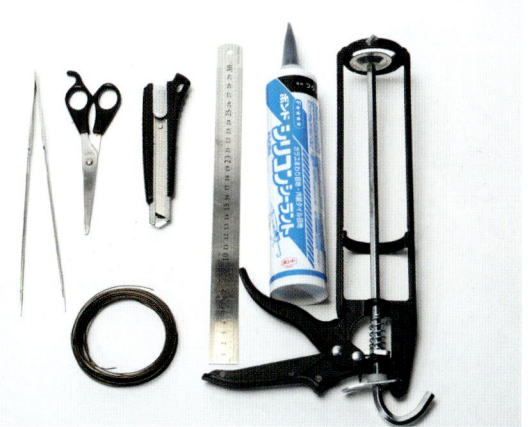

핀셋, 가위, 커터, 금속제 자, 실리콘, 철사(녹슬지 않는 것), 그 밖에 사진에는 없지만 글루건도

세팅 START

01

여기서 사용한 수조는 20×20×25cm

02

수조의 안쪽 치수를 측정한다

03

안쪽 치수에 맞게 배면에 사용할 우에레루군을 잘라낸다

04

모서리도 깎아 둔다

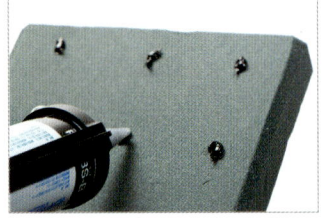

05 실리콘을 바르고

06 수조 배면에 꽉 붙인다

07 모서리를 깎아낸 이유는 수조의 접착제가 튀어나온 부분에 맞추기 위해서다. 틈이 있으면 나중에 쉽게 벗겨진다

08 배면을 붙인 모습. 나중에 우에레루군을 떼어내고 싶을 때는 칼날을 끼워넣고 실리콘을 자르면 된다

09 다음은 배면 앞에 위치하는 조형을 만든다. 두꺼운 우에레루군을 자른다

10 생각했던 형태로 만들어 간다. 모따기를 하면 자연감이 더해진다

11 조형의 골격이 완성되었다. 중앙 하부 안쪽에 깊게 파인 부분을 만들어 깊이감을 연출

12 유목의 "좋은 표정"을 짓고 있는 면이 앞으로 오는 것을 의식하면서 우에레루군에 밀어넣는다

13 우에레루군은 부드러운 폼이라서 유목에 맞춘 홈이 만들어진다

14 움푹 패인 곳이 만들어졌으면 한 번 유목을 꺼내서 실리콘으로 접착한다. 이것은 돌도 마찬가지다

15 팔루다리움은 물을 부어 작업하지 않기 때문에, 다루기 쉽도록 수조를 가로 세로로 놓아가며 작업할 수 있다(작업 시에는 부드러운 천을 깔아두면 좋다)

16 근접한 소재들을 글루건으로 고정. 실리콘이 마르기까지 시간이 걸리기 때문에 임시로 고정하는 의미로

17 각 소재를 끼워 넣어 접착한 모습. 꽤 입체적이다

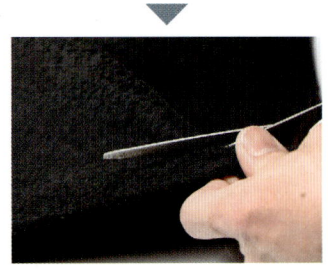

18 활착군을 가위로 자른다

19 활착군을 자른 형태

20 잘라낸 활착군을 유목 위에서 늘어뜨리듯이 임시로 배치한다

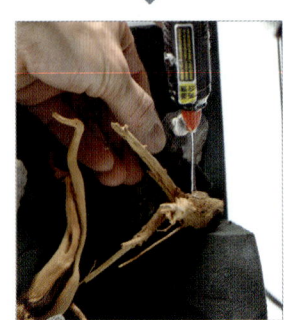

21 활착군과 유목을 글루건으로 접착

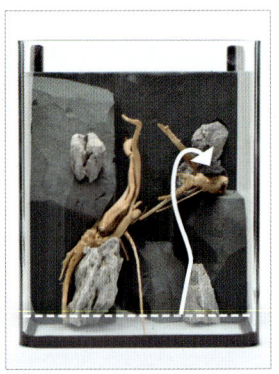

22 활착군은 흡수력이 높기 때문에 하부가 물에 잠겨 있으면 높은 위치까지 물을 끌어 올린다

23 활착군이 물을 끌어오면 유목 위 등 물이 잘 돌지 않는 곳에도 식물을 놓을 수 있다

24 'ㄷ'자형으로 된 철사를 우에레루군에 꽂아서 이끼를 고정시킨다. 사용한 이끼는 활착하지 않기 때문에 비교적 빽빽한 간격으로 철사를 넣었다

25 돌의 가장자리에 틈이 생기지 않도록 이끼를 놓아두면 돌의 '표정'이 돋보이게 된다

26 얼추 이끼를 다 고정시킨 모습. 이끼는 처음부터 빽빽하게 심는 것이 요령이다

27 우에레루군에 핀셋으로 구멍을 뚫는다

28 뚫은 구멍에 식물의 뿌리를 끼워 넣는다. 이 요령으로 식물을 모두 배치한다

29 좀 전에 설치한 활착군 위에도 식물을 올려놓는다

완성!

산속 이끼리움 완성!

작업 시간은 2시간 정도. 촬영을 위해 잠시 멈추면서 한 것이므로 꽤 빠른 속도다

모티브는 두 사람의 머릿속에 있는 깊은 산속 풍경. 그래서 평면적이지 않고 중앙에 깊게 파인 부분을 만드는 등, 깊이감과 험난함을 연출했다.

이끼리움과 수초 레이아웃의 큰 차이는 식물의 성장 속도다. 이끼는 성장속도가 느리기 때문에 수초처럼 나중에 성장할 것을 고려하여 드문드문 심으면 아무리 시간이 흘러도 볼만한 경치가 만들어지지 않는다. 그래서 세팅할 때는 수조 크기에 비해 많은 이끼를 준비해야 하는데, 생각하기에 따라서는 이끼리움은 세팅한 그 순간부터 완성에 가까운 모습을 즐길 수 있다고도 할 수 있다.

두 사람의 말에 의하면, 이 레이아웃은 습도를 유지하기 위해 뚜껑을 덮고 일주일에 한 번 우에레루군에 물을 뿌리는 정도의 멘테넌스만 하면 연간 단위로 유지가 가능하다고 한다. 관엽식물을 놓아둘만한 공간에서 손쉽게 웅장한 산속 경치를 즐길 수 있다. 이끼리움을 시작하지 않을 수 없다!

30 얼추 모든 식물을 다 배치했다. 밝은 경치가 되도록 하얀 모래를 깔았다

31 식물 전체를 분무기로 적신다

32 우에레루군 위에서 물을 뿌린다. 우에레루군은 보수력이 있기 때문에 이렇게 하면 이끼나 식물 뿌리까지 물이 퍼진다

작은 게가 사는 팔루다리움

레이아웃 제작/편집부 촬영/Toshiharu Ishiwata 기재 협력/Suisaku

팔루다리움에 크기 규정은 없고 사육 또는 육성하는 생물에 맞는 수조를 준비하면 된다. 여기에서는 손쉽게 시작할 수 있는 키트를 사용하여 작은 팔루다리움을 만들어 보았다

딥 레드 뱀파이어 크랩. 작고 귀여운 육서 경향이 강한 종류이다.

세팅 START

01

수조에 베이스 샌드를 깐다. 알갱이가 크고 통수성과 통기성이 있기 때문에 저상 상태를 양호하게 유지하기 쉽다

02

용토의 경계선이 되는 네트를 깐다

03

먼지가 일지 않도록 때때로 분무하는 것이 좋다

04

네트 위에 식물이 뿌리를 내리기 쉬운 형태와 부드러움을 가진 베이스 소일을 깐다

05

준비한 모델링 블록을 끼워 넣는다. 각각의 블록은 이쑤시개로 연결하여 고정했다

준비한 소재

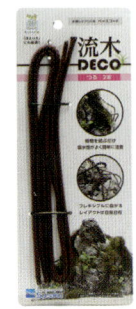

호토리에 유목 DECO(덩굴)

호토리에 그린 카펫 키트 CH 화이트
① 수조(16×16×21cm)와 전용 뚜껑
② 베이스 샌드
③ 베이스 소일
④ 수초의 씨앗
⑤ 베이스 네트

육성용 LED 조명 (Komorebi)

호토리에 모델링 블록

호토리에 모델링 클레이

호토리에 라바스톤 블랙

모두 Suisaku

레이아웃 준비

모델링 블록(흡수성이 있는 우레탄 품제)을 수조의 크기에 맞춰 자른다. 줄로 깎거나 이쑤시개로 연결하거나 해서 머릿속에서 생각하고 있는 조형으로 만들어간다

라바스톤에 윌로 모스를 올려둔다. 물속이 아니라서 떠오르는 일도 없으니 감지 않아도 OK

물에 갠 모델링 클레이에 믹서로 잘게 만든 윌로 모스를 섞는다. 그걸 유목 DECO에 붓으로 칠한다

작은 수조의 팔루다리움은 심플한 편이 좋다. 여러 가지를 집어넣으면 초점이 흐려지고 작업이 너무 치밀해지는 경향이 있다. 하초가 무성하고 마음에 드는 돌 하나를 놓는다. 글래스 용기에 넣어두면 그것만으로도 아름다운 장식품이 되고 그런 식으로 생각하면 마음 편하게 제작할 수 있을 것이다. 우선은 실행의 정신으로.

06

윌로 모스를 섞은 모델링 클레이를 가볍게 짜서 블록에 붙인다

07

준비한 유목 DECO를 블록에 꽂는다. 이 상품은 속에 심이 들어 있어 마음대로 구부릴 수 있다

08

유목 DECO나 모델링 클레이에 윌로 모스를 올리거나 윌로 모스를 감은 라바스톤을 적당한 곳에 놓는다

09

저상에 수초 씨앗을 뿌린다. 이 레이아웃에서 팩 1/3 정도의 양을 사용했다

10

이것으로 세팅 종료. 듬뿍 미스트를 뿌리고 조명을 켜서 육성을 촉진한다

유목 DECO에서는 윌로 모스가 싹트기 시작했다. 모스의 성장에 의해 이 팔루다리움의 인상도 변화할 것이다

관리●매일 분무. 수위가 하초보다 올라가면 배수
비고●수초 씨앗은 온도가 높은 편이 발아하기 더 쉬울지도 모른다. 이번에는 발아할 때까지 30℃에서 관리했다(윌로 모스는 습하고 열기가 찬 환경에 강하므로 문제가 없다). 그 후에는 25℃ 전후

같은 방식으로 만든 팔루다리움. 이쪽은 라바스톤이 메인이다
(호토리에 그린 카펫 키트 L 사용)

1개월 후

세팅하고 약 1개월 후. 저상은 그린으로 뒤덮여 좋은 분위기가 되었다. 작은 게도 기분이 좋아 보인다

column

있으면 편리한 도구 등

팔루다리움/아쿠아 테라리움을 만들 때, 비교적 자주 사용하는 도구 등을 모아서 소개해보겠다

일러스트 /Yo Izumori

가위
식물의 형태를 다듬거나, 배수 튜브를 자르거나, 또는 다양한 포장을 풀 때에도 필요하다

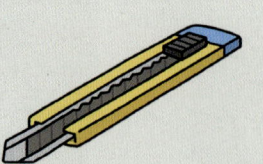

커터
원예의 오아시스 같은 발포 조형재를 자를 때 사용한다

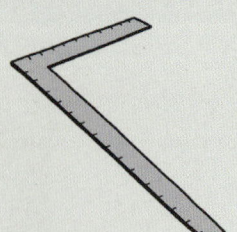

금속자
커터를 사용할 때, 조형재의 치수를 정할 때에도 필요하다

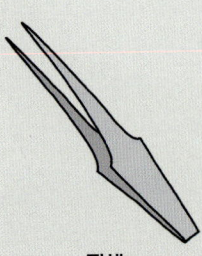

핀셋
식물을 심을 때 사용한다. 또는 세세한 작업 전반에 사용

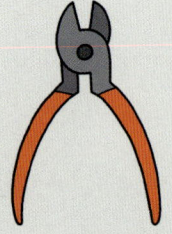

니퍼
철사나 가는 유목을 자를 때 사용한다

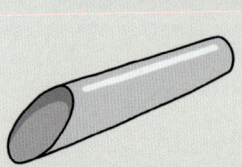

흙삽
소일 등의 저상재를 넣을 때 사용한다. 수조 안에서 사용하기 때문에 작은 것이 다루기 쉽다

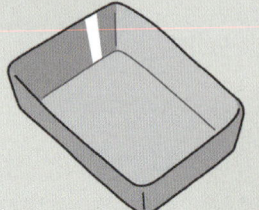

넓적한 접시
심기 전의 식물을 늘어놓을 때 사용한다. 식물은 젖어있거나 뿌리가 용토를 안고 있거나 하기 때문에 이런 넓적한 접시를 사용하면 방을 더럽히지 않을 수 있다

철사(또는 케이블타이)
배수 튜브를 유목에 고정하거나 여러 개의 유목을 모아서 고정하는 등, 여러 가지 장면에서 사용할 수 있다. 스테인리스 등의 녹이 잘 슬지 않는 금속제가 좋다

분무기
특히 수초는 마르면 상하기 때문에 레이아웃 제작 시에는 때때로 물을 뿌려서 건조를 막자

양동이
물을 붓고 심기 전의 수초를 띄워 두거나 식물의 이물질을 씻어 내거나, 또는 일시적인 쓰레기통으로 사용할 수도 있다. 하나가 아니라 여러 개가 있으면 작업이 더 순조로워진다

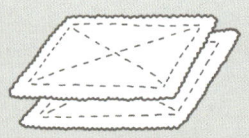

걸레
물이나 흙을 전혀 흘리지 않고 작업을 하기는 어렵다. 걸레와 키친페이퍼를 준비해 두는 것이 좋다

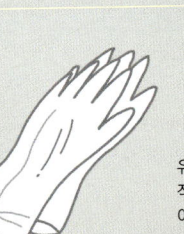

비닐장갑
흙이나 저상재를 다루기 때문에 손톱 사이가 더러워질 수 있다. 그 예방을 위해

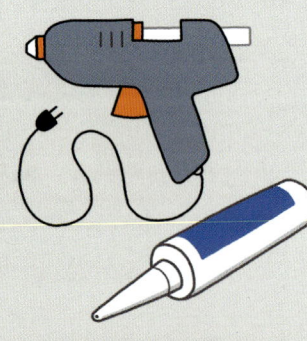

글루건과 실리콘
유목 등의 소재, 또는 조형재 등, 물건을 고정하는 작업은 상당히 많다. 실리콘은 곰팡이 방지제가 들어 있지 않은 것(수조용)을 사용해야 한다

column

곰팡이 예방

고습도로 관리하는 팔루다리움에서는 때때로 곰팡이가 피기도 한다. 자연감 넘치는 경치, 또는 생물을 즐기는 취미라고는 해도 이런 것은 배제하고 싶다고 생각하는 것이 보통일 것이다. 그럴 때는, 세팅시에 곰팡이 방지제를 사용하면 좋다. 전용 제품이 판매되고 있으니 시험해 보면 좋을 것이다.

곰팡이를 방지하는 제품(AQUA KM+/서울아쿠아룸)

팔루다리움에 자라난 곰팡이

수조에 아이디어 활용! 모노노케풍? 팔루다리움 제작!

모래성처럼, 머리를 쓰고 손을 움직이는 것이 재미있는 팔루다리움 제작. 여기에서 소개하는 것은 수조 자체에도 여러 가지 아이디어를 활용한 팔루다리움이다.

레이아웃 제작/Yuta Kobayashi(H2 토요스점)
독특한 아이디어를 수조에 담은 젊은 레이아우터

촬영/Toshiharu Ishiwata

준비한 소재

소재1
극상 우에레루군(Picta)
(오아시스와 같은 레이아웃 소재. 사진은 잘라놓은 모습)

소재2
청화석(Kamihata Yogyo)과 유목

이끼·양치식물
①작은흰털이끼
②깃털이끼
③아기들덩굴초롱이끼
④털깃털이끼
⑤더피 고사리
⑥후마타 고사리
⑦다발리아 피지엔시스
⑧하트펀
 (헤미오니티스 아리폴리아)

수초
①윌로 모스
②호주 노치도메

저상재 등
①극상 조형군(Picta)
②어드밴스 소일(Japan Pet Communications)
③아쿠아 그라벨(ADA)

토대 만들기

01 준비한 것은 30cm 큐브수조. 여기에는 어떤 장치가 되어 있다

02 배면 근처에 글래스판으로 칸막이를 만든 것이다. 완전히 막은 것이 아니라 아래쪽은 뚫려 있는 것이 포인트(이유는 후술)

03 배면 측면에 글루건으로 우에레루군을 접착한다

04 수조 앞에는 작게 자른 우에레루군을 접착

08 소일을 다 부은 모습. 여기서부터 유목과 돌을 배치해 간다

12 조형군을 물에 갠다. 짜면서 사용하기 때문에 물의 양은 대략적이어도 좋다.

식물을 배치한다

16 이끼를 배치한다. 일단 물에 강한 아기들덩굴초롱이끼를 아래쪽에. 한꼬집씩 배치한다

05 준비해 둔 수지제 네트에 핫글루를 듬뿍 바른다

09 네트를 가리듯이 돌을 놓는다. 인공물은 가능한 한 보이지 않는 편이 좋다

13 우에레루군과 소일을 덮듯이 조형군을 붙인다

17 시트 형태의 깃털이끼를 수직면에 배치한다. 케이블타이를 'ㄷ'자로 만든 것을 꽂아서 고정시킨다. 털깃털이끼도 마찬가지다

06 수조의 전후 중간 부근을 나누듯이 수지제 네트를 접착한다. 소일을 넣는 포켓으로 사용한다

10 토대에 밀어 넣듯이 돌과 유목을 배치한다(특별히 접착하지는 않는다)

14 조형군을 다 붙인 모습. 이 소재가 있으면 이끼가 자라기 쉬워진다

07 포켓에 소일을 넣는다. 흙삽은 팔루다리움을 제작할 때 있으면 편리한 도구다

11 대략적인 토대가 만들어졌지만 이 시점에서는 무기질이다

15 밋밋한 느낌이라서 돌과 유목 추가했다. 상당히 입체적인 이미지가 되었다

18 가끔 물을 뿌려서 이끼가 마르지 않도록 한다. 수초와 마찬가지로 건조에는 약하다

발상의 시작은

여기에서 소개한 것은 손을 넣지 않아도 물을 넣고 뺄 수 있는 시스템인데, 팔루다리움에서는 그 메리트가 크다. 팔루다리움은 물을 얕게 붓기 때문에 사이펀을 이용하여 호스를 다룰 때 허둥대기 쉬우며(빨아올리기 어렵다), 이 때 섬세한 레이아웃을 망가뜨리는 경우가 있다. 통 등으로도 물을 퍼낼 수 있지만 측면과 배면이 식물로 덮여있는 수조에서는 물건을 넣을 수 있는 공간이 한정되어 있는 경우도 많다 (특히 작은 수조에서는). 또한 개구리 등을 기르고 있는 경우에는 사육수조의 뚜껑이나 문을 열 때 탈주에 주의해야만 한다.

레이아웃을 보면 전통적인 팔루다리움이라고 할 수 있고 모노노케의 숲 같은 분위기를 풍기고 있다. 더치 아쿠아리움도 다루는 Kobayashi씨에게는 이 완성도가 손쉬운 일일지도 모르지만, 제작 공정을 자세히 보면 초보자도 흉내 내기 쉬운 포인트가 많이 있다. 현장에서 상황을 보고 있던 편집기자는 토대에 돌을 끼워 넣는 모습을 보고 "이것은 좋은 레이아웃이 된다!"라고 확신했다.

서두에서는 모래성 이야기를 했지만, 이

19 작은흰털이끼는 핀셋으로 소재에 부드럽게 끼운다

21 돌과 유목의 가장자리에 포트에서 빼낸 양치류를 꽂는다. 덧붙여서, 준비한 하트편은 사용하지 않았다.

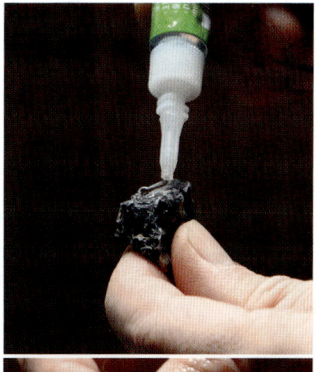

24 식재 종료. 무기질 수조에 생명이 깃든 것 같은 푸르름

20 얼추 모든 이끼를 배치했다. 대략 아래부터 순서대로 아기들덩굴초롱이끼, 깃털이끼, 작은흰털이끼, 털깃털이끼

22 호주 노치도메는 물가 근처에. 가라앉히면 이산화탄소가 필요하지만 잠길랑 말랑한 위치에서는 그것이 없어도 자란다.

23 윌로 모스는 순간접착제로 작은 돌에 고정시킨다. 이것을 물에 잠기는 위치에 배치한다

25 물을 칸막이 뒤쪽에서 붓는다. 급배수를 할 때, 레이아웃에 손을 넣지 않아도 된다는 것이 이 공작의 장점이다

측면에서의 모습.
이것으로 이 시스템의 개요를 알 수 있을 것이다.

DATA
수조 ● 30×30×30cm
조명 ● LED 라이트 11시간/일
관리 ● 일주일에 1회 전량환수, 분무를 1일 1~2회
사육종 ● 빨간눈청개구리(1), 백운산(5)

1개월 후 — 열대 개구리가 사는 팔루다리움 완성!

세팅 후 대략 1개월이 지난 모습.
이끼도 안정되어 있고 여러 번 환수를 한 적도 있어서 물이 투명하다

예와 같은 특별한 장치를 마련하지 않아도 팔루다리움에는 자르고 붙이는 등의 공작적인 요소가 많다. 동심으로 돌아가 손과 머리를 잔뜩 쓴 다음에는 어떤 작풍이건 큰 만족감을 느낄 수 있을 것이다. 소재를 사들이고 집에 틀어박혀 레이아웃 제작에 몰두한다. 그런 주말도 요즘 같은 시기에 딱 좋다고 생각한다.

화려한 빨간눈청개구리를 맞이했다. 낮에는 대체로 자고 있기 때문에 레이아웃을 잘 망가뜨리지 않는다. 먹이는 익숙해지면 핀셋으로 줘도 먹고 익숙하지 않은 개체는 식사시간 때만 꺼내서 따로 준비한 식사용 용기(생먹이를 뿌려 놓음)에 넣기도 한다. 보온이 필요하므로 겨울철에는 배면 공간에 수중히터를 넣어 대응할 예정이다

원종 베고니아를 곁들인 팔루다리움 제작

날마다 새로운 제안이 소개되는 팔루다리움의 세계. 이번에는 아름다운 식물을 이용한 대담한 팔루다리움의 제작과정을 소개해도록 하겠다

레이아웃 제작/Kenshi Hoshina (사무스이 수족관)

아름다운 소형어를 좋아한다. 수초 레이아웃은 심플한 오목형 구도의 네이처 아쿠아리움을 즐겨 만드는 경우가 많다. 자연 소재를 사용한 레이아웃에 관심을 쏟고 있다

촬영/Naoyuki Hashimoto

준비한 식물

① 베고니아 sp. 'Julau'
② 베고니아 sp. 'Nanga Pinoh'
③ 베고니아 sp. 'Batang Ai'
④ 멜라스토마 sp. 'Sibolga'
⑤ 볼비티스 sp. '카메론 하이랜드'
⑥ 부세파란드라 sp. '케다강'
⑦ 부세파란드라 sp. '쿠알라쿠아안Ⅱ'
⑧ 마코데스 페톨라 (쥬얼 오키드)
⑨ 피커스 sp. '사방섬'
⑩ 셀라기넬라 sp.
⑪ 피커스 푸밀라 '미니마'

가지윤이끼 (2팩)

준비한 소재

자와 모스를 붙인 유목(2개)

산수석(ADA) 약10kg

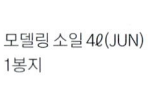

모델링 소일 4ℓ(JUN) 1봉지

정글 소일 3ℓ(DOOA) 2봉지

돌을 쌓아올린다!

01 사용한 수조는 네오 글래스 에어(DOOA). 폭과 안길이가 30cm, 높이는 45cm로 키가 큰 타입이다

02 저상재로 정글 소일을 붓는다. 팔루다리움용으로 만들어진 비교적 새로운 소일이다.

03 정글 소일은 뒤쪽을 높이 쌓는다. 여기에만 2봉지 가까이 사용했다

04 기초가 되는 산수석을 파묻듯이 배치한다. 원근감을 느낄 수 있도록 앞에 큰 돌을 놓는다

08 석조의 기초가 완성된 모습. 소일을 쌓을 수 있는 것은 이 정도 높이까지

12 특히 위쪽은 돌과 돌의 맞물림도 중요하다. 제대로 고정하는 배치를 찾으면서 작업해야 한다

05 식물을 심을 공간과 돌이 멋지게 보이는 방향 등을 생각하면서 계속 돌을 쌓아 올린다.

09 모델링 소일에 물을 부어 반죽한다. 꼭 쥐었을 때 물이 떨어지지 않을 정도로

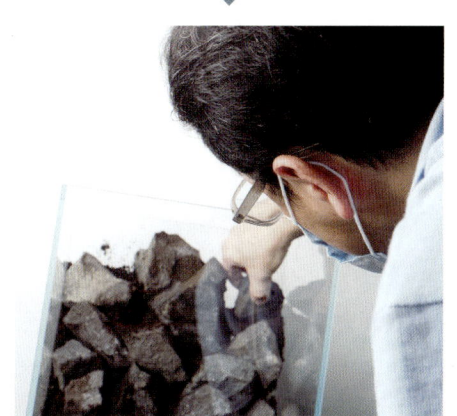

13 때때로 확인. 글래스 수조에 단단하고 무거운 돌을 높이 쌓아 올리기 때문에 꼼꼼하게 봐야 한다

06 돌을 쌓으면서 소일을 추가한다. 이런 식으로 점점 저상을 높게 올린다

10 점토처럼 된 모델링 소일을 돌 사이에 채워서 다음 돌의 토대로 활용한다

14 석조 완성! 45cm 높이의 수조가 가득 찰 정도로 쌓아올렸다

07 박력이 느껴지도록 돌은 앞으로 쓰러질듯이 배치한다. 강한 음영이 인상적이다

11 돌과 돌 사이에도 모델링 소일을 채워 넣어서 안정감을 높인다

15 일단 수조를 깨끗하게 청소한다. 식물을 심은 후에는 손을 넣기 어려워지기 때문이다

식물을 심는다!

16 유목을 임시로 놓아보고 이미지를 구체화시킨다. 꺼낸 다음 유목과 서로 간섭하지 않는 위치에 식물을 배치한다

▼

17 식물은 잎이 큰 것부터. 뿌리를 감싸고 있는 물이끼도 그대로 레이아웃에 사용한다

▼

18 돌 사이에 식물을 배치한다. 식물의 뿌리가 아니라 뿌리를 감싸고 있는 물이끼를 가볍게 밀어 넣는 감각

▼

19 적당한 틈이 없으면 소일을 파서 공간을 만든다.

20 그렇게 해서 생긴 틈새에 식물(물이끼)을 배치해도 된다. 요는 임기응변이다

▼

21 시트처럼 되어 있는 가지윤이끼를 소일이 노출되어 있는 곳에 놓는다

▼

22 전체에 이끼를 배치한다. 밝은 녹색으로 인해 눈이 상쾌하다

▼

23 다시 유목을 배치한다. 뒤쪽에서 앞쪽으로 튀어나오는 것처럼 놓아서 공간에 깊이감을 연출한다

24 부세파란드라 등의 작은 식물을 심는다. 유목 옆에 두면 자연감이 증가한다.

▼

25 포복하는 성질이 있는 식물을 위에서 늘어뜨리듯이 심고 식재가 마무리되었다

▼

26 수조 앞쪽에 작은 산수석을 놓는다. 자연감을 높이는 테크닉 중 하나다

▼

27 마지막으로 분무기로 물을 뿌린다. 물을 머금은 가지윤이끼가 싱싱한 빛을 내뿜는다

핑크색 스팟을 가지고 있는 베고니아 sp. 'Nanga Pinoh'

핑크색 무늬가 금속적인 빛으로 반짝이는 베고니아 sp. 'Julau'. 둘 다 자연이 만들었다고는 생각되지 않는 배색이다

완성! 거칠고도 청렬한 팔루다리움이 완성되었다

DATA

① 베고니아 sp. 'Julau'
② 베고니아 sp. 'Nanga Pinoh'
③ 베고니아 sp. 'Batang Ai'
④ 멜라스토마 sp. 'Sibolga'
⑤ 볼비티스 sp. '카메룬 하이랜드'
⑥ 부세파란드라 sp. '케다강'
⑦ 부세파란드라 sp. '쿠알라쿠아얀 II'
⑧ 마코데스 페톨라(쥬얼 오키드)
⑨ 피커스 sp. '사방섬'
⑩ 셀라기넬라 sp.
⑪ 피커스 푸밀라 '미니마'
그 외, 곳곳에 가지윤이끼, 유목에 자와 모스

라이트는 팔루다 라이트 30(DOOA)을 사용. 독특한 연색으로 식물이 생생하게 비춰진다

팔루다리움에서 조형과 식물, 어느 쪽에 중점을 두는가는 만드는 사람에 달려 있다. 이번에는 최근 주목받고 있는 베고니아를 사용하여 자연감 넘치는 레이아웃을 만들어보았는데, 이것은 조형과 식물을 둘 다 즐기는 욕심 많은 작품이라고 할 수 있다.

Hoshina씨는 "레이아웃은 화려한 베고니아를 사용하면서도 자연스러운 풍경이 되도록 유의하면서 제작했다"고 한다. 자연물이기는 하지만 베고니아의 컬러링은 강렬하기 때문에 거기만 붕 뜬 것처럼 보이면 재미가 없다. 주위에 녹색을 배치하거나 하여 잘 녹아들 수 있도록 하면서 주역인 베고니아의 존재감이 돋보이도록 유의하며 배치했다.

또 "많은 수초 레이아웃을 만들어 본 경험상, 지나치게 화려한 베고니아는 잘 융합되지 않는다고 생각했었다"고 하지만 실제로 만들어보니 아름답게 하나의 레이아웃으로 완성된다는 것도 깨달았다고 한다. 베테랑 레이아웃터가 길러온 감성과 팔루다리움이 가지고 있는 새로운 가능성이 융합된 레이아웃이라고 해도 좋을 것이다.

덧붙여서 Hoshina씨는 예전부터 베고니아를 육성하고 있었고 이번 레이아웃은 그 경험을 토대로 제작되었다. 레이아웃이 완성된 후에는 뚜껑을 닫고 1일 1회 정도 분무기로 물을 뿌려 습도를 유지하고 조명은 1일 10시간 정도 켜두는 식으로 관리하면 베고니아 등의 식물은 제대로 성장한다고 한다.

수초를 다용한 팔루다리움 제작

수초 레이아우터에게 친숙한 수초를 사용한 팔루다리움 제작에 도전. 그 완성도는 어떨까!?

Yudai Takahagi(Aqua Forest 신주쿠점)
IAPLC 2020에서는 85위!
"코로나로 인해 집에 머무는 일이 많은 요즘. 팔루다리움을 시작해보는 것은 어떨까요"

협력/Aqua Forest 신주쿠점 촬영/Toshiharu Ishiwata

준비한 식물

①뉴 라지 펄 그라스
②알테르난테라 레이넥키 '미니'
③털깃털이끼
④부세파란드라 sp. '케다강'
⑤부세파란드라 sp. '쿠알라쿠아얀'
⑥크립토코리네 웬티 '트로피카'
⑦꼬리이끼
⑧자바펀
⑨볼비티스 헤우델로티
⑩크립토코리네 웬티 '그린'
⑪아누비아스 나나 '미니'
⑫자와 모스

※녹색 글자는 수초로 유통되는 것

와비쿠사 매트(시스템 팔루다/DOOA에 부속)에 윌로 모스를 감아 놓은 것

저상

좌 / 정글 소일
우 / 정글 베이스(둘 다 DOOA)

준비한 소재

유목(혼우드/ADA)

용암석

저상 만들기

01 준비한 케이스는 팔루다리움 전용 시스템 팔루다 60. 2020년에 발매된 것이다

02 뿌리가 썩는 것을 예방하기 위해 저상의 통수성을 유지하는 알갱이 모양의 정글 베이스를 깐다

03 정글 베이스 위에 정글 소일을 깐다. 식물이 뿌리를 내리기 쉬운 소결토다

04 저상을 수조 옆에서 본 모습. 관엽식물의 화분 같은 다층구조가 된다

05 정글 베이스 1ℓ를 2봉지, 정글 소일 3ℓ를 2봉지 남짓 사용하여 이 정도 두께로 만들었다

09 나중에 식물로 덮이게 되므로 이 시점에서는 유목의 존재감이 너무 강해도 된다. 밑에 돌을 놓아서 고정시킨다

13 뉴 라지 펄 그라스를 심는다. 육상에서 육성해야 하기 때문에 조직배양된 것을 사용했다.

10 꼬리이끼를 유목의 우측 뒤쪽에 놓는다. 기본적으로는 물을 좋아하는 종류를 레이아웃 아래쪽에 배치한다

14 물속에서처럼 폭발적으로 늘어나지는 않기 때문에 뉴 라지 펄 그라스는 약간 빽빽한 간격으로 심었다

식물 배치

06 준비해 두었던 윌로 모스를 감은 와비쿠사 매트를 배면의 그리드에 끼운다

11 볼비티스의 근경에 순간접착제를 발라서 유목에 고정시킨다

15 자와 모스는 잘게 자른 다음 배치했다. 이렇게 하면 나중에 아름답게 자라게 된다

07 총 18개를 끼웠다. 틈새는 모스가 성장하면 메워질 예정

08 메인 유목은 큰 혼우드를 몇 개 조합하여 묶은 것이다

12 유목에 볼비티스와 털깃털이끼를 배치한 모습. 조금씩 식물로 채워간다

16 뉴 라지 펄 그라스를 유목 위에도 놓는다. 건조되지 않도록 모스류를 뿌리나 주위에 배치한다

17 케이스 안이 꽤 북적이게 되었다. 유목에는 결속부분이 눈에 띄지 않도록 식물을 배치했다

20 배면과 저면의 이음새에 수초를 심는다. 인공적인 선을 지워가는 작업이다

21 일단은 완성. 기본적으로 팔루다리움은 식물의 성장속도가 완만한 편이므로 처음부터 많이 배치하는 것이 요령이다

18 배면에도 식물을 배치하다. 와비쿠사 매트를 일단 제거하고 자바펀을 실로 고정시킨다

미스트 플로우에서 나오는 안개가 닿는지 안 닿는지도 식물의 생육에 영향을 미쳤다

19 배면에 식물을 배치한 것으로 인해 입체적인 인상이 되었다. 이제 곧 골이다

팔루다리움의 수초들

글/Yudai Takahagi

"수초를 사용한 아름다운 팔루다리움"이 이 레이아웃의 테마입니다. 그래서 여러분에게도 익숙한 수초를 꽤 많이 볼 수 있을 것입니다.

배면의 와비쿠사 매트에는 식물을 활착시킬 수 있기 때문에 입체적인 레이아웃을 만들 수 있습니다. 여기에서는 자바펀, 아누비아스 등을 활착시켰습니다.

메인이 되는 유목은 혼우드 몇 개를 조합한 것인데, 결속 밴드로 인한 이음새에는 식물을 배치하여 그것이 눈에 띄지 않게 했습니다. 자연에 자라난 큰 나무와 같은 분위기가 된 것 같고 여기에서 늘어지듯 자라난 모스류, 뉴 라지 펄 그라스는 보는 사람의 시선이 멈추는 포인트가 되었습니다.

세팅 초기에는 수초가 건조하기 쉬워서 부지런히 물을 뿌렸습니다. 특히 유목 주변의 모스류와 뉴 라지 펄 그라스가 건조해서 부분적으로 말라 버리기도 했습니다 (미스트 플로우가 닿기 어려운 장소에서 눈에 띄었다).

재밌는 발견도 있었습니다. 당초 와비쿠사 매트의 윌로 모스는 미스트 플로우(안개)만의 습도관리로는 아름답게 자라지 못했습니다. 그래서 한 달쯤 뒤부터 서큘레이션 팬을 가동시키기로 했습니다. 그랬더니 성장 스위치가 켜졌는지 윌로 모스가 아름답게 자라나게 되었습니다. 신선한 공기의 중요성을 일깨워준 사건이었습니다.

그 밖에 깨달은 점을 적어보겠습니다.

· 육상의 이끼는 육성하기 쉽다.
· 활착하는 수초 중 잎이 부드러운 것(부세파란드라 '쿠알라쿠아얀 I'과 볼비티스)은 건조에 약했다.
· 열대우림에 자생하는 식물은 잘 자란다.
· 그렇다고는 해도 뿌리가 썩기 쉬운 식물은 위쪽에 배치하는 등의 조치는 필요하다(안개의 양에 따라서도 달라지지만 저상에 물이 고이기 때문에).
· 조직 배양으로 육성된 컵에 든 수초(반수상엽)를 사용하면 잘 실패하지 않는다.

필자도 처음 사용해보는 케이스라서 시행착오를 겪기도 했지만 이렇게 완성된 모습을 보여드릴 수 있었습니다. 여러분도 꼭 팔루다리움에 도전해 보세요.

세팅하고 **2개월 후** 많은 식물들이 순조롭게 성장하여 울창한 정글 같은 분위기를 연출하고 있다. 입체활동을 하는 뉴트 등을 사육해도 재미있을 것 같다

케이스 ● 60×30×45cm (시스템 팔루다 60/DOOA)
조명 ● LED 라이트(팔루다 라이트 60/DOOA) 10시간/일
저상 ● 소일(정글 소일/DOOA), 외(정글 베이스/DOOA)
온도 ● 23-25℃
습도 ● 90%전후(수조 시스템에 부속된 미스트 플로우, 서큘레이터로 관리)
관리 ● 일주일에 2회, 수조 시스템에 부속된 고흡수 스펀지가 빨아 올린 물을 배출(배출한 만큼의 물을 추가)
식물 ●

① 뉴 라지 펄 그라스
② 자와 모스
③ 윌로 모스
④ 아누비아스 나나 '미니'
⑤ 아누비아스 '판골리노'
⑥ 부세파란드라 sp. '케다강'
⑦ 부세파란드라 sp. '그린 웨이비 무늬타입'
⑧ 자바펀
⑨ 볼비티스 헤우델로티
⑩ 크립토코리네 웬티 '그린'
⑪ 크립토코리네 웬티 '트로피카'
⑫ 알테르난테라 레이넥키 '미니'
⑬ 털깃털이끼
⑭ 꼬리이끼
⑮ 라비시아 sp. '핑크 와일드'

※ 녹색 글자는 수초로 유통되는 것

DATA

붉은색 알테르난테라가 레이아웃에 화려함을 더해준다

수중엽을 사용한 볼비티스는 건조에 졌는지 현시점에서는 성장이 애매하다. 확실히 뿌리는 내리고 있기 때문에 앞으로의 성장에 기대하고 있다

세팅 후 윌로 모스의 성장이 여의치 않을 때, 매트의 틈을 메우듯이 자와 모스를 배치했다(화살표). 그것이 아름답게 전개해 주었다.

ATLAS Paludarium

보르네오의 정글을 표현

팔루다리움 붐이 일어나면서 아쿠아 샵에서도 전용 케이지와 관련 아이템 등을 쉽게 구할 수 있게 되었다. 여기에서는 보르네오(칼리만탄)의 정글을 표현한 레이아웃을 만들어 보기로 했다

레이아웃 제작/편집부
협력/Aqua Tailors, Picta, Borneo-Aquatic

준비한 주요 도구·기구

착생 식물 전용 소재
Epiweb
(에피웹/Aqua Tailors)

착생 식물 전용 소재
Hygrolon
(하이그로론/Aqua Tailors)

식물 식재용 폼 소재
극상 우에레루군
(Picta)

식물 뿌리 부착용 용토
극상 조형군(Picta)

글루건

강력 양면테이프

Epiweb 전용 플라스틱 핀
(Aqua Tailors)

저면식 필터

원예 통형 스코프

압축 분무기
(가든 스프레이)

소일

식물용 알루미늄선
(1.5mm 직경)

수중 펌프
(Rio+800/Kamihata Yogyo)

세팅 START

01 수조 배면에 붙이는 Epiweb 패널을 커터로 자른다. 신축성이 있기 때문에 케이지 안쪽 치수보다 플러스 5mm 정도 크게 자르면 딱 들어맞는다

03 글루건을 사용하여 Hygrolon을 Epiweb에 고정시킨다

05 저면식 필터의 파이핑

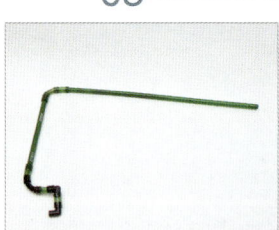

①나중에 케이지 내에서 물을 순환시키는 것을 고려하여 저면식 필터와 접속하는 파이프를 연결한다(외부식 필터의 파이프 등을 유용)

②파이프의 물을 내보내는 위치를 정하고 드릴로 구멍(5mm 직경)을 뚫는다

02 레이아웃에 뚫려 있는 부분을 만들기 위해 중앙 부근을 도려내고 마찬가지로 Hygrolon도 잘라냈다

04 사용하는 케이지는 60×30×45(H)cm. 잘라낸 패널을 강력 양면테이프를 사용하여 배면에 고정시킨다

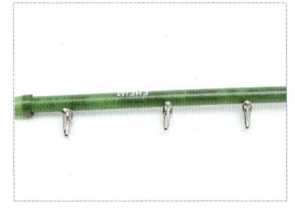

③또한 물의 유량을 조절할 수 있도록 일방 콕을 연결했다

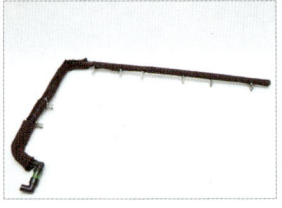

④케이지 안에서 파이프가 눈에 띄지 않도록 Hygrolon으로 덮었다. 글루건을 사용하여 접착했다

06 저면식 필터와 펌프를 연결하여 설치

07 (상)사이드에 고정하는 Epiweb 패널을 잘라 낸다
(중)Epiweb을 자를 때 나온 단재. 이것을 유효하게 활용한다
(하)사이드의 Epiweb 패널에 글루건을 사용하여 단재를 고정시킨다. 이렇게 하면 입체적으로 식물을 장식할 수 있게 된다

08 사이드의 Epiweb 패널을 고정시킨다. 파이프의 취수구에도 Epiweb을 감아서 눈에 띄지 않도록 처리했다

09 저면은 수초 레이아웃에서 하는 요령으로 저상재를 구분해서 깐다. Epiweb과 Hygrolon을 글루건으로 케이지 바닥에 고정시킨다

10 양 사이드 안쪽에 소일을 깐다

11 (상)Epiweb을 듬뿍 발라서 오브제를 만들었다. 식물을 한꺼번에 붙이면 재미있는 조형이 될 것이다
(하)오른쪽은 높은 흡수성을 가진 우에레루군을 겹쳐놓고 물이 있는 곳으로 이어지도록 Epiweb을 배치했다

12 조형군을 사용하기 위해 물을 넣어 반죽한다. 대략적인 수분량의 기준은 가볍게 쥐었을 때 물이 뚝뚝 떨어지는 정도다

13 측면에 반죽한 조형군을 붙인다. 식물을 붙였을 때 입체감이 생기기 쉽도록 랜덤하게 울퉁불퉁해지도록 의식하며 작업했다

14 Epiweb으로 만든 조형물에도 조형군을 붙이고 식물착생용 소재 배치가 완성되었다

15 이어서 식물의 식재. 이번에 준비한 식물은 모두 보르네오의 와일드종이다. 이끼 덩어리를 가위로 잘게 자르다

습성환경

건조환경

반습성환경

이끼의 종류를 알아낼 수 없었기 때문에 도착했을 때의 상태를 보고 생육 조건을 각각 위와 같이 판단했다.

16 (좌)습성환경에 적합하다고 생각되는 이끼를 물 가까이에
(우)건조환경에 적합하다고 생각되는 이끼는 사이드 위쪽에

17 Epiweb으로 조형한 착생재에는 무명실을 감아 이끼가 붙였다. 수초수조에서는 친숙한 테크닉이다

**여기까지 약 2시간
이어서 메인 식물을 식재!**

18
부세파란드라는 플라스틱 핀을 사용하여 착생재에 고정시킨다. 여러 가지 식물을 쉽게 붙일 수 있다. 식물의 종류나 크기에 따라서는 식물용 알루미늄 선을 U자형으로 가공하여 사용해도 좋다

사용한 주요 식물

부세파란드라 sp. '신탕'

부세파란드라 sp. '브라우니 골든'

부세파란드라 sp. '체리'

호말로메나 '레드'

19
식물이 건조하지 않도록 가끔 축압 분무기로 물을 뿌린다

크립토코리네 '실버퀸'

아리다룸의 일종

20
전면 중앙에는 화장모래로 규사를 깔고 소량의 물을 부었다

완성!

보르네오의 작은 모형정원 완성!

전체 작업은 약 3시간 30분, 편집부가 제작한 것이라 익숙하지 않은 면도 있었지만 식물 착생재는 모두 사용하기 편했고 이끼나 양치식물, 부세파란드라 등을 마음대로 식재할 수 있었다. 이 팔루다리움은 앞으로도 계속 유지하면서 새로운 식물과 생체를 맞이하는 등, 여러 가지를 해보고 싶다. 당분간 물을 순환시키지 않고 LED 라이트(9시간/일)로 식물의 성장을 지켜볼 예정이다

봉긋한 언덕을 형상화한 이끼리움을 만들어 보았다

본지를 제작하면서 다양한 레이아웃을 보고 자극을 받은 편집자.
집에서 이끼리움을 하나 만들어보기로 했다

레이아웃 제작·촬영/편집부 협력/Yugo

준비한 것

소재
① 코르크 바크
② 극상 우에레루군(Picta)
③ 항화석
④ 유목
⑤ 스티로폼

바닥재 등
① 극상 조형군(Picta)
② 트로피컬 리버 샌드(DOOA)
③ 적옥토(경질)
④ 경석사(소립)

이끼류
① 깃털이끼의 일종
② 털깃털이끼의 일종
③ 꼬리이끼의 일종
④ 초롱이끼의 일종
⑤ 양털이끼의 일종
　(사진의 케이스의 내부 치수 저면적
　은 약 45×32cm)

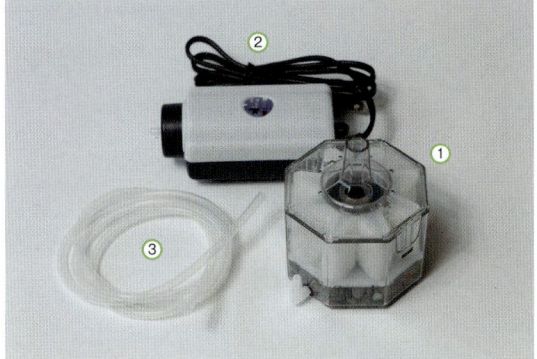

필터류
① Suisaku 에이트(Suisaku)
② Suishin(Suisaku)
③ 에어튜브

공구 외
커터, 톱, 핀셋, 니퍼, 가위, 실리콘(곰팡
이 방지제를 배합하지 않음), 스테인리스
철사(굵기 0.7mm), 순간접착제, 티슈,
필터용 매트, 분무기, 일회용 장갑, 유성
매직, 흙삽, 양동이 등

토대 만들기

01 준비한 것은 전면이 미닫이로 되어 있는 파충류 양서류용 케이스 (60×30×40cm). 윗면은 수지제이고 다른 면들은 글래스제다

02 육지 부분에 맞춰 자른 스티로폼을 실리콘으로 케이스에 접착. 많은 소재를 사용하기 때문에 경량화를 꾀했다

03 항화석을 잘랐다. 이것을 육지의 낮은 부분의 흙막이로 사용한다. 이 돌은 부드러워서 톱으로 어려움 없이 자를 수 있다

04 항화석을 스티로폼의 가장자리를 따라서 늘어놓는다. 이것도 실리콘으로 케이스에 접착한다

05 항화석의 틈이 생각보다 벌어져 버렸기 때문에 상부식 필터 매트(화학섬유)를 얇게 찢어서 뒷면에 대었다

06 우에레루군을 자른다. 이것을 흙막이로 사용해서 수조에 삼각구도를 만들 예정이다. 미세한 부스러기가 나오므로 밖에서 작업하는 편이 좋을 것이다

07 판 모양으로 자른 우에레루군을 케이스에 실리콘으로 접착한다. 그 후 동일하게 자른 우에레루군끼리 이어 붙이듯이 접착한다

08 우에레루군의 모서리를 깎아낸다. 자연감이 느껴지고 나중에 붙이는 조형군도 잘 벗겨지지 않게 된다

09 흙막이 완성. 공사현장이라면 시트 파일을 다 붙인 상태라고 할 수 있다. 실리콘이 마를 때까지 일단 작업 중단

작업 재개

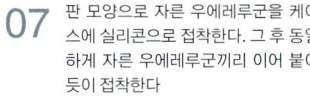

10 며칠 후. 항화석과 우에레루군으로 만든 포켓에 경석, 적옥토를 차례대로 붓는다. 경석을 사용한 이유는 중량을 가볍게 하기 위해서이기도 하고 통수성을 고려한 것이다

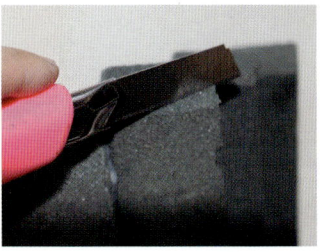

11 경석은 7-8ℓ, 적옥토는 4-5ℓ 사용했다. 왼쪽 앞에는 손으로 쪼갠 코르크 바크를 엎어놓았다

12 육지 부분 전체에 조형군을 붙인다. 조형군은 물에 갠 것을 적당히 짜면서 사용한다. 아래쪽부터 붙이면서 올라가면 잘 벗겨지지 않는다

13 조형군을 다 붙인 모습. 아래쪽은 두께 1-3cm, 위쪽은 0.5-1cm 정도다. 초콜릿 케이크 같기도 하다

14 물을 채워두는 곳의 저상재로 트로피컬 리버 샌드를 깐다. 아쿠아 테라리움이나 팔루다리움은 물속에서 어두워지기 쉬우므로 밝은 색의 모래를 선택했다

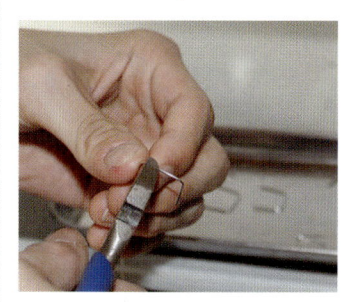

15 스테인리스 철사를 ㄷ자형으로 성형. 20개쯤 만들어 놓는다

16 깃털이끼와 털깃털이끼 등. 시트 모양의 식물은 ㄷ자형 철사를 꽂아서 토대에 고정한다

17 꼬리이끼가 일부 흐트러져버렸기 때문에 수초처럼 핀셋으로 토대에 꽂았다.

18 이끼만으로는 약동감이 부족하기 때문에 정원에서 기르고 있는 넉줄고사리(양치식물)를 원용하기로 했다. 줄기를 5cm 정도로 자른 것을 몇 개 준비한다.

19 넉줄고사리를 놓고 싶은 곳에 작게 찢은 티슈를 놓고……

20 넉줄고사리 줄기를 티슈에 대고 순간접착제를 붓는다(10초 정도 고정). 티슈를 끼운 이유는 접착 면적을 크게 만들기 위해서다

21 물을 붓고 여과를 가동. 케이스 내의 습도를 높이고 싶기도 해서 에어 펌프로 움직이는 필터를 선택했다

22 마르면 이끼가 쇠약해지므로 케이스 위에 있는 통기구멍의 절반 정도를 마스킹 테이프로 막는다.

완성! 이끼리움 완성!

세팅하고 며칠 후. 이끼도 안정적인 것 같아서 촬영해 보았다. 비교적 대규모 작업이었지만 그만큼 만족감도 크다. 참고로 준비한 유목은 결국 사용하지 않았다

볼거리는 상부에 배치한 털깃털이끼라고 할까? 시트 형태 그대로 배치해서 형태가 정돈되어 있고 밝은 그린이 상쾌하다

이끼가 안정될 때까지의 거주자로 위에서 관상하기에 적합한 수포안으로 맞추었다. 퇴색하기 전의 체색이 흰 모래 위에서 더욱 돋보인다

평소에 미닫이문을 닫고 있을 때는 이런 느낌. 조만간 상황을 봐서 흐려지지 않을 정도로 습도를 낮출 생각이다

세팅도 오락

처음에는 이 케이스를 이용해 이모리움을 만들려고 했다. 실제로 뉴트를 위해 코르크 바크로 은신처도 만들었지만 완성 후 케이스에 뉴트를 넣었더니 육지로 올라와서 이끼를 떨어뜨렸다. 이끼에게도 애착이 생겼고 일일이 다시 고정시키는 것도 귀찮아서 이끼가 고착될 때까지 금붕어가 헤엄쳐 다니도록 했다.

사용한 이끼는 도감과 돋보기를 이용해서 대략적인 종류까지만 알아냈다. 아마도 이들 이끼는 윌로 모스처럼 강하게 착생하지는 않겠지만 잘 성장하면 서로 얽히거나 해서 고착도는 높아질 것이다.

특별히 반성하는 것은 아니지만, 60cm 케이스를 입체적으로 보이게 하거나 녹색의 면적을 크게 하려면 상당한 양의 소재가 필요하다는 사실을 깨달았다. 아쿠아리움은 물속에서 수초가 휘날리거나 물고기가 헤엄쳐 다니거나 해서 비교적 허전함이 느껴지지 않지만 그것과는 다르다. 또 삼각구도로 만든 이유는 소재를 아낀 것이 아니라 뚫려 있는 공간을 원했기 때문이다.

케이스를 녹색으로 채우려고 하면 창작 공간은 늘어나지만 그만큼 빛을 차단하는 셈이 된다. 폭 60cm의 비교적 큰 케이스이고 방에 두는 경우를 생각해서 비어 있는 공간에 의해 수조가 밝아지는 것을 원했다.

세팅 후 일주일 정도가 지났는데, 아직까지는 높은 습도를 유지하고 있어 케이스가 자주 흐려지지만 이것도 이끼의 상태를 보면서 대처하고 싶다. 문풍지처럼 붙여둔 테이프를 떼면 흐려지지 않을 것이고 배기용으로 작은 팬을 붙여도 좋을 것이다.

후일담. 그 후에 이 이끼리움은 반년 정도 유지하고 있다. 넉줄고사리는 한 번 잎이 떨어졌지만 줄기에서 새로운 잎이 자라났다. 필터에서 먼, 수조 왼쪽에 있는 이끼의 상태가 썩 좋지 않은 이유는 물과 공기가 그다지 움직이지 않기 때문일지도 모른다. 어쨌든 매일 새로운 발견을 하면서 기뻐하거나 놀라거나 하고 있다.

DATA
- 수조 ● 60×30×40cm
- 조명 ● LED라이트 10시간/일
- 관리 ● 일주일에 1번 1/2환수, 분무를 1일 1~2회
- 사육종 ● 수포안(1)
- 식물 ●
  ① 털깃털이끼의 일종
  ② 깃털이끼의 일종
  ③ 양털이끼의 일종
  ④ 꼬리이끼의 일종
  ⑤ 초롱이끼의 일종
  ⑥ 넉줄고사리

습한 환경을 좋아하는 초롱이끼의 일종을 물 가까이에 배치해 보았다

수중 펌프를 사용한 이끼가 가득한 팔루다리움

배면에 빽빽하게 이끼를 배치한 팔루다리움 세팅. 수중 펌프와 분수기로 물이 방울져 떨어지는 풍경을 노린다

레이아웃 제작/Remix mozo 원더시티점
(현 리믹스 카스가이점)

촬영/Naoyuki Hashimoto 기재협력/GEX 협력/Shirikenya

사용한 기기

① 아쿠아 테라 메이커(분수기)
② MONSOON SOLO(미스팅 시스템)
③ 파워 LED300(조명)
④ 아쿠아 쿨팬(공기순환용)

모두 GEX

사용한 식물

① 후마타 고사리
② 꼬리고사리
③ 봉의꼬리
④ 비늘고사리
⑤ 물푸레나무
⑥ 구슬이끼
⑦ 윤이끼

그 밖에도 몇 종류의 식물을 사용했다

사용한 조형재 외 소재

① Epiweb(에피웹/Aqua Tailors)
② 용암석
③ 가지 유목
④ 메다카의 천연 다옥토(소일/Sudo)

주로 사용했던 도구 등

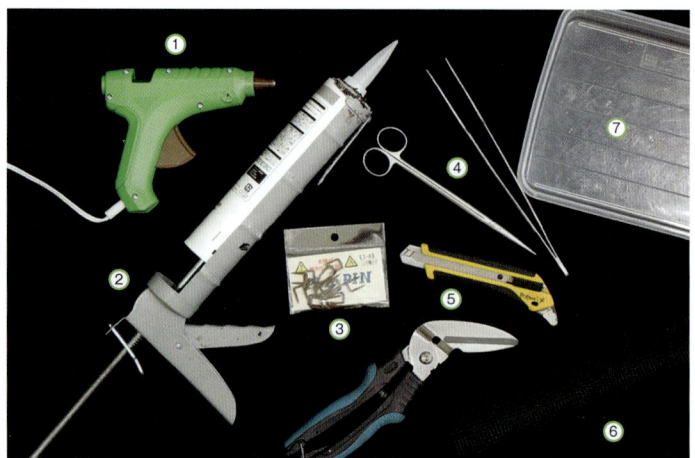

① 글루건
② 실리콘
③ 식물을 고정하는 수지 핀
④ 식재용 핀셋과 가위
⑤ 작업용 가위와 커터
⑥ 원예 네트
⑦ 넓은 접시

START 식물을 심을 때까지

01 사용한 수조는 팔루다리움 전용 30×30×45cm. 앞에 문이 있고 그물형태의 통풍구가 있으며 앞쪽에는 배수구도 있다

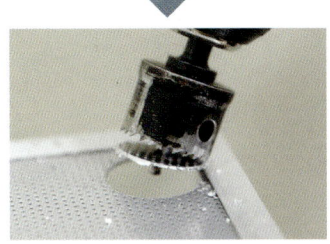

02 윗면 그물에 수중 펌프의 코드를 끼울 구멍을 홀쏘로 뚫는다(콘센트용 구멍이 처음부터 마련되어 있는 수조도 있다)

03 배수구에 자른 원예 네트를 실리콘으로 붙인다. 물고기 등의 생체가 환수할 때 흘러내려가지 않도록 배려한 것이다

04 수조 배면에 사용하는 에피웹에 실리콘을 바른다. 좀 넉넉하게

05 에피웹을 수조 배면에 접착한다. 접착력이 강한 실리콘을 사용한 이유는 에피웹이 글래스와 같은 반들반들한 것에는 잘 붙지 않기 때문이다

06 저면에 아쿠아 테라 메이커를 놓는다

07 저면에 사용하는 에피웹에 매직으로 가이드를 그린다

08 가이드에 따라 가위로 자른다. 꽤 단단하기 때문에 작업용 가위 사용해야 한다

09 자연스러운 육지가 되도록 에피웹의 모따기를 한다

10 에피웹에 글루건을 바르다

11 에피웹 2장으로 육지를 만들기 때문에 같은 모양으로 자른 같은 소재를 서로 붙인다. 에피웹끼리는 글루건으로 단단히 붙는다

12 에피웹을 수조 저면에 실리콘으로 붙인다. 아쿠아 테라 메이커를 피하듯이 사전에 에피웹을 잘라두었다

13 배면의 에피웹에 레이아웃 소재를 붙인다. 용암석은 글루건을 사용하면 단단히 달라붙는다

14 유목은 글루건과 상성이 좋지 않기 때문에 용암석 사이에 끼우듯이 해서 단단히 고정시킨다

15 대부분의 레이아웃 소재를 붙인 모습. 유목을 뿌리처럼 늘어뜨려서 아름답게 보이게 하는 것도 테마다

16 아쿠아 테라 메이커에 분수용 튜브를 연결한다

17 나중에 심을 식물에게 물을 공급하는 것도 고려하면서 수조 구석의 돌 틈새 등, 눈에 띄지 않는 장소에 튜브를 넣는다.

18 출수할 장소를 결정했으면 글루건으로 튜브를 고정시킨다(빛나는 것이 접착제). 튜브도 글루건과 상성이 좋지 못하므로 많이 사용한다. 고정했으면 튜브를 잘라낸다

19 수조에 물을 채우다

20 아쿠아 테라 메이커의 펌프의 전원을 켜고 출수 상태를 확인한다

식재 ~ 완성

21 수조 배면에 시트처럼 되어 있는 윤이끼를 핀으로 고정시킨다. 사용한 핀은 끝부분이 특수한 형태라서 잘 빠지지 않는다

22 윤이끼는 윌로 모스처럼 활착하지 않고 옆으로 퍼지면서 사물에 휘감기듯이 고착하기 때문에 처음부터 배면 전체에 빈틈없이 배치한다

23 윤이끼를 다 붙였으면 폭신하고 귀여운 구슬이끼를 포인트로 배치한다

24 튜브의 출수구 부근에는 물에 강하고 활착력이 강한 윌로 모스를 배치한다. 출수의 기세를 약화시키는 역할도 한다

25 밝은 색조이며 물에도 강하고 튼튼한 깃털이끼는 저면의 에피웹 위에 놓았다

26 얼추 이끼들을 다 레이아웃한 모습. 이것만으로도 좋은 분위기!

27 수조 배면에 양치식물을 배치한다. 돌과 돌 사이의 움푹 파인 곳에 꽂는 느낌. 나중에 에피웹에 뿌리를 내려 단단히 고정될 것이다

28 자잘한 식물은 핀셋으로 식재한다. 이런 부분은 수초 레이아웃과 다르지 않다

29 쓰러지기 쉬운 식물을 심거나 큰 틈에 식물을 끼우고 싶을 때는 뿌리를 이끼로 감싼 다음 배치한다

30 아쿠아 테라 메이커 주변에도 식물을 배치한다. 기구들이 가급적 보이지 않도록 식물을 배치하는 것도 자연스러움을 연출하는 데에는 중요하다

31 장난삼아 흑송을 배치했다. 멋진 형상이지만 이른바 프리저브드 플라워이고 살아있는 것은 아니다

32 에피웹으로 만든 육지 앞에 소일을 넣는다. 소일을 사용하는 이유는 녹아나오는 비료성분의 효과를 기대했기 때문이다

33 식물을 대략적으로 배치했으면 세밀한 부분을 체크한다. 유목을 타고 흐르는 물의 흐름을 정돈하기 위해 유목을 구부려서 형태를 만들기도 한다

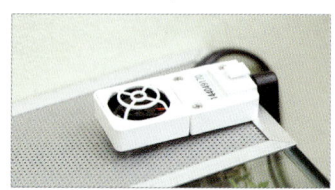

34 케이지 안의 습도가 너무 높아지는 것을 방지하기 위해 수조 윗면의 그물 부분에 팬을 설치한다. 식물에게 직접적으로 바람이 닿지 않도록 공기를 빼는 방향으로 설치

35 미스팅 시스템을 설치. 수조 윗면에 처음부터 만들어져 있는 구멍으로 노즐 부분을 넣는다. 내장되어 있는 타이머로 4시간에 1회 8초 동안 분무하는 것으로 설정했다

이 팔루다리움에는 붉은색이 강한 아마미 소드테일 뉴트의 브리딩 개체를 도입했다. 잘 길들여지고 아름다운 뉴트.

처음부터 완성에 가깝게

팔루다리움만의 세팅 포인트 하나를 소개해 보겠다. 그것은, 처음부터 완성에 가깝게 세팅하는 것이다. 팔루다리움에서 사용하는 이끼류나 식물의 성장속도는 그다지 빠르지 않기 때문에 "처음부터 80% 완성"을 염두에 두고 세팅을 하는 것이 기본이다. 왕성한 성장을 예상하고 적은 양의 수초로 시작하는 수초 레이아웃과는 이런 부분에서 큰 차이가 난다.

즉, 처음부터 아름다운 경관을 즐길 수 있고 멘테넌스로 인한 번거로움이 적은 것이 팔루다리움의 특징이라고도 할 수 있다. 육상 부분에는 아쿠아리스트의 천적인 조류가 자라지 않는 것도 고마운 점이다.

완성! 깊은 산속에 있는 물이 스며나오는 바위 표면과 같은 정서적인 레이아웃이 완성되었다

소형 이모리움 세팅!

32~33페이지에서 소개한 물을 채운 소형 이모리움.
같은 방식으로 제작한 레이아웃을 여기에서 소개해보도록 하겠다

레이아웃 제작/Takuya Maruyama
(Green aquarium Maruyama)

열정적인 수초 레이아우터로 알려져 있다. 최근에는 팔루다리움, 이모리움 제작에도 주력하고 있다

촬영/Toshiharu Ishiwata

준비한 기구류

①아쿠아 테라 리퀴드(GEX)
②아쿠아 테라 메이커(GEX)
③극상 우에레루군(Picta)
④파워하우스 베이직 소프트타입 M사이즈
(Taiheiyo Cement PH Product)
⑤알루미늄 철사, 그 외, 소일

이끼 외 식물

①깃털이끼
②가는흰털이끼
③더피 고사리
④피토니아 '정글 플레임'
⑤피토니아 '레드 플레임'

소재

①코르크 바크(튜브 모양)
②용암석
그 외, 부키메라 리프

세팅 START

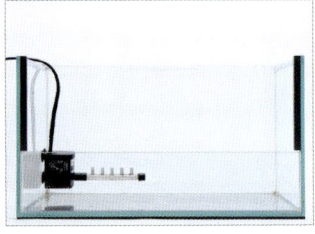

01 수조에 아쿠아 테라 메이커 펌프를 세팅한다

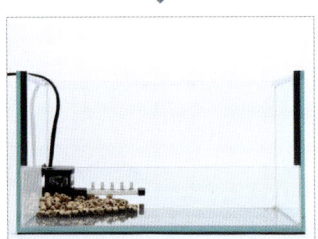

02 펌프 주위에 여과재(파워 하우스)를 둔다. 이것은 펌프가 막히는 것을 방지하는 역할도 한다

03 파워 하우스의 주위를 소일로 둘러싼다. 이것을 반복하여 흙을 쌓는다

04 자른 우에레루군을 세팅한다. 특별히 접착하지는 않고 수조에 끼우거나 해서 고정시킨다

05 우에레루군을 배면 가득 세팅했다. 불안정한 부분은 작게 자른 우에레루군과 용암석을 토대로 사용했다

06 아쿠아 테라 메이커에서 나온 튜브를 U자형으로 가공한 철사로 우에레루군에 고정시킨다

07 아쿠아 테라 메이커의 분기구는 5개인데, 여기에서는 3개만 사용하기로 했다(분기구 2개는 막았다)

08 소일을 더 쌓는다. 거의 펌프가 가려질 정도로

09 준비한 코르크에 곰팡이 방지제(아쿠아 테라 리퀴드)를 살포한다. 바깥쪽도 안쪽도 골고루

10 코르크 툭 놓아둔다. 안정적이도록 밑에는 작은 돌을 끼워두었다. 이것만으로도 좋은 분위기

11 배면의 우에레루군에 깃털이끼를 배치. 시트 모양의 이끼를 U자 철사로 고정시킨다

완성! 펌프에 전원을 켜고 스타트. 이끼에 가려져서 수조 정면에서 출수는 확인할 수 없지만 배면의 조형군 전체에 물이 돌고 있는 것을 확인했다. 이곳에는 오키나와 소드테일 뉴트가 살고 있다

Maruyama씨가 만드는 이모리움의 특징은 수중 펌프 취급에 있다. 저상에 많은 흙을 쌓고 또한 수위를 낮게 설정하기 때문에 대부분 흙 속에 펌프가 묻혀 버린다. 그러나 흙을 쌓을 때 사용하는 소일 등의 분진이 펌프 안에 들어가게 되면 트러블의 원인이 된다. 그래서 수중 펌프 주위를 다른 소재를 배치하여 보호한다. 이번에는 생물 여과를 중시하기 때문에 여과재를 사용했지만, 걱정되는 사람은 화분 네트망 등으로 펌프를 둘러싸도 될 것이다.

지금까지 Maruyama씨는 같은 방식의 레이아웃을 여러 개 만들었고 그중에는 1년 가깝게 유지하고 있는 것도 있지만 펌프 트러블은 없었다고 한다. 리셋을 할 때에는 우에레루군을 수조에 접착한 것은 아니라서 비교적 쉽게 떼어낼 수 있다고 한다. 세팅 과정을 보면 알 수 있듯이 구조 자체는 그렇게 복잡하지 않다.

촬영할 때에는 앞문을 떼어 놓았지만 그것을 닫으면 밀폐도가 높아져서 이 세팅 방법으로 많은 이끼가 잘 자란다고 한다. 뉴트는 종에 따라, 또는 상태에 따라 물에 대한 의존도가 다른데, 그다지 물이 필요하지 않은 개체를 기를 때는 펌프를 사용하지 않고(물을 순환시키지 않고) 분무기로 이끼 등의 식물과 뉴트에게 물을 공급한다.

그 외의 다른 포인트로, 아쿠아 테라 리퀴드의 효과적인 사용 방법을 Mruyama씨에게 배웠다. "곰팡이가 생기고 나서가 아니라 생기기 전에 살포하는 것으로 곰팡이를 방지할 수 있습니다!"라고 한다. 참고하기 바란다.

12 깃털이끼를 다 붙인 모습

13 코르크 바크와 배면 사이 부근에 더피고사리와 피토니아를 배치한다. 포트에서 꺼낸 용토째 놓는다

14 코르크 바크 위에 물에 갠 조형군을 올린다

15 조형군 위에 시트 모양의 가는흰털이끼를 배치하다

16 베타나 아로와나의 사육에 사용되는 마른 잎(부키메라 리프)을 잘게 뜯는다

17 전면에 마른 잎을 뿌린다. 자연감이 부쩍 늘었다

18 시든 잎에도 곰팡이 방지제를 골고루 살포하다

19 물을 넣는다. 이번에는 웅덩이가 생기지 않는, 소일이 잠기는 정도의 수위까지만

돌과 유목을 토대로 한 아쿠아 테라리움

돌과 유목을 토대로 활용하는 것은 정통적인 아쿠아 테라리움 제작방법이다. 거기에 제작자만의 다양한 아이디어를 담은 작례를 소개해보도록 하겠다

레이아웃 제작/Yuta Kobayashi
(H2 토요스점)

지금까지 수초 레이아웃을 제작하며 익힌 테크닉을 아쿠아 테라리움에도 응용!

촬영 / Toshiharu Ishiwata

사용한 식물

①아코루스 무늬타입
②프테리스
③아디안텀
④네프로레피스
⑤시페루스 알터니폴리우스
⑥아누비아스 나나 "쁘띠"
⑦소엽맥문동

사용한 이끼

①깃털이끼
②서리이끼
③작은흰털이끼
④모노솔레니움 테네룸
⑤자와 모스
⑥덩굴초롱이끼

사용한 모래 등

우/극상 조형군(Picuta)
중/어드밴스 소일 플랜츠(Japan Pet Communications)
좌/금사

사용한 레이아웃 소재

가지 모양의 유목과 납작한 돌

사용한 기기

좌 / Eheim 2213
　　(Kamihata Yogyo)
우 / 아쿠아테라 메이커
　　(GEX)

사용한 도구 등

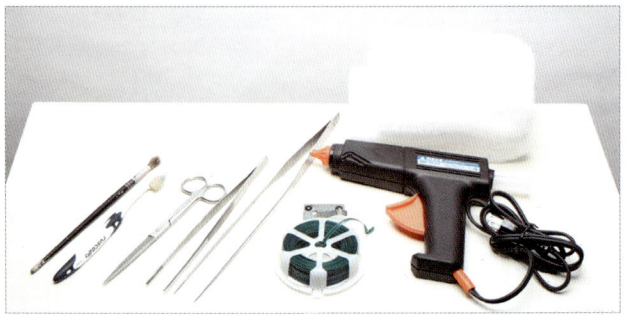

왼쪽부터 진흙이나 모래를 떨어뜨리는 브러시, 잎을 자르는 가위, 식재용 핀셋, 각종 고정용 트위스트 타이, 마찬가지로 고정용 글루건, 다양한 용도로 사용하는 울매트

세팅 START

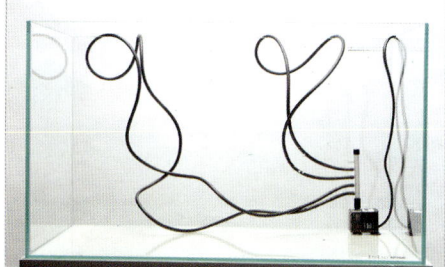

01 60cm 수조에 아쿠아테라 메이커를 놓는다

02 돌을 배치한다. 무너지지 않도록 틈에 울매트를 끼우거나 한다

03 유목을 배치한다. 마음에 드는 유목을 멋지게 사용하는 것도 레이아웃의 테마다

04 입체감을 내기 위해 꽤 높게 돌을 쌓았다. 사용량은 20kg 이상

05 아쿠아테라 메이커에 연결되어 있는 튜브를 자른다. 이 끝부분에서 물이 나온다

06 한 번 물을 붓고 아쿠아테라 메이커의 전원을 켠다

07 튜브에서 물이 나오는지 확인. 도중에 튜브가 접혀서 물이 나오지 않는다면 고친다

08 물을 빼고 모래를 넣는다. 물을 빼는 것은 레이아웃 작업을 편하게 하고 탁해진 물을 버리기 위해서이기도 하다

09 앞에서 자른 튜브 끝부분을 글루건으로 유목과 돌에 고정시킨다

10 수조 좌측 안쪽에 울매트로 포켓을 만들고 소일을 넣는다. 나중에 여기에도 식물을 심는다

11 물로 갠 후에 꽉 쥐어서 반죽한 조형군을 유목 위에 붙인다

12 조형군 위에 이끼를 놓는다. 출수구 부근에는 활착하고 물에 강한 깃털이끼를 놓아두었다

13 각종 식물도 조형군 위에 식재한다. 뿌리부분을 잡고 가볍게 눌러서 고정시킨다

14 조형군으로 식물의 뿌리부분을 감싸고 돌 틈에 끼우듯이 배치해도 좋다

15 물속에 들어가는 부분에도 식재. 자와 모스는 삼각형의 정점(성장하는 쪽)이 아래를 향하도록 한 후 순간접착제로 돌에 붙인다

16 아누비아스의 근경을 돌 틈에 밀어 넣어 고정시키면 모든 식재가 완료

분수기에서 나온 물이 돌을 타고 흘러 좋은 분위기가 난다

완성!

물을 붓고 외부식 필터를 세팅하면 완성이다. 조명은 식물의 상태를 보고 스팟형 LED를 설치할 예정. 어느 정도 시간이 지나면 물도 맑아질 것이다

시뮬레이션이 중요

여기에서 사용한 유목과 돌은 자연소재이기 때문에 마음먹은 대로 조립되지 않는 경우도 있다. 그래서 곧바로 실전에 들어가는 것은 현명하지 않다. 유목과 돌을 여러 번 수조 안에서 임시로 배치해보고 납득이 가는 형태를 사전에 정해두도록 하자. 그것을 스마트폰 등으로 촬영한 후 한 번 해체. 식물과 기기를 준비하고 다시 세팅한다. 이런 부분은 수초 레이아웃에서도 사용할 수 있는 과정이며 멀리 돌아가는 느낌이 들지도 모르지만 결과적으로는 완성도가 좋아지고 시간이 단축되는 경우가 많다.

구도도 수초 레이아웃풍

팔루다리움에서는 배면에도 조형재를 붙여서 식물을 식재하는 경우가 많지만 이 아쿠아 테라리움은 정면에서 봤을 때 중앙이 뚫려 있는, 이른바 오목형 구도로 만들었다. 수심이 15cm 정도이며 수면도 넓어서 수초 레이아웃에서 자주 사용되는 오목형 구도도 잘 어울린다. 수초 레이아웃 세계는 애호가가 많아서 선진적이고 유니크한 테크닉이 많이 발표되고 있다. 수초 레이아웃의 좋은 점을 응용한다면 보기 좋은 아쿠아 테라리움도 만들기 쉬워진다. 이 레이아웃은 그 좋은 예라고 할 수 있을 것이다.

수중발포 스티로폼을 토대로 한 다이나믹한 레이아웃 제작법

다양한 조형재가 있지만 여기에서는 발포 스티로폼과 시멘트를 사용한 오리지널리티 넘치는 제작 사례를 소개해보도록 하겠다

촬영/Toshiharu Ishiwata

레이아웃 제작/Yoshikazu Takahashi
(One's Mall 로열 홈센터 치바키타점)

이번에 소개한 것과 같은 인공물을 곳곳에 배치한 레이아웃을 디오리움이라는 이름으로 제창하고 있다

소재와 공구

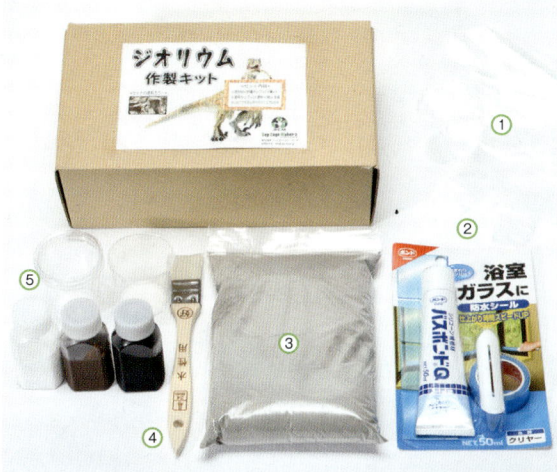

샵 오리지널 디오리움 제작 키트. ①비닐장갑, ②욕실용 본드(실리콘), ③시멘트, ④솔, ⑤도료(아크릴 수성)와 용기

발포 스티로폼. 오른쪽은 일반적인 발포판이며 잘 녹아서 형태를 만들기 쉽다. 왼쪽의 "츠쿠레루군(Picuta)"은 팔루다리움에 적합한 발포판이며 약간 단단하고 꺼끌꺼끌해서 시멘트나 실리콘과의 상성이 좋다

보다 더 리얼한 조형을 위해 사용할 디오라마용 소재. 목공용 본드를 얇게 발라서 붙인다. 왼쪽부터 밸러스트 갈색(고운 입자), 코스 터프(녹갈색), 아이슬란드 모스

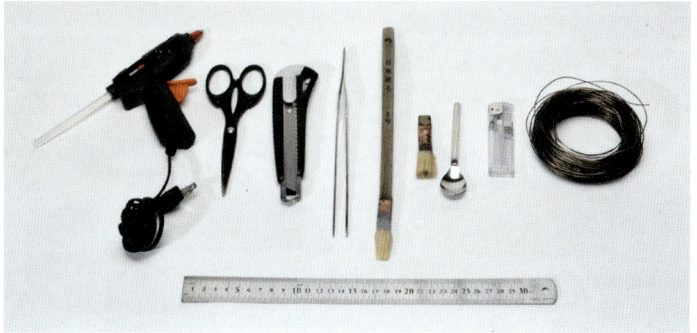

여러 가지 공구들. 상단 왼쪽부터 글루건, 가위, 커터나이프, 핀셋, 솔, 계량스푼(도료용), 라이터, 철사(식물 고정용), 앞쪽은 금속제 자

레이아웃 기초의 성형

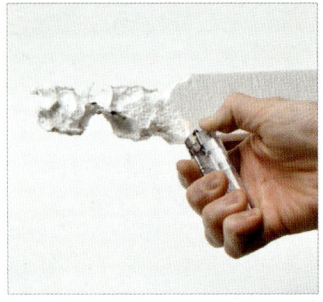

01 발포 스티로폼 판을 라이터로 녹여서 생각하는 이미지에 가까운 형태로 만들어간다. 히트건을 사용해도 좋다

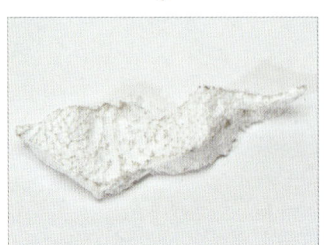

02 완성. 이런 식으로 몇 개의 부품을 만든다. 다소 숙련도가 필요하다

발포 보강과 도장

03 시멘트를 물에 갠다. 물3:시멘트1 정도의 비율. 꽤 묽게

04 솔로 시멘트를 발포 스티로폼에 바른다. 솔은 짧은 쪽이 힘을 넣기 쉽다

05 시멘트는 반나절~1일이면 마른다. 드라이어로 시간을 단축시켜도 좋다. 2~3번 겹쳐 바른다

06 물로 묽게 갠 도료를 건조한 시멘트 위에 바른다

07 도료도 몇 번 겹쳐 바르면 좋다. 이것도 발포 스티로폼의 보강이 된다

08 베이스가 되는 도료를 다 발랐으면 자연스러운 느낌이 나도록 "웨더링" 작업을 한다

09 웨더링 도료는 진하게 만들고 사전에 무언가에 문질러 발라서(솔의 보풀이 일게 한다) 대충 떨어뜨려두면 좋다

조립

10 "츠쿠레루군"을 수조 배면 크기에 맞춰서 자른다

11 마찬가지로 "츠쿠레루군"을 적당하게 잘라서 양수 펌프를 넣는 공간을 만든다. 우선은 글루건으로 임시로 고정시킨다

12 펌프 공간은 꺼내거나 할 때 다소 힘이 가해질 수 있으므로 실리콘을 사용하여 제대로 접착한다

13 펌프 공간 아래에는 구멍을 뚫고 원예네트를 붙여서 흡수구를 만든다

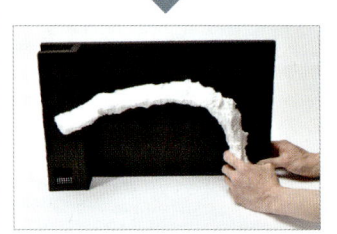

14 불로 지져서 성형한 발포 스티로폼을 대보고 레이아웃을 정한다. 이 공정에 관해서는 왼쪽 사진(실제 작업공정)도 참고하기 바란다

15 발포 스티로폼을 글루건으로 고정시킨다. 여기는 실리콘으로 보강할 필요는 없다

16 배면의 발포판(츠쿠레루군)을 실리콘으로 수조에 고정시킨다(화살표). 이 다음에 식물을 식재한다

실제 작업공정

수조에 발포 스티로폼이 잘 들어가도록 우선은 수조 안에서 조립하고 배면의 발포판에 고정시킨다

고정시켰으면 수조에서 꺼내서 도료와 시멘트를 바른다. 하나하나 분리되어 있는 발포 스티로폼을 하나씩 바르는 것 보다는 이렇게 하는 편이 효율적이다.

도장이 끝났으면 배면의 발포판(츠쿠레루군)을 수조에 접착하여 골격을 완성시킨다. 게재한 ❶~⓰은 지면 구성상, 이 공정을 여러 단계로 나눠서 해설한 것이다 (사진제공/Yoshikazu Takahashi)

발포 스티로폼을 베이스로 사용하면 거의 조형의 제한이 없어서 대담한 레이아웃이 가능해진다. 이 후, 식물이 생장하면 정취가 더해질 것이다

수조 ● 60×30×36(H)cm Glassterior LX/GEX
펌프유량 ● 8ℓ/분(최대)
여과 ● 없음(물이 물건이나 식물을 타고 흐르는 것으로 여과를 하고 있다)
저상 ● 소일
수온 ● 26℃
pH ● 6.5
물고기 ● 네온테트라(20), 코발트 드워프 구라미(1), 골든 허니 드워프 구라미(2)

식물
① 필레아 글라우카 '그레이시'
② 쿠션 모스
③ 크립탄서스 '노비스타'
④ 피페르 sp.
⑤ 피커스 푸밀라 '미니마'
⑥ 스파티필럼
⑦ 펠리오니아
⑧ 크립탄서스 '그린'
⑨ 미크로소리움 프테로푸스
⑩ 틸란드시아 이오난사
⑪ 윌로 모스
⑫ 피커스 푸밀라 '코알라'
⑬ 아누비아스 나나 '미니'
⑭ 에어플랜츠 프로스트그린 (이미테이션)
⑮ 줄고사리(이미테이션)
그 외
드라이 모스(이미테이션)

DATA

많은 공정이 있어 복잡하게 보일지도 모르지만 대략적으로는

❶ 발포 스티로폼을 불러 지져서 성형한다
❷ 수조 배면의 발포판(츠쿠레루군)에 ①을 고정시킨다
❸ 시멘트와 도료를 ②에 바른다
❹ 수조에 ③을 고정시킨다
❺ 식물을 ④에 식재한다

라는 흐름이다.

조형 내부는 발포 스티로폼과 빈 공간이기 때문에 겉모습의 중후함과는 달리 가볍고 취급하기 쉽다는 점이 큰 특징이다. 그리고 시멘트로 굳혔기 때문에 충격이 가해지거나 마구 휘저어도 견딜 수 있고 표면에 이끼(조류)가 자라나도 쉽게 없앨 수 있다.

양수 펌프로 퍼 올린 물은 레이아웃의 상부에서 배수하면 곳곳에 식재한 식물에게로 흐른다. 반대로 말하자면 물이 흐르는 장소에 식물을 식재하면 좋다.

식물은 뿌리를 윌로 모스로 감싸고 레이아웃 기초부분에 놓아두기만 하면 된다. 처음에는 다소 흔들거려도 조만간 뿌리가 자라면 고정된다. 더 불안정한 장소에 식물을 배치하고 싶은 경우에는 철사로 고정시키면 될 것이다.

팔루다리움과 아쿠아 테라리움의 관리

팔루다리움과 아쿠아 테라리움은 매일 성장하는 식물로 레이아웃을 서서히 완성시켜가는 그 과정을 즐기는 취미라고 할 수 있다. 그런 식물의 관리에 관해서, 앞에서 소개했던 내용과 몇 가지 중복되는 부분도 있지만 여기에서 정리해보도록 하겠다

취재협력 / Yoshikazu Takahashi(One's Mall 로열 홈센터 치바키타점)
일러스트 / Yo Izumori
사진 / Toshiharu Ishiwata

tips 1 수중 펌프로 물주기

수조에 5cm 정도 물을 부으면 작은 수중 펌프를 설치할 수 있다. 이 수중 펌프로 물을 끌어올려 레이아웃 상부에서 물을 떨어뜨리는 식으로 식물 뿌리에 물을 주면 매일 물을 직접 줄 필요가 없고 관리가 편해진다. 단, 이와 같은 방식을 사용할 경우에는 물에 강한 식물을 골라 레이아웃하도록 하자.

tips 2 화분에 심은 식물처럼 물주기

수중 펌프를 설치하지 않을 때는 사람의 손으로 직접 물을 줘야 한다. 식물의 상태를 보면서 정기적으로 물을 주도록 하자. 레이아웃에 따라서는 분무기로 물을 줘도 좋고 상부에서 물을 구석구석 빠지는 곳 없이 뿌려도 좋다. 최근에는 자동적으로 물을 뿌리고 미스팅을 하는 기기도 판매되고 있으므로 그런 기기를 이용하는 것도 좋을 것이다.

tips 3 에어컨에서 나오는 바람에 주의

뚜껑을 닫지 않은 레이아웃의 경우, 에어컨이나 선풍기 등에서 불어오는 바람이 직접적으로 식물에 닿으면 식물이 시들어버리는 경우가 있다. 특히 식물의 개성과 성장 상태를 파악하지 못한 세팅 초기에는 건조와 바람으로부터 식물을 지키기 위해 수조에 뚜껑을 닫아두는 것이 좋다.

tips 4 빛에 신경을 쓰자

식물은 빛이 없으면 시들어버리지만 광원이 너무 가까우면 그 열 등에 의해 잎이 타버린다. 라이트를 설치할 때는 잎이 타지 않도록 식물과의 거리를 조정하도록 하자. 실내조명이나 창에서 들어오는 태양광을 이용하는 경우에는 놓는 장소도 잘 생각해야 한다.

추운 계절에는……관엽식물과 수초의 대부분은 저온에 약하다. 식물의 상태를 관찰하다가 상태가 이상한 것 같다면 시트 히터나 수중 히터, 에어컨 등으로 보온하자(자세한 내용은 p120)

tips 5 부지런히 물을 추가하자

물을 부은 레이아웃에서는 육상 식물의 증산에 의해 꽤 빠른 스피드로 수위가 내려간다. 줄어든 채로 방치하면 히터와 펌프를 설치한 경우 기기들이 공기 중에 노출되어 위험해질 수 있고 수조 글래스면 등에 수중 염류가 하얗게 달라붙어서 보기에도 좋지 않다. 부지런히 물을 추가하도록 하자.

tips 6 때로는 듬뿍 물을 뿌리자!

수중에서 튀어나온 유목에 이끼를 심으면 잎이 타거나 해서 잘 자라지 않는 경우가 있다. 원인은 여러 가지 있겠지만 유목이 빨아들인 물이 유목에서 증발하거나 이끼에서 증산할 때, 각각의 표면에 수중 염류가 남으면서 그것이 이끼에게 해를 입히는 것일 수도 있다. 이런 현상을 방지하기 위해서는 정기적으로 레이아웃에 분무기로 물을 듬뿍 뿌려서 표면에 남아있는 염류를 씻어내는 것이 유효하다.

tips 7 때로는 정돈을 하자

덥수룩한 레이아웃도 운치가 있어 좋지만 너무 방치해두면 "단순히 식물이 심어져 있는 상자"라는 인상이 되어버린다. 식물의 왕성한 번성은 그 자체만으로도 미적으로 뛰어난 경우가 있지만 조금씩 손을 댄 레이아웃도 역시 나름의 아름다움을 가지고 있다. 때때로 수초 레이아웃처럼 트리밍을 해서 형태를 정돈하거나 시든 잎을 잘라내도록 하자.

tips 8 물에 공을 들이는 것도 좋다!

분무기나 미스팅으로 식물에 급수를 하는 레이아웃에서는 그 물에 조금만 공을 들여도 좋은 결과를 얻을 수 있다. 바로 RO수를 사용하는 것이다. RO수는 전용 정수기로 수중의 불순물을 제거한 순수에 가까운 물이며 이 물을 사용하면 레이아웃에 염류가 하얗게 남는 일도 방지할 수 있고 분무기의 노즐이 막히는 것도 예방할 수 있다. 단, RO수를 만드는 정수기는 꽤 고가이기 때문에 통신판매나 아쿠아샵 등에서 병에 넣어 파는 것을 사용해도 좋을 것이다.

tips 9 뚜껑은 닫는다? 닫지 않는다?

수중 펌프로 물을 돌리지 않는 수조나 미스팅 시스템으로 물을 뿌리지 않는 수조에서는 습도를 유지하기가 어려워서 레이아웃한 식물이 건조해 버리기 쉽다. 그와 같은 수조에서는 뚜껑을 닫아서 습도를 유지하도록 하자. 그것만으로도 수조 안의 습도가 높아져서 식물의 상태가 훨씬 좋아진다.

테라 베이스를 사용하여 이끼탑을 만든다!

팔루다리움은 무척 자유도가 높다. 해석에 따라서는 이끼볼을 넣은 그릇도 팔루다리움이라고 할 수 있고 거대한 열대식물원도 팔루다리움이라고 말하지 못할 것도 없다. 이번에는 이끼탑을 중앙에 배치한 팔루다리움을 만들어보았다

협력/Aqua Design Amano 레이아웃 제작 / 편집부

우주를 느꼈다

팔루다리움의 표현은 무한대다. 여기에서는 테라 베이스(DOOA)라는 도기제 아이템과 거기에 고착(활착)하는 식물을 조합하여 이끼탑을 만들어보기로 했다.

사각 용기에 용토 등을 쌓아올려 만드는 팔루다리움은 아쿠아리움과 비슷한 작법을 가지고 있다고 해도 될 것이다. 즉, 전~후경 외에 몇 가지 느슨한 법칙에 따라 사각 프레임(수조) 속에 하나의 경치를 만들어낸다. 하지만 테라 베이스는 원통형 토대에 각종 식물을 고착시키는 스타일. 제작해보고 느낀 점은 지금까지의 아쿠아리움과는 전혀 다른 세계관이라는 것이었다.

사각 용기에 각종 기구, 수초와 생체를 넣어 완성시키는 아쿠아리움은 뭐라고 할까, 제작을 시작했을 때 결과물이 이미 보인다. 눈앞에 있는 직육면체를 "채워간다"는 감각이라 망설임이 적다. 언젠가 끝나겠지 하는 안심감 같은 것이 있다.

하지만 원통형 테라 베이스는 그것과는 다르다. 제작자(편집부)도 처음으로 제작하는 것이라 익숙하지 못해서이기도 하겠지만, 완성될 때까지의 시간이 가늠이 안 된다. 원통 표면을 자유롭게 사용해도 된다는 것은 받아들이기에 따라서는 안내가 없는 것처럼 느껴지기도 한다.

"이걸로 괜찮은 걸까……?"하고 자문자답을 반복하게 된다. 선문답까지는 아니지만 상당히 추상적으로 느껴져서 우뇌가 전력을 다해 활동하고 있음을 자각했다.

결국 개시한지 1시간 반 정도 지난 후에 테라 베이스 표면에 식물을 다 고정시켰다. 높이 25cm 정도의 테라 베이스에 들인 시간치고 긴 것인지 짧은 것인지는 알 수 없다. 제작을 끝낸 감상은 너무 고민하지 않아도 좋지 않았을까, 라는 것이다. 사용한 이끼 외에 수생식물, 난 등은 제작자의 기량과는 상관없이 매력적인 풍경을 만들어주었다. 어떤 식으로 배치해도 전부 정답이 될 것이다.

그리고 설치한 후 1주일도 지나지 않아 난의 꽃이 폈다. 아쿠아리움과는 다른 재미를 또 발견했다.

준비한 식물과 기구

와비쿠사 매트 크리스마스 모스

와비쿠사 매트 아누비아스 커피폴리아

와비쿠사 매트 아누비아스 나나 골든

컵 수초 2 종

BIO 호주 노치도메
BIO 워터론

트로피컬 리버 샌드

모스 코튼

리시아 라인

※현재는 테라 베이스에 최적인 "테라 라인(DOOA)"이 판매되고 있다

착생란 2 종

셀로지네 핌브리아타
Coelogyne fimbriate

메디오칼카 데코라툼 '오렌지'
Mediocalcar decoratum 'orange'

테라 베이스
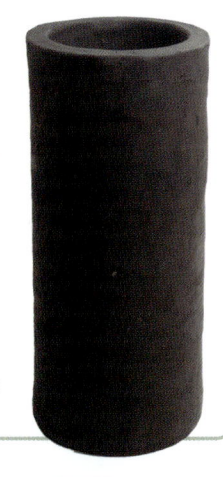

매일 물을 줄 필요가 없는 이유

테라 베이스의 내부에 물을 채워두면 1시간 정도 후에 표면에서 물이 배어 나온다. 이것으로 식물에 물을 공급하는 것이다. 대략 4~5일이 지나면 테라 베이스 안의 물이 없어지므로 그 때 물을 추가한다(수조에 고인 물은 배출한다)

제작 모습

와비쿠사 매트에서 크리스마스 모스를 벗겨낸다. 아누비아스 종류도 마찬가지로 매트에서 벗겨내 둔다

매트에서 벗겨낸 크리스마스 모스를 테라 베이스에 올리고 모스 코튼으로 칭칭 감는다(다 감으면 묶는다). 모스 코튼은 목면제라서 언젠가 분해된다

2종의 컵 수초는 뿌리가 뻗어 있는 배지를 떼어낸 후 적당히 분할하여 포기를 나눈다

수초를 모스 코튼으로 감는다. 필시 크리스마스 모스에 뿌리를 내려서 고착할 것이므로 그 근처에 놓아두었다

아누비아스 같은 크고 고착까지 시간이 걸릴 것 같은 식물은 리시아 라인으로 고정시킨다(이것도 다 감은 후에 묶는다). 리시아 라인은 분해되지 않는다

화분에서 꺼낸 착생란을 리시아 라인으로 고정시킨다. 뿌리 보호와 보습을 고려하여 근원에 물이끼를 조금 감아두었다

식물을 고정하는 작업은 테라 베이스를 도르래처럼 돌리는 쪽이 편하다. 그렇게 하면 항상 고정하는 부위를 정면에서 볼 수 있기 때문이다. 하지만 테라 베이스는 꽤 무겁고 꺼끌꺼끌하므로 돌릴 때는 바닥에 무언가 깔아두자(목제 책상 등에는 상처가 생긴다)

위에서 본 모습
실은 텐션을 유지한다
실을 감는 것이 아니라 테라 베이스를 돌린다

의외로 시간이 걸리므로 때때로 분무기로 물을 뿌려서 보습한다. 특히 수초는 마르면 끝!

5일 경과

세팅 후 5일 정도 경과한 테라 베이스

배어 나온 물에 의해 식물은 생생하게 자라고 있다. 2~3개월 후에는 이끼(크리스마스 모스)가 무성하게 번성해서 분위기가 더 좋아질 것이다
수조 : 네오 글래스 에어 20×20×35(H)cm

꽃이 피었다!

착생란의 꽃이 핀 것을 알아차렸다. 왠지 모르게 기쁘다

수조에 부속되어 있는 뚜껑의 틈으로 습도를 조정. 수조 안쪽에 물방울이 생기지 않는 정도를 기준으로 삼고 있다

2개월 후, 14개월 후의 모습은 다음 페이지에!

2개월 설치 후 2개월
조금만 더 있으면 이끼탑

세팅 후 1년 정도가 지난 현재, 이끼탑의 변화하는 모습을 관찰해보았다. 2개월 후의 모습은 아직 식물의 성장이 궤도에 오르지 못했고 고정한 라인이 보였다가 안 보였다가 해서 완성되었다고는 말하기 어려운 모습이었다. 그래도 서서히 테라 베이스를 덮어가는 이끼의 모습은 생기 있고 보기 좋았으며 밝은 녹색은 실내 인테리어로서도 충분히 기능하고 있었다.

14개월 후에는 테라 베이스의 표면 대부분이 이끼로 덮였고 다른 식물들도 크게 자랐다. 거의 완성이라고 해도 좋지만 천천히 변화해 가는 그 모습이 즐겁기도 해서 굳이 결론을 정해둘 필요는 없을 것 같다고 느끼고 있다.

도중에 한 일을 말하자면, 일주일에 1∞2번의 환수와 아주 가끔 식물의 트리밍을 했다. 트리밍이라고 해도 지나치게 길어진 이끼(크리스마스 모스)나 뿌리를 가볍게 자르는 정도의 간단한 작업. 매일 물을 주지 않는 만큼, 화분에 심은 관엽식물보다 손이 가지 않을지도 모른다.

이 책을 제작한 시점에서도 편집부 회의실에 놓여 있는 이끼탑. 앞으로의 변화도 지켜보고 싶다.

이끼(크리스마스 모스)의 성장속도는 느린 편이라서 이 시점에서는 테라 베이스의 표면을 덮을 정도는 아니다. 세팅할 때 좀 더 얇고 넓게 고정하는 것이 좋았을지도 모른다

14개월 설치 후 14개월
이끼탑은 사그라다 파밀리아 같다!

수조 ● 20×20×35cm (Neo Glass Air/DOOA)
저상 ● 트로피컬 리버 샌드(DOOA)
온도 ● 15~25℃ 정도
관리 ● 일주일에 한 번 환수, 때때로 환기
식물 ●
① 호주 노치도메
② 아누비아스 나나 '골든'
③ 아누비아스 커피폴리아
④ 크리스마스 모스
⑤ 셀로지네 핌브리아타

아누비아스와 이끼류는 왕성하게 성장하고 있고 호주 노치도메는 현상 유지, 난의 일종(메디오칼카 데코라툼 '오렌지')은 쇠퇴했다. 좀 더 환기를 시키는 것이 이 난에게는 좋았을지도 모른다

촬영 /Naoyuki Hashimoto

버섯 정글

버섯리움 중에서도 큰 수조를 사용한 다이나믹한 작례. 버섯나무가 크고 힘이 있기 때문에 여러 번 버섯이 발생할 것 같아 기대가 된다

버섯리움으로의 초대

버섯리움……
소식에 민감한 아쿠아리스트라면 이 단어를 들어본 적이 있을지도 모른다. 버섯이 메인인 수조 또는 버섯으로 레이아웃한 작은 용기를 말한다. 그 제창자인 Higuchi씨의 작품과 제작 포인트를 소개해보겠다

사진·제작 / Kazutomo Higuchi   일러스트 / Izawa Itsuha

수조●30×30×50cm
조명●Aqullo TRIANGLE LED GROW Glossy 300 1000lm 10시간/일
저상●경석, 적옥토, 케토흙
멘테넌스●1일 1회 분무
기온(버섯발생시)●15~18℃
버섯●백느타리버섯, 검은비늘버섯, 나도팽나무버섯, 팽이버섯
식물●가는흰털이끼, 너구리꼬리이끼, 구슬이끼, 윤이끼, 양치식물 등

버섯 그루터기

그루터기 윗면 중앙을 도려낸 후 균상을 채워 넣고 버섯을 발생시킨 것. 버섯의 사랑스러움이 듬뿍 돋보이는 작례다. 버섯을 보기에 딱 좋은 시기는 1주일 정도. 시즌 오프는 이끼리움으로 즐기면 된다

수조 ● 25×25×25cm
조명 ● Aqullo TRIANGLE LED GROW Glossy 300 1000lm 10시간/일
저상 ● 경석, 적옥토, 케토흙
멘테넌스 ● 1일 1회 분무
기온(버섯발생시) ● 15℃ 전후
버섯 ● 나도팽나무버섯
식물 ● 가는흰털이끼, 비꼬리이끼
※평소에는 글래스 뚜껑을 닫아둔다(촬영을 위해 일시적으로 열어두었다)

해골과 버섯

성장이 빠른 버섯을 58시간 동안 인터벌 촬영했다. 해골에서 버섯이 쑥쑥 자라나는 모습을 관찰할 수 있었다. 신비롭다고 할까 뭐랄까……. 이것을 편집한 영상도 꼭 보기 바란다!

(Higuchi씨의 인스타그램 kinocorium)

수조 ● 18×14×20.5cm
조명 ● 시판되는 데스크 라이트 10시간/일
저상 ● 경석, 적옥토, 케토흙
멘테넌스 ● 1일 1회 분무
기온(버섯발생시) ● 15-18℃ 전후
버섯 ● 팽이버섯
식물 ● 마삭줄, 깃털이끼
※평소에는 플라스틱 뚜껑을 닫아둔다(촬영을 위해 일시적으로 열어두었다)

준비한 식물과 기구

이끼류

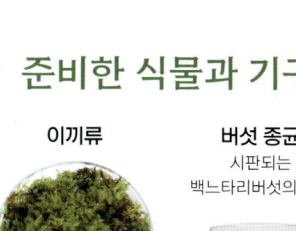
털깃털이끼

비꼬리이끼

버섯 종균
시판되는 백느타리버섯의 종균

작은 유리병
버섯 종균을 채워 넣는 것

레이아웃 용기
10 × 10 × 28.6cm

용토 등

경석

케토흙   적옥토

그 외 유목 등의 레이아웃 소재는 취향에 따라서

제작 모습

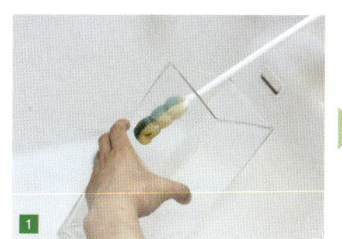

1 용기를 씻는다
주방용 세제로 잘 씻고 물로 깨끗이 헹군다

2 유리병에 종균을 채워 넣는다
종균을 2~3mm로 잘게 부수고 작은 유리병 입구까지 가득 채운다. 강하게 눌러 다지면서 채우는 것이 포인트

3 유리병을 세팅
종균을 채워 넣은 유리병을 레이아웃 용기에 넣는다

4 경석을 깐다
유리병 주위에 경석을 깐다. 물을 너무 많이 줬을 때 여기에 모아둘 수 있다

5 적옥토를 깐다
분무기로 적셔가면서 경석 위에 용토가 되는 적옥토를 깐다

Point
적옥토는 종균을 채워 넣은 유리병이 숨겨질 정도(1cm 정도)까지 깐다

6 블렌딩한 용토를 깐다
윗면에는 적옥토와 케토흙을 1:1로 섞은 용토를 깐다. 케토흙을 섞으면 보습성이 높아져서 이끼 육성에 좋다

Point
종균 바로 위에는 이끼를 가볍게 놓아둔다(이끼를 흙에 파묻지 않는다)

완성!
용토 위에 이끼를 심고 버섯이 발생하면 레이아웃의 전성기!

간단하기는 하지만 버섯리움 제작방법을 소개했다. 앞쪽은 낮게 뒤쪽은 높게, 같은 기본적인 레이아웃 작법은 아쿠아리움과 비슷해서 원예뿐만 아니라 아쿠아리움에 익숙한 사람도 금방 친숙하게 느낄 수 있을 것이다(제창자인 Higuchi씨도 아쿠아리스트).

여기에서는 백느타리버섯을 사용하고 있지만 팽이버섯, 나도팽나무버섯, 검은비늘버섯 등도 종균과 균상이 판매되고 있으며 버섯리움에 적합하다(독버섯도 있으니 실외에서 채집하는 것은 금물).

관리방법은 습윤계 팔루다리움과 비슷하다. 강한 빛을 좋아하기 때문에 밝은 실내에 놓아두고 경우에 따라서는 아쿠아리움용 조명 등도 병용한다(직사일광은 NG). 습도를 유지하기 위해 적당히 분무기로 물을 뿌리면서 뚜껑을 닫아두면 되는데, 약간 틈을 만들어서 환기도 의식해야 한다.

앞에서 말한 버섯들의 경우, 발생하는 시기는 기온이 내려가는 초가을~겨울이 메인이다. 기온의 일교차도 계기가 되므로 하루 종일 같은 온도를 유지하는 방에서는 잘 발생하지 않는 경우도 있다. 그럴 때는 환경을 개선해보도록 하자.

버섯리움에 흥미가 있는 사람은 Higuchi씨의 저서도 한 번 읽어보기 바란다(방에서 즐기는 버섯리움의 세계/이에노히카리 협회).

Higuchi 씨가 본지 독자들에게!

동화 같은 세계관을 즐길 수 있다!

버섯이 만들어내는 조형은 무척 신비롭고 아름답습니다.

집 안에서, 게다가 손으로 들 수 있는 작은 공간에서 그런 동화 같은 세계를 즐길 수 있는 것이 버섯리움의 최대 매력입니다.

또한 버섯은 무척 빨리 성장하기 때문에 하루하루 변해가는 모습을 관찰하는 것도 무척 재미있습니다.

버섯을 키우는 것은 어려운 일이라고 생각하기 쉽지만 포인트만 잘 파악해두면 누구라도 간단히 육성할 수 있습니다.

여러분도 "버섯리움"에 아무쪼록 도전해보시기 바랍니다!

Paludarium & Aqua-Terrarium Style
수조에서 그린을 즐기는 애호가 6인을 소개

애호가 방문 1

Daiki Murota씨

가족 시선으로 구축한 거실의 식물원

장남인 Sena군(10개월)은 헤엄치는 물고기를 무척 좋아한다. 애교가 넘치는 금붕어를 보며 크게 기뻐하고 있다

거실을 밝게 만드는 아쿠아 테라리움

Murota씨의 집 현관에서 거실로 들어가니 멋진 아쿠아 테라리움이 눈에 들어왔다.
거실 중앙에 놓여 있지만 압박감은 느껴지지 않고 손님을 맞이하도록 만들어진 아름다운 수조. 방에도 위화감 없이 잘 어울리는 그 모습을 보고 감동을 받았다.

아이가 태어난 것을 계기로

여기에서 소개하는 Murota씨, 예전에는 코리도라스와 해수어, 연못에서는 비단잉어 등, 다양하게 아쿠아리움을 즐기고 있었지만 그 후에 전기가 찾아왔다. 장남인 Sena군이 태어난 것이다.
사진으로 소개한 아쿠아 테라리움은 겨우 반년 정도 전까지는 클라운 피쉬와 붉돔, 산호로 장식된 해수어 수조였다고 한다. 하지만 아이가 태어나자 아쿠아리움의 규모를 축소시켜야만 했다. 그렇다고는 해도 경력 20년의 아쿠아리스트인 Murota씨로서는 수조가 없는 생활을 상상할 수가 없었다.
그때 샵에서 아름답게 레이아웃된 아쿠아 테라리움을 발견하고 이것이라면 수량도 적고 크게 번거롭지도 않으리라 생각되어 결심. 해수어 수조에서 모습을 바꾸게 되었다.

레이아웃은 완전 자작!

이 수조의 크기는 90×45×45cm. 원래 해수어용이었기도 해서 캐비닛 안에 오버플로우 여과조가 들어가 있는 본격적인 구조다. 이런 기재는 그대로 사용하고 자기만의 스타일로 솜씨 좋게 개장했으며 처음부터 아쿠아 테라리움 전용으로 설계된 것 같은 완성도를 보여준다.
우선 내부에는 용암석을 조합하여 육지를 재현. 수요 관계 때문인지 최근 용암석은 붉은 기가 강한 것이 많아졌지만 이것은 내부에서 너무 눈에 띄므로 가능한 검은 것을 찾아 사용하고 있다.
물 위에는 가지 모양의 유목을 배치하고 여기에 몬스테라 몇 종과 줄고사리 같은 양치식물 종류, 윌로 모스, 자가 채집한 털깃털이끼 등을 착생시켰다. 조명은 해수어를 즐길 때부터 사용하고 있는 7와트 LED를 3개 세팅했지만 기본적으로 야간에 관상할 때만 사용한다. 빛은 낮에 창문을 통해 들어오는 간접광 뿐이지만 음생식물이 메인이라서 그런지 문제없이 성장하고 있는 것 같다.
물을 오버플로우 여과조로부터 끌어올려 곳곳에서 토출시킴으로써 식물 육성과 물가 분위기 만들기에 활용하고 있다.
다만 플로우 파이프를 감싸듯이 돌을 배치해버리는 바람에 수위를 조정하기 어렵다는 점이 아쉽다고 한다.

왜 아쿠아 테라리움에 금붕어가?

이 아쿠아 테라리움의 주역은 단정과 주문금이라는 2마리의 금붕어. 아쿠아 테라리움에는 약간 어울리지 않지만 이것은 Sena군이 해수어 시대부터 예쁘고 잘 헤엄치는 물고기를 무척 좋아했기 때문에 선택한 것이다. 또한 물이 빨리 증발해서 관

수상부에는 좋아하는 식물을 듬뿍 심었다. 초음파 미스트 발생기가 그윽한 분위기를 만들어내고 있다

조명은 해수어용 LED(7W) 3개. 램프만 백색계열로 바꿨다

처음에는 90cm 아쿠아 테라리움 뒤편에 이끼를 활착시켰지만 너무 번성했기 때문에 Epiweb(식물 착생소재)으로 교환. 다양한 색의 식물이 알맞게 번성하게 되었다

이쪽은 현관에 놓아둔 손님맞이용 팔루다리움. 전용 케이지에 윌로 모스를 심어 레이아웃했다. 술라웨시산 육생 게가 이곳의 주인이다

리가 번거롭기 때문에 히터를 넣고 싶지 않다는 것도 이유 중 하나다. 증발을 억제하기 위해 뚜껑을 설치하면 수조에서 식물이나 가지가 삐져나온 오픈된 분위기를 해칠 수 있기 때문이다(본인은 가장 좋아하는 코리도라스를 도입하고 싶다고 한다).

하지만 의외로 자연감 넘치는 아쿠아 테라리움에 사람이 만들어낸 금붕어를 조합한 것에서 일본 분위기도 나고 잘 어울리는 느낌이 들었다.

"지금은 아이가 어리니까 힘을 모아두는 중입니다. 나중에는 전용 수조방도 만들 예정입니다"

라고 말하는 Murota씨. 통나무집풍의 멋진 집을 토대로 생각하고 있다고 하니 완성되었을 때는 또 아름다운 수조가 우리를 맞이해 줄 것이다.

여러 개의 작은 수조를 관리하는 Owada씨. 몇몇 수조는 수초를 물 위에서 육성하는 아쿠아 테라리움 방식이며 모두 센스 있게 완성되어 있다. 인스타그램은 mifusuyaqua로 검색

애호가 방문 2

작은 수조에 세계를 만든다

Yasufumi Owada씨

엔들러스. 이전에는 베타를 넣어두었었지만 수량에 비해 컸기 때문인지 이끼가 발생해서 이 물고기로 바꾸었다

DATA

- 수조 ● 15×15×25cm(Neo Glass Air)
- 조명 ● LED 라이트 8시간/일
- 여과 ● 없음
- 저상 ● PIXYSAND
- CO_2 ● 없음
- 멘테넌스 ● 일주일에 한 번 1/2 환수
- 수온 ● 25~26℃
- 물고기 외 ● 엔들러스 라이브베어러(3), 램즈혼, 새뱅이
- 수초 외 식물 ● 스크류 발리스네리아, 뉴 오란다 플랜트, 알터난테라 레이넥키, 호주 노치도메, 뉴 라지 펄그라스, 스트로징 레펜스, 자이언트 헤어그라스(수상), 사우루루스(수상)

협력 /AQUARIUM SHOP Breath　촬영 /Toshiharu Ishiwata　글 / 편집부

"지금은 이 수조가 좋은 상태입니다"라는 수초수조(좌). 두껍게 깔아둔 모래는 박테리아 활동을 의식한 것이다. CO_2는 첨가하고 있지 않지만 많은 수초가 성장하고 있으며 이끼도 발생하지 않는다고 한다

이 곳에서 가장 큰 폭 30cm 수조는 와비쿠사와 돌로 레이아웃했다. CO_2도 첨가하고 있다

작은 용기로 이끼리움. 관엽식물을 툭 놓아두는 것이 아니라 레이아웃된 용기로 만드는 것은 아쿠아리스트답다

거실에 수조가 8개. 이렇게 쓰면 마니악한 아쿠아리움 룸이라 생각할지도 모르지만 각 수조가 무척 작아서 상대적으로 방이 깔끔하게 보인다.

작은 수조를 좋아하는 Owada씨. 아버지가 아쿠아리스트였기 때문에 어린 시절부터 수조가 가까이에 있었다. 본가에서는 아로와나, 디스커스, 해수어 등을 키웠다고 한다.

Owada씨 자신도 아쿠아리움이 있는 생활을 즐겨왔지만 본격적으로 시작한 것은 5~6년 전부터. 별 생각 없이 인스타그램에 수조 사진을 올렸는데, 호의적인 코멘트가 달리기도 해서 동기부여가 되었다고 한다. 이후에도 업로드를 계속했고 현재는 팔로워가 2만명 이상이다.

그렇다고는 해도 인스타그램 활동을 생각한다면 큰 수조였어도 좋았을 것이다. 실제로 인스타그램을 시작한 초기에는 폭 45cm의 큰(?) 수조도 관리했었지만 거주하고 있는 방 크기에 맞춰서 수조를 고르다보니 필연적으로 작은 수조가 되었다.

작은 수조의 매력은 무엇인가 물어보니 세팅과 리셋이 간단하다는 점을 이야기했다. 예를 들어 소일도 3ℓ 정도 있으면 충분한 케이스가 많다. 또한 간단히 개수를 늘릴 수 있다는 점도 작은 수조의 재미라고 한다. 만들고 싶은 수경이 생기면 저예산으로 짧은 시간 안에 그것을 실현시킬 수 있다.

관리에 관해서도 궁금해진다. 작은 수량만의 어려움은 있지만 한 번 환경이 안정되면 크게 무너지는 일은 없다고 한다. 이런 부분은 큰 수조와 다르지 않다고 한다. Owada 씨는 아쿠아리움의 베테랑인 만큼 그동안 쌓아온 경험을 잘 활용하고 있는 것이라 생각된다.

"수조 하나하나에서 얻을 수 있는 즐거움은 큰 수조와 같다고 생각합니다"

이렇게 Owada씨는 말한다. 앞으로의 꿈은 막 태어난 아이와 함께 작은 수조 제작을 즐기는 것이라고 한다.

작은 수조는 각각의 가구에 밸런스 좋게 수납되어 있다. 상단은 뉴 라지 펄그라스를 수상재배하고 있는 수조이며 뿌리가 자라면 물을 넣을 예정이다

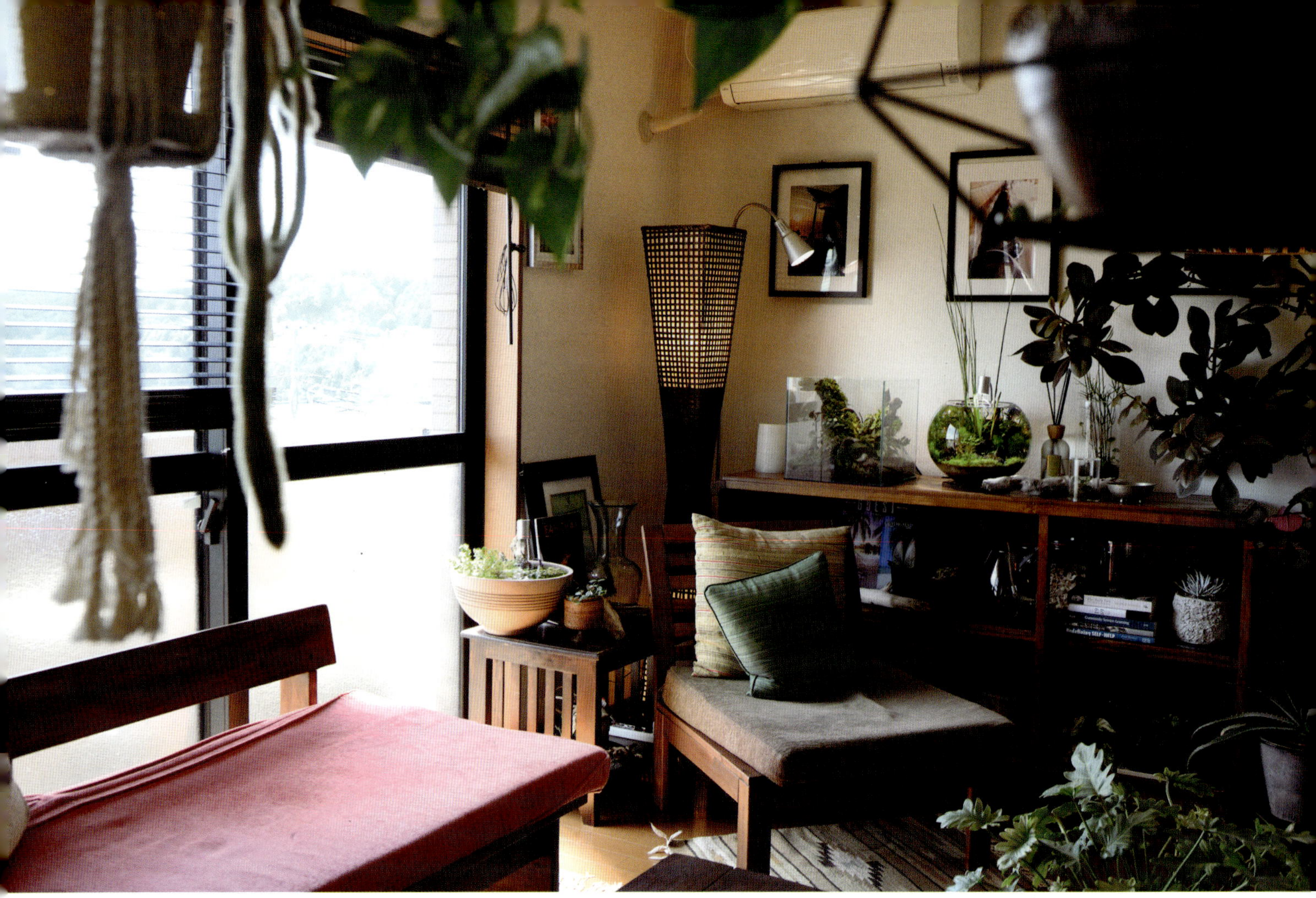

아시아풍 인테리어와 식물의 그린이 조합되어 있어 마음이 편안해진다. 식물은 햇빛 등을 고려하여 배치했고 광량이 부족한 경우에는 조명을 설치했다

애호가 방문 3

수조의 그린과 인테리어가 만드는 상냥한 시간

아카다마짱

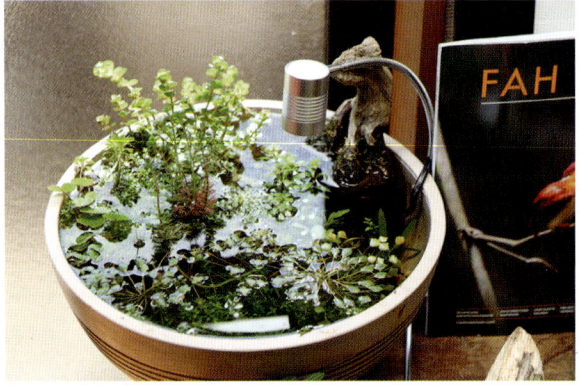

창 옆에 놓아둔 비오톱. 미리오필럼의 수상엽 등이 아름답게 우거져있다

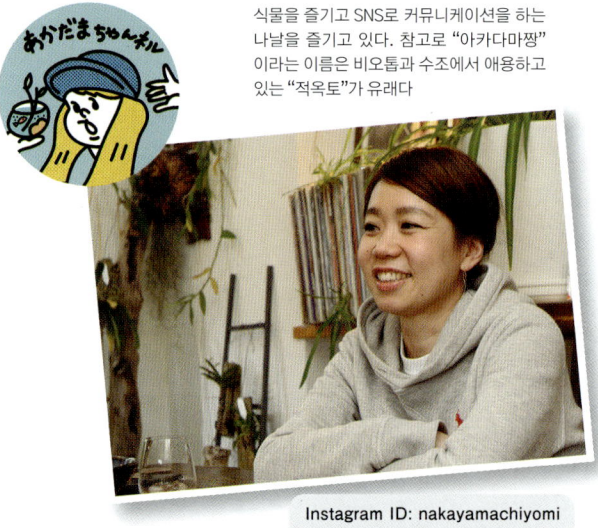

식물을 즐기고 SNS로 커뮤니케이션을 하는 나날을 즐기고 있다. 참고로 "아카다마짱"이라는 이름은 비오톱과 수조에서 애용하고 있는 "적옥토"가 유래다

Instagram ID: nakayamachiyomi
YouTube: akadama channel

시작은 비오톱

창문으로 들어오는 햇빛에 둘러싸여 반짝반짝 빛나는 작은 "실내" 비오톱. 수초의 수상엽이 섬세한 아름다움을 보여주고 있다.

비오톱이라고 하면 실외에 만드는 것이라는 이미지가 있지만 이 수반은 추운 계절에도 즐길 수 있도록 실내 창가에서 관리하고 있다.

"비오톱은 수반에서 식물이 튀어나와 있어서 멋있잖아요. 예전부터 흥미가 있었는데, 홈센터에 갔더니 마침 수반을 팔고 있어서. 그때, 신경이 쓰이면 해버리라고 가족이 격려해줬어요"

웃는 얼굴로 발랄하게 이야기하는 사람은 Instagram과 YouTube에서 자신의 비오톱과 수초수조의 에피소드를 공개하고 있는 아카다마짱(닉네임). 자택 거실은 착생란부터 팔루다리움, 수초수조까지 다양한 그린으로 가득 차 있다. 관엽식물은 예전부터 즐겨왔었지만 아쿠아리움과 팔루다리움 세계에 발을 들이게 된 계기는 바로 비오톱이었다.

사실 첫 번째 비오톱은 여행을 가야해서 세팅 직후에 한동안 방치해버렸다고 한다.

"여행에서 돌아왔더니 수초가 무성하게 자라나있었습니다. 거기에 감동을 받았습니다"

Instagram은 비오톱의 왕성한 성장을 기록

협력 /AQUA free 촬영 /Toshiharu Ishiwata 글 / 편집부

유목에 착생한 이끼에서 깊은 정취가 느껴지는 30cm 큐브 팔루다리움. 바위취와 쥬얼 오키드의 엽맥이 아름답다. 조명은 좌측 위쪽에서 조금 거리를 두고 비추고 있다

90cm 레이아웃은 1년 전에 처음으로 세팅한 수초수조. "첫 도전"은 일생에 한 번밖에 없다고 생각해서 자신과 같은 초보자들에게 도움이 되기를 바라며 제작과정을 찍은 영상도 공개했다

둥근 모양의 글래스 아쿠아리움은 금방동사니 등을 중심으로 식물들이 대담하게 식재되어 있어 수상부분도 즐길 수 있다. 내부에서는 라스보라 갤럭시가 놀고 있어 환상적인 분위기가 느껴진다

으로 남기기 위해 시작한 것이라고 한다. 그 감동을 원동력 삼아 아카다마짱이 다음에 도전한 것이 수초수조였다.

이미지 트레이닝부터 장기유지까지!

수초 육성에 흥미를 느끼고 레이아웃 구상을 시작한 아카다마짱. 아쿠아리스트라면 모두 새로운 수조에 관해 이것저것 상상하는 시간의 즐거움을 알고 있겠지만 아카다마짱은 반년에 걸쳐 망상(!)을 했다고 한다.

"인테리어에 잘 녹아드는 수조를 만들고 싶어서. 방에 놓아두었을 때의 사이즈감과 장기유지를 생각한다면 90cm 수조가 딱 적합했습니다!"

수조에 관해서는 완전히 초보자였기 때문에 우선은 수초전문점에 가서 상담을 했다. 가게를 자주 방문하면서 레이아웃 제작방법과 수초 선택법, 기구 설치방법 등을 시뮬레이션 해본 다음 수조와 관련 물품들을 구입해 돌아왔다.

"유목과 돌 등의 레이아웃 골격은 가게에서 스태프분과 함께 만든 다음 그 모습을 사진으로 찍어 와서 여기에 재현했습니다. 완전히 똑같이 만들지는 못했지만 그런 부분도 포함해서 재미있었습니다!"

이렇게 만든 음생수초 중심의 90cm 레이아웃. 이미 1년이 경과했지만 이끼가 생기는 일도 없이 순조롭다고 한다.

30cm 큐브 수조에 만든 팔루다리움도 1년 이상에 걸쳐 소중하게 유지하고 있다. 실내의 식물은 상태를 보고 볕이 드는 정도나 에어컨 풍향 등을 고려하면서 배치를 바꾼다고 한다. 세팅 전의 면밀한 이미지 트레이닝은 물론이거니와, 더 건강하게 육성하고 싶다는 아카다마짱의 마음이 장기유지를 가능하게 하는 힘일 것이다.

집에서 보내는 식물과의 한때

물가의 식물을 즐기는 생활을 시작한 지 2년 정도가 지났는데, 평소 생활에 무언가 변화는 있었을까?

"휴일에는 외출하는 것이 당연한 일이었지만 쉬는 날이 이틀이면 하루는 집에서 수조를 돌보고 싶다거나 그 다음에는 느긋하게 커피라도 마시고 싶다고 생각하게 되었습니다. 집에 있는 시간을 즐길 수 있게 되었습니다. SNS를 시작하게 되면서 같은 취미를 가진 베테랑분과 코멘트를 주고받으며 교류를 할 수 있게 된 것도 좋습니다. 이야기를 듣다보면 항상 새로운 발견을 하게 되어서 무척 즐겁습니다!"

정성들여 키운 아끼는 식물들과 인테리어에 둘러싸여 지내는 시간은 알찬 시간일 것이다. 환수 후에 수조 자체가 생기 있게 보이는 순간을 무척 좋아한다는 아카다마짱. 그 말 한 마디 한 마디에서는 작은 변화도 포착하여 즐기는 센스를 느낄 수 있었다.

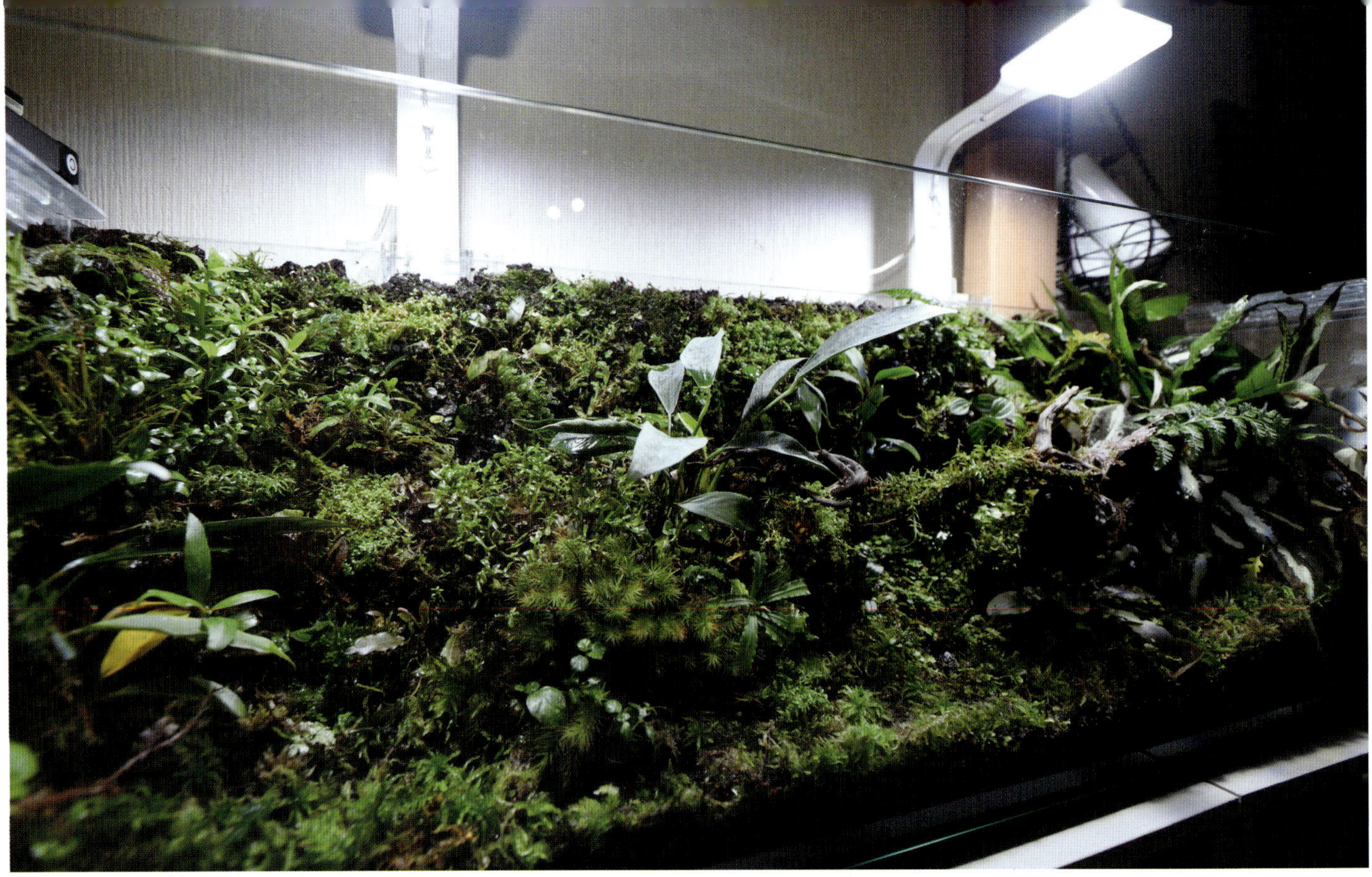

신설한 폭 90cm 팔루다리움. 가까이에서 보면 깊은 정글 속으로 보고 있는 것 같아 참을 수 없이 좋다고 한다(평소에는 뚜껑을 닫고 관리하고 있다)

애호가 방문 4

"수상엽"을 사용하는 팔루다리움 애호가

Hitoshi Kumamoto씨

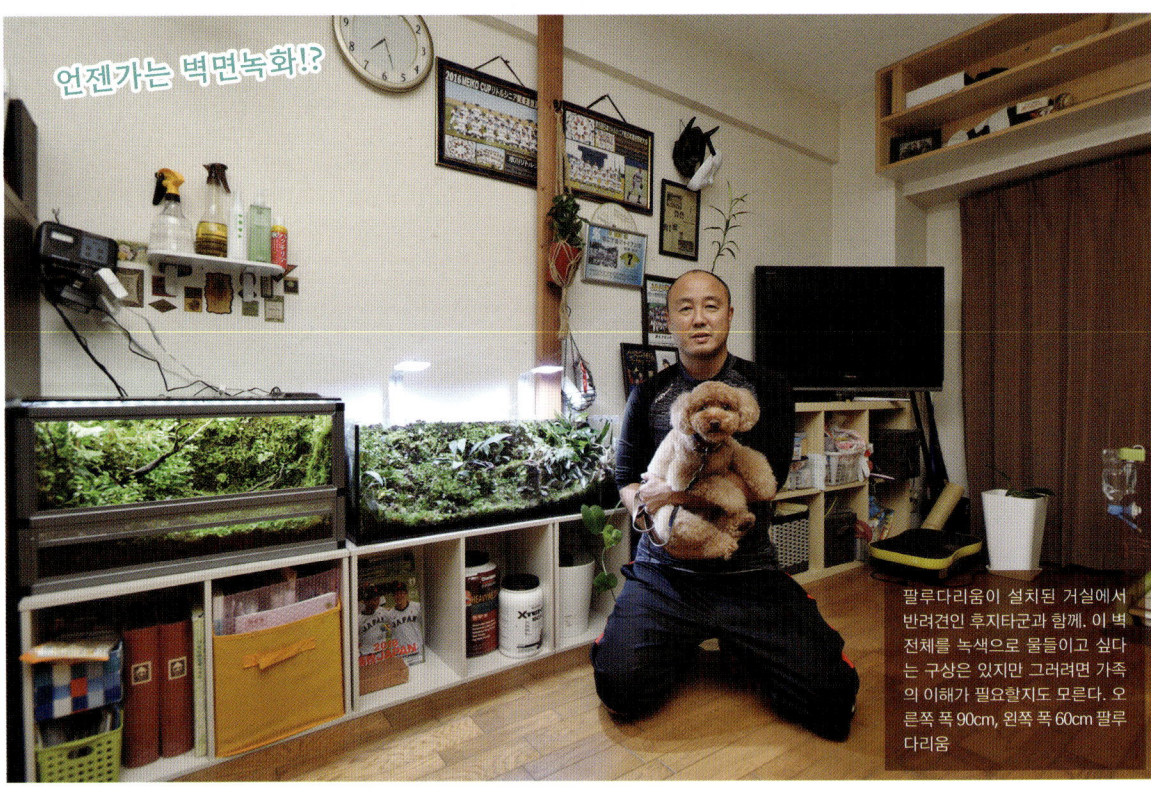

팔루다리움이 설치된 거실에서 반려견인 후지타군과 함께. 이 벽 전체를 녹색으로 물들이고 싶다는 구상은 있지만 그러려면 가족의 이해가 필요할지도 모른다. 오른쪽 폭 90cm, 왼쪽 폭 60cm 팔루다리움

요즘은 수조에 물을 붓지 않는 팔루다리움이 유행하고 있고 샵의 디스플레이에서도 볼 기회가 늘어났다. 어느 정도의 기준이라고 할까, 이렇게 하면 팔루다리움답다는 공통 인식이 만들어지고 있지만 Kumamoto씨 자택에 있는 팔루다리움은 이색적이다.

보기에는 보통 팔루다리움이지만 육상에 있는 식물이 수초가 메인인 것이다. 일반적으로 관엽식물을 놓는 경우가 많은 곳에 일부러 수초의 수상엽을 사용하고 있다. 그런 Kumamoto씨의 애호가로서의 편력, 현재 관리하고 있는 팔루다리움 등을 소개해보도록 하겠다.

아쿠아 테라리움에서 팔루다리움으로

20년 정도 전에 아쿠아 테라리움을 샵에서 본 것이 이 취미에 빠져들게 된 계기였다는 Kumamoto씨. 폭포가 흐르는 다이나믹한 풍경을 자택 수조에서 즐겼다. 원래 식물에 특별한 관심은 없었지만 잡지에 게재되어 있던, 기포가 생긴 리시아에 매료되어 수초수조 세트를 구입했다.

리시아를 키워본 것은 좋았지만 애초에 부초라는 사실을 몰랐고 유지가 어려워서 단념. 그 후에는 아로와나와 다트니오 등을 사육했었지만 동일본대지진의 영향 등으로 인해 일단은 아쿠아리움 자체를 그

촬영 /Toshiharu Ishiwata 글 / 편집부 협력 /One's Mall 로열 홈센터 치바키타점

수상엽의 아름다움

1. 폴리고눔 sp. '핑크'는 와비쿠사로 도입한 것
2. 하초도 수초다. 쿠바 펄글라스와 뉴 라지 펄글라스가 혼재되어 있다. 폭 60cm 팔루다리움에서
3. 와일드 아누비아스는 폭 90cm 팔루다리움에 심어져 있다. 짙은 녹색에서 주역의 품격이 느껴진다
4. 부세파란드라의 일종과 태류가 절묘하게 어울린다!
5. 호주 노치도메. 둥근 잎이 좋은 악센트가 되어준다
6. 아마미 소드테일 뉴트는 폭 60cm 팔루다리움에서 사육하고 있다. 사람들 잘 따르는 뉴트다

필로덴드론 옥시카르디움 '브라질'. 이것은 수초는 아니지만 마음에 들어서 구입했다

만두고 말았다.

얼마 후 아쿠아리움을 재개하기 위해 샵으로 갔을 때, 생각지도 못한 만남이 있었다.

"와비쿠사입니다. 무척 아름답고 이렇게 편리한 것이 있을 수가! 하고 생각했습니다"

굉장히 감동을 받았다고 한다. 와비쿠사는 수초지만 수상엽으로 판매되고 있다. 가라앉혀서 수중엽으로 만들 수 있지만 Kumamoto씨는 당초 수상전용이라고 믿고 있었다고 한다. 또한 같은 시기에 갔던 파충류 이벤트에서 전시되어 있던 개구리의 팔루다리움에도 감화되어 수초의 수상엽을 메인으로 한 팔루다리움을 시작하기로 했다. 그것이 2년 반 정도 전의 일이다.

화장실 주위도 신경 쓰인다!

처음에는 잡지(월간 아쿠아라이프) 기사를 읽거나 팔루다리움에 대해 잘 아는 샵에 물어보거나 하면서 조금씩 관리 감각을 익혀갔다. 현재는 저상에 아쿠아리움용 소일을 깔고 배면에는 조형군을 용토로 사용하며 조명은 LED 라이트를 하루에 8시간 점등하고 아침과 저녁에 한 번씩 분무기로 물을 뿌려 식물을 육성하고 있다.

감동을 받았다는 와비쿠사도 물 위에 놓여 있는데, 이것은 2주에 한 번 정도 트리밍하고 있다.

비실비실하게 웃자라는 경우가 많아서 고민을 하다가 정기적으로 트리밍을 하는 편이 좋다는 조언을 샵의 스태프가 해줘서 실천 중이라고 한다.

휴일에는 아이의 부활동 견학 때문에 각지의 학교를 방문하는 Kumamoto씨, 그 때 갈등을 겪게 된다고 한다.

"실외 화장실 주변에 팔루다리움에 사용하고 싶은 좋은 이끼가 자라나있습니다. 하지만 아무리 그래도 그런 곳에서 채취를 하면 이상한 사람이라고 생각할 것 같고 (웃음)"

이뿐만 아니라 평소에도 초목 같은 것이 심어져 있는 곳에서 이끼를 발견하면 몸이 근질근질하다고 한다. 참지 못하고 채취를 할 때는 반려견인 후지타군을 데리고 가서 개를 산책시키는 중이라고 위장을 한다. 이런 저런 잔소리를 듣게 되는 요즘 세상인 만큼 그것이 현명한 행동일지도 모른다.

취재 마지막에 다음은 어떤 계획이 있는지 물어보니

"벽면녹화를 동경하고 있어서 이것저것 생각 중이지만 수초를 사용하면 분무기로 물을 뿌릴 필요가 있고 그러면 벽지에 곰팡이가 생길 테고……"

일반적인 관엽식물이라면 물주전자 같은 것으로 관리할 수 있지만 수초를 고집하다보니 생기는 문제도 있다. 어디까지나 수초만을 생각하는 Kumamoto씨였다.

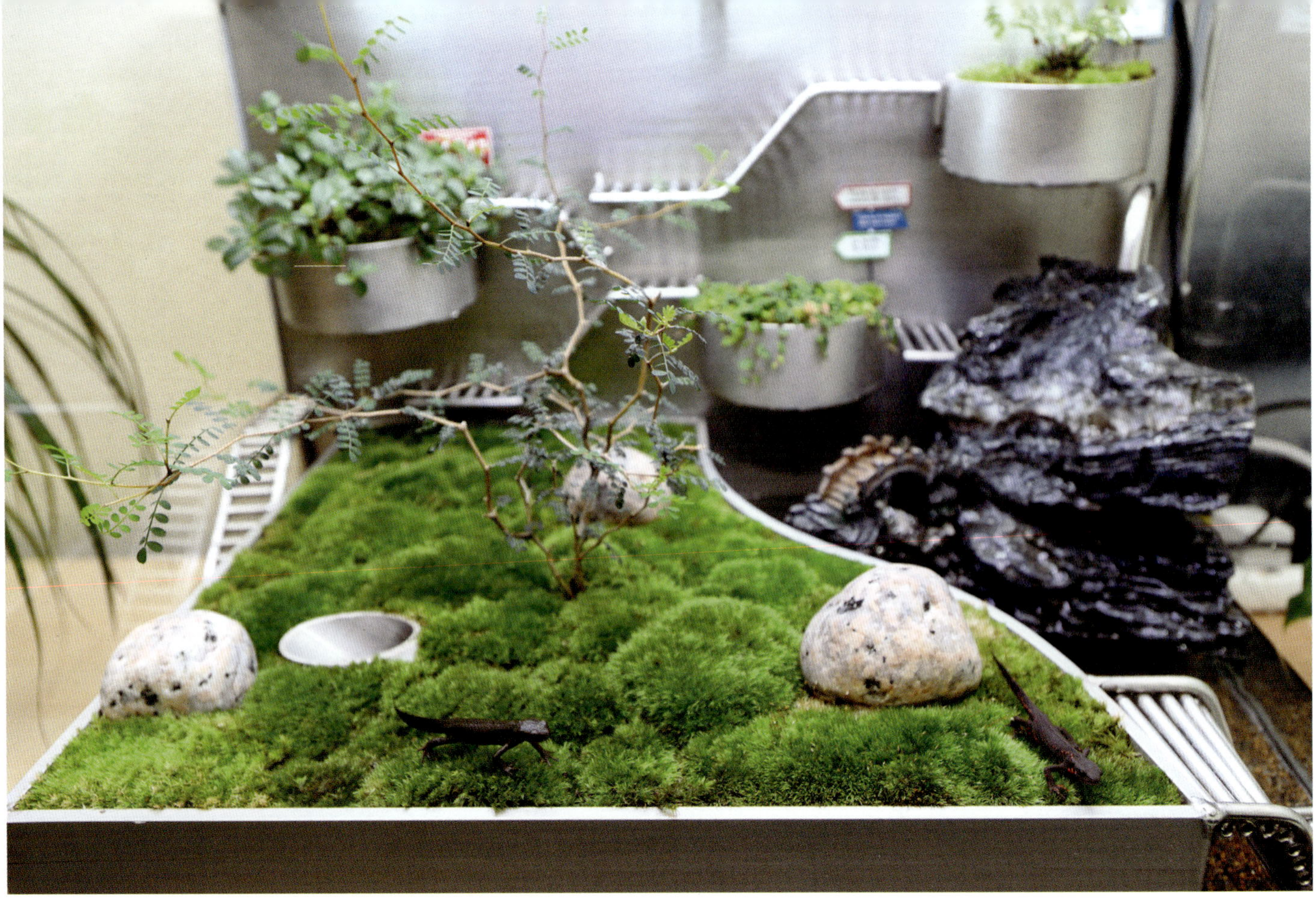

가장 처음에 만든 것이 이 이모리움이다. 넓은 면적을 가는흰털이끼가 덮고 있고 스테인리스와의 조합이 무척 상쾌하다. 중앙의 나무가 소포라.

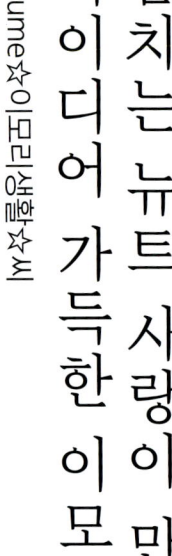

애호가 방문 5

넘치는 뉴트 사랑이 만들어낸 아이디어 가득한 이모리움

Surume☆이모리생활☆씨

이끼에게도 쾌적 !

물에 흠뻑 젖어 있는 환경을 싫어하는 가는흰털이끼를 위해 고안한 2층 시스템. 육지면적도 수량도 많이 확보할 수 있다는 장점도 있다.

DATA

수조 사이즈 60×45×45cm(Glass Terrarium 6045)
조명 LightUP 600, Flat LED 600 둘 다 7~8시간/일
필터 코너 필터 F_1
CO_2 없음
기온·수온 23℃
환수 일주일에 한 번 전량. 그 외에 하루에 한 번 분무기로 청소
컨디셔너 종류 없음
바닥모래 초가루 프리미엄
주된 먹이 히카리 크레스트 카니발을 5일에 한 번(한 개체당 한 알)
생물 일본 파이어밸리 뉴트(5)
식물 가는흰털이끼, 소포라 리틀베이비, 피쿠스 백시니오이데스, 왕모람, 깃고사리

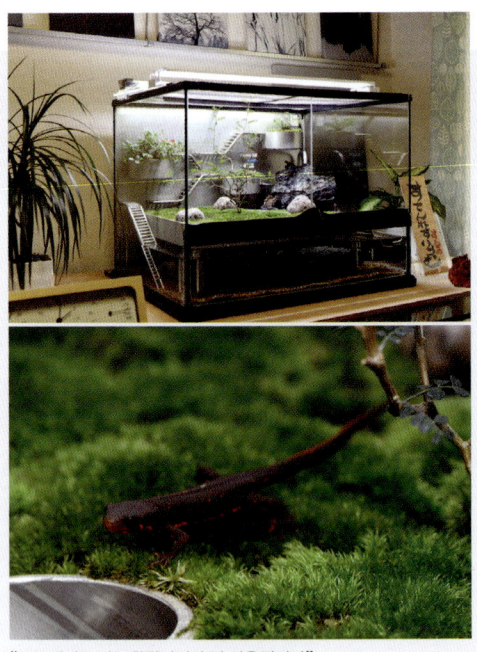

"뉴트에게는 가는흰털이끼가 잘 어울립니다"

스테인리스의 프로

Surume씨의 이모리움의 가장 큰 특징은 스테인리스다. 스테인리스를 가공하는 일을 하고 있어 반쯤 필연적인 선택이었지만 원래 스테인리스라는 소재를 좋아한다고 한다. 그 스테인리스를 뉴트를 위해 가공하여 레이아웃의 기초로 사용했다.

이곳의 이모리움은 청결한 환경을 유지하기 위해 멘테넌스 편의성을 중시하여 제작되었다. 케이지에 배치된 각종 스테인리스 부품은 탈착이 가능해서 구석구석까지 청소를 할 수 있다.

또한 각종 스테인리스 부품은 그곳에서 살고 있는 뉴트의 행동을 상상하여 제작되었다. 예를 들어 육지와 물을 잇는 발판은 뉴트의 보폭도 고려하면서 발판 틈으로 뉴트가 떨어지지 않을만한 간격으로 설계되었다.

설치된 부품에서 뉴트가 상상했던 대로의 행동을

촬영 /Toshiharu Ishiwata 글 / 편집부

5평 정도의 공간에서 이모리움을 즐기고 있다. 기온은 일 년 내내 에어컨으로 관리

중앙에서 물이 솟아오르는 이모리움. 이쪽은 아기들덩굴초롱이끼가 식생의 메인이다. 기본적으로 Surume씨의 이모리움은 위에 육지가 있고 아래에는 물이 있는 2층 구조다

"사람을 잘 따른다고 생각합니다". 새끼손가락을 내밀었더니 코끝으로 툭하고 쳤다. 뉴트끼리도 하는 이 행동은 뉴트식 인사일지도 모른다

이 스테인리스 부품들은 훅으로 탈착이 가능하다. "저는 스테인리스로 자작하고 있지만 저렴한 아크릴 케이스 등을 이용해도 같은 시스템을 만들 수 있다고 생각합니다"

보여줬을 때는 "해냈다!"라는 기쁨을 느낀다고 한다. 반대로 뉴트가 그다지 쾌적하게 느끼지 못하는 것 같으면 다음 부품 제작에 그것을 활용하여 개량한다고 한다.

뉴트 제일주의

스테인리스부품 외에도 뉴트에 대한 넘치는 사랑과 관련된 에피소드를 여러 개 들을 수 있었다.

우선 메인으로 사용하고 있는 가는흰털이끼. Surume씨가 좋아한다는 이유 외에도 뉴트와 잘 어울린다는 점과 그 쿠션과 같은 성질도 사용하게 된 이유 중 하나였다. 뉴트가 어쩌다 높은 위치에서 떨어졌을 때, 푹신푹신한 이 이끼가 다치는 것을 방지해줄 것이라 생각했다고 한다.

레이아웃에 사용하고 있는 식물도 마찬가지다. 소포라라는 작은 식물은 뉴트가 기어올라도 적당히 휘어져서 낙하할 때 쇼크가 적다고 한다.

뉴트의 먹이로 쥐며느리(굴뚝양쥐며느리)를 배양하고 있는데, 원친은 안전하다고 생각되는 것을 인터넷에서 구입했다. 근처에서도 채집할 수 있지만 농약 등의 영향을 무시할 수 없었다고 한다.

많은 핀셋을 가지고 있지만 각각의 용도는 다르다고 한다. 예를 들어 식물을 심을 때와 뽑을 때 각각 다른 핀셋을 사용하고 뉴트의 먹이를 주는 핀셋도 있다. 먹이용 핀셋의 특징에 대해 물어보니 "뉴트가 입으로 물어도 다치지 않도록 끝부분에 미끄럼 방지(들쑥날쑥) 처리가 되어 있지 않은 핀셋을 준비했다"고 대답해주었다.

현재 21마리의 뉴트를 사육하고 있지만 각각의 얼굴은 "완전히 다르다"고 말하는 Surume씨. 당연한 일인 듯이 뉴트를 최우선으로 생각하면서 그것을 진심으로 즐기고 있음을 대화를 통해 알 수 있었다. 과장이 아니라, 생물사육이라는 취미의 원점을 본 것 같았던 취재였다.

이끼 등의 식물을 심어두는 케이스는 모두 바닥에 펀칭 가공이 되어있어 물이 고이지 않는다

"가장 좋아하지만 가장 어렵다고 생각합니다"라는 가는흰털이끼. 어떤 육성 환경이 적합한지 알아보기 위해 여러 개의 케이스에서 시험하고 있다. 현재 결과가 좋은 것은 아래에는 경석을 깔고 그 위에 네트를 올리고 다시 그 위에 소일을 까는 조합(우2)

애호가 방문 6

시스템이 전제!? 가능한 편하게 즐기는 아쿠아라이프

Takanashi씨

자택 거실을 장식한 90cm 아쿠아 테라리움 수조와 세로로 긴 타입의 30×30×60cm 수조(안쪽). 실례이기는 하지만 남성 혼자 산다고는 생각할 수 없을 정도로 보기 좋게 정돈되어 있다……고 생각해버렸다

촬영 /Toshiharu Ishiwata 글 / 편집부
협력 /One's Mall 로열 홈센터 치바키타점

자택구입을 계기로……

Takanashi씨가 아쿠아리움을 시작한 것은 지금으로부터 3년 정도 전의 일이다. "수조놀이"에는 예전부터 흥미가 있었지만 당시 살고 있던 집은 좁았기 때문에 좀처럼 손을 대지 못했었다고 한다. 하지만 현재 살고 있는 집을 구입하면서 공간 문제는 단숨에 해결되었다. "이왕이면 하고 싶을 것을 하자"는 생각으로 아쿠아리스트의 길에 들어섰다.

처음에는 부엌 카운터 위에 수조를 놓으려고 했었지만 여러 가지 문제가 있어 단념. 마침 부엌 쪽 비어있는 공간에 딱 들어가는, 30×30×H60cm라는 약간 변칙적인 사이즈의 수조를 설치하면서 아쿠아라이프를 시작했다.

처음 도입할 때는 집에서 가장 가까운 곳에 있던 샵과 상담하며 일을 진행시켰다. 그 샵에서는 수조 안에서 여과를 완결시키고 물을 추가하면서 유지하는 정화 시스템을 제창하고 있었기 때문에 자연스럽게 Takanashi씨도 그 시스템을 도입하게 되었다. 이것이 훗날의 아쿠아리움 스타일을 결정지어버린 것일지도 모른다.

아쿠아 테라리움의 육상부에는 이끼와 양치식물, 덩굴성 가지마루(피커스) 등이 번성해 있어 실로 좋은 무드가 느껴진다. 자욱이 낀 안개가 분위기를 더욱 그럴 듯하게 만들고 있다

자작한 아쿠아 테라리움!

90cm 아쿠아 테라리움 수조는 작년 여름에 보통의 수초 레이아웃을 리뉴얼한 것이다. 나중에 레이아웃을 변경할 때 곤란해지지 않도록 육상부의 소재(Epiweb 등)는 일부러 접착하지 않았고 빨래집게 등으로 가볍게 고정시켰다고 한다. 그럼에도 제대로 쌓아올려져 있는 점이 굉장하다

칸막이로 공간을 5개로 나눈 수조를 손에 넣어서 모처럼이니 각각 다른 색채와 체형을 가진 베타를 콜렉션하기로 했다. 각양각색의 베타들은 보고 있기만 해도 즐겁다

책장의 이미테이션 북 안에는 CO_2 봄베가 들어 있다! 주변기구와 코드 등은 가능한 눈에 띄지 않도록 조치되어 있다

고등학교에서 국어를 가르치고 있는 Takanashi씨. 일이 바빠서 좀처럼 개인적인 시간을 가질 수 없는 상황이라 그것이 수조 제작에 영향을 미치고 있다

서재를 장식한 수조들

Takanashi씨는 고등학교에서 국어를 가르치는 현역 교사다. 또한 전에 축구부였다는 경험을 인정받아 축구부 고문도 맡고 있어서 수업과 부활동 지도, 원정 등으로 인해 바쁜 나날을 보내고 있다.

국어를 가르치고 있는 만큼 방 하나에 많은 책을 놓아두고 서재로 사용하고 있다. 어느 날, 책장에 만들어진 빈 공간을 보고 한창 아쿠아리움에 빠져들고 있던 Takanashi씨는 문득 생각했다. 여기에도 수조를 놓을 수 있지 않을까, 하고.

책장은 무거운 책을 수납하기 위해 튼튼하게 만들어져 있으니 강도는 문제가 없다. 즉시 수조를 도입해봤지만 공간적으로 큰 것은 놓을 수가 없어서 좀처럼 안정되지 않았고 고전을 면치 못했다고 한다. 그렇다면 이런 환경에서도 키울 수 있는 베타를 키우자는 쪽으로 방향을 바꿔 지금은 다종다양한 베타가 서재 수조의 주인이 되어있다.

작은 수조라고는 해도 멘테넌스를 하다가 물을 쏟거나 해서 책을 망가뜨리지 않을까? 하고 걱정이 되었지만 앞에서 이야기한 수조 시스템이 여기에도 도입되어 있어 3일에 한 번 정도 물을 추가하기만 하

서재에 수조 !?

책장에 설치된 아쿠아리움이라는 신선한 조합. 사진 이외에도 여러 개의 수조가 서재 여기저기를 장식하고 있었다

는 방식으로 관리하기 때문에 트러블은 일어나지 않는다고 한다.

생활 스타일에 맞춘 수조 제작

현재 메인 수조는 거실에 설치된 90cm 아쿠아 테라리움이다. 2년 전에 설치한 이래 보통의 아쿠아리움으로 관상했지만 본지의 팔루다리움 특집 등을 보고 영향을 받아 작년 여름에 리뉴얼하기로 결심. 여과 시스템은 그대로 둔 채 수위를 내리고 육상부분을 만들어 식물을 심고 배관을 설치하는 등, 직접 바꿔가며 만들었다고 한다.

"수중과 수상의 각각 다른 표정을 즐길 수 있고 물고기도 키울 수 있습니다. 물이 줄어들어서 관리하는 수고도 줄어들어 좋은 점이 많습니다"

라며 상당히 마음에 드는 눈치였다.

앞에서 이야기했듯이 매일 바쁘기 때문에 느긋하게 수조를 만지작거리며 바라본다…같은 우아한 휴일을 보낼 기회는 한정되어 있다. 그 적은 여가로도 문제없이 관리할 수 있는 시스템을 찾다보니 지금의 사육 스타일에 다다르게 된 면도 있다고 한다. 수조에 자신을 맞추는 것이 아니라 수조를 자신에게 맞춘다. 그런 아쿠아라이프도 괜찮다고 느낀 이번 취재였다.

채집을 하지 않는 필드행
경치를 헌팅하여 수조에! 2019

"자연에는 레이아웃의 힌트가 잔뜩 있다"는 말을 자주 듣는다. 그 힌트를 찾아보기 위해 Hayasaka씨와 제자들이 야마나시 방면으로 향했다. 돌아오면 레이아웃 제작입니다!

본문 / Makoto Hayasaka(SENSUOUS)
필드 촬영 / Makoto Hayasaka, 편집부
레이아웃 촬영 / Toshiharu Ishiwata

※2년 연속으로 월간 아쿠아라이프에 게재했던 기획을 모아보았습니다. 2019년은 필드행, 2020년은 인터뷰 중심으로 구성되어 있습니다

벚꽃이 살짝 남아있는 계절에 경치 헌팅을 하러 갔다. 우선은 원경을 겟!

도중에 발견한 돌들이 굴러다니는 급사면. 이곳은 Sato씨가 열심히 스케치했다

"가까이 다가가서 경치를 찍고 있습니다"라는 Kawada씨. 평소에도 이런 식으로 촬영을 한다고 한다

오른쪽부터 Hayasaka씨, Uchida씨, Sato씨, Kawada씨. 세 사람은 Hayasaka씨가 강사로 일하고 있는 도쿄 커뮤니케이션 아트 전문학교에서 아쿠아리움과 생물을 공부하는 학생들이다

 필자와 편집부의 Yamaguchi씨는 나이가 비슷하기도 해서 대화도 잘 통하고 서로 그다지 신경을 쓰지 않는 편한 관계이다. 2년 반 정도 전에 출판한 필자의 책 "수초수조를 위한 조언"을 집필할 때에는 큰 도움을 받았던 추억도 있다.

 그 Yamaguchi씨가 권유한 이 기획. "재미있을 것 같고 학생들의 공부에도 도움이 될 것 같다"는 생각 외에도 "제작을 앞두고 있는 큰 작업의 참고가 될 것 같다"는 생각도 있었다. 사실 필자가 의뢰를 받은 작품 제작의 힌트를 찾기에 무척 좋은 타이밍이었던 것이다.

 당일 아침 7시, 필자의 시부야 점포에서 학생 3명과 만나 Yamaguchi씨가 운전하는 차를 타고 출발했다. 이번에 가는 곳은 Yamaguchi씨가 추천한 곳. 즉, 어디에 무엇이 있는지 잘 알고 있는 장소다.

 시부야를 떠나 1시간 정도 고속도로를 달린 후, 산길로 들어갔다. 거기서부터는 로케 헌팅의 보고. 차를 타고 가다가 여기다 싶은 포인트에서 멈추는 스타일로 진행했는데, 사람에 따라 취향은 가지각색이다. 망설이고 있으면 기회를 놓쳐버린다. 여러 사람이 함께 행동하는 경우, 누군가가 주도권을 쥐고 신속하게 결단을 내려야 즐거운 시간이 이어진다. 구불거리는 좁은 산길을 달리며 몇 번인가 멈추서 각자의 생각대로 사진을 찍고 스케치를 했다.

 최종 목적지로 설정한 야마나시현의 계류에는 점심시간 전에 도착했다. 가슴장화나 반바지로 갈아입으면 살짝 모험이 시작되는 기분이 든다. 발밑이 안전한 장소를 고르면서 강을 거슬러 올라갔다. 그곳은 그야말로 구도천국. 양손의 엄지와 검지로 사각형을 만든다. 이렇게 3:2 비율로 사진을 찍는다는 감각으로 뇌리에 경치를 새기는 것이다. 예전에는 모든 경치를 사진으로 찍고 메모하려고 했었지만 요즘에는 찬찬히 경치를 보는 시간도 중요하다고 생각하

계류 곳곳에 이끼가 있었다. 나무와 수초가 왕성하게 자라기 전인 요즘 같은 계절에는 이끼가 눈에 잘 띈다

최종 목적지였던 계류에는 거친 표면의 바위들이 펼쳐져 있었다. 이곳은 Kawada씨가 마음에 들어 한 포인트

강에서 조금 떨어진 곳에 있는 삼나무의 그루터기를 유심히 바라보는 Uchida씨

미묘한 밸런스로 강가에 서 있는 바위. 이런 경치는 인상에 남는다

게 되었다. 사진과 메모, 그리고 눈으로 직접 보고 구도를 머리에 축적해 가는 것이다.

사람의 손이 미치지 않은 돌들이 늘어서 있는 모습. 강가 나무들의 각도. 무한하게 존재하는 구도의 신을 흡수하면 할수록 깊은 발견이 있고 더 재미있어진다.

100m 정도 강을 거슬러 올라가는 동안 학생들은 시간이 흐르는 것을 잊은 것처럼 돌아다녔다. 그 모습은 아마도 그들의 어린 시절 모습과 같았을 것이고 이때의 푹 빠졌던 기분은 나중에 힘이 되어 작품제작에 반영될 것이다.

가슴장화를 입고 있어도 느껴지는 물의 차가움과 청량한 공기. 로케 헌팅 스위치가 들어가면 취미로 즐길 때나 가족과 보내는 시간과는 다른 뇌가 움직이는 것 같다. 즐기면서도 해이해지지 않는 긴장감이 있어서 일이라는 의식을 가지고 몸이 움직이고 있다는 사실을 자각할 수 있다. 필자는 이 감각의 필요성을 항상 의식하고 있다. 그리고 자연스럽게 이와 같은 상태에 들어가는 것이 자신에게도 격려가 된다.

푸른 하늘에 떠있는 것처럼 보이는 봉긋한 산이 귀엽다. 이 날의 날씨는 더할 나위가 없었다

튀어 오르는 물방울과 온도를 피부로 직접 느끼는 경험도 레이아웃에 활용할 수 있을 것이다!

이끼의 질감을 확인하는 Hayasaka씨. 도감에서는 얻을 수 없는 정보도 중요하게 생각한다

물이 타고 흐르는 바위 표면을 뒤덮은 이끼. 무기질과 유기질의 콜라보레이션을 넋을 잃고 보게 된다

공방으로 돌아와 레이아웃 제작!

▲필드를 다녀온 후, 학생들이 Hayasaka씨의 가게에 모여 레이아웃 제작!

계류를 강모래로!

큰 돌부터 뒤쪽으로 이어지는 자잘한 모래로 계류를 표현

Ren Kawada 씨

햇볕이 내리쬐는 산의 녹색 사이를 흐르는 강. 그 흐름이 도중에 구부러지고, 다음에는 어떤 경관이 펼쳐져있을지 상상하면 두근두근합니다. 레이아웃에 재현한 것은 그런 풍경입니다. 깊이가 느껴지도록 저상을 크게 경사지게 했고 강의 흐름이 느껴지도록 화장모래를 사용했습니다. 모래를 수조에 넣을 때는 강의 수류와 마찬가지로 위에서부터 부어 넣었습니다. 가는 나뭇가지는 Delphis의 우드루츠를 사용했고 잎은 윌로 모스를 사용했는데, 세밀한 작업이라 접착제로 활착시켰습니다. 이번에, 전에는 사용해 본 적이 없는 육각형 수조를 사용하면서 고전했지만 자신이 좋아하는 경치를 재현할 수 있어서 무척 좋은 경험이 되었습니다.

Hayasaka 선생님의 촌평

앞쪽에 큰 돌을 배치. 강의 흐름을 의식한 구도는 깊이가 느껴지게 한다. 후방에 식재한 속새가 원근감을 부여하고 같은 색의 양치식물이 두드러지게 하는 연출은 의도한 것인가 우연인가(웃음). 센스가 좋다는 것이 느껴진다. 경사가 차진 밭흙으로 잘 고정시킨 점도 이 레이아웃에서는 중요하며 그 나름의 경험치를 살린 작품이지만 유목의 원근감과 각도, 배치한 위치에서 약간의 위화감이 느껴지고 재미가 부족하다. 더 연구해서 발전하기를 기대해본다.

DATA

수조 크기●
약 폭 15×높이 16cm
사용한 식물●
윌로 모스, 깃털이끼, 털깃털이끼, 에퀴세툼 베리에가툼

급사면의 삼각구도

Yasumasa Sato 씨

재현한 것은 벼랑이 무너져 사면이 작은 돌로 뒤덮여 있고 그곳에 나무가 비스듬하게 서 있는 경치입니다. 이 경치를 본 순간 "삼각구도라서 멋지다!"라고 생각했습니다. 그리고 이 구도의 멋진 느낌을 표현하고 싶다고 생각했습니다. 가지유목으로 메인이 되는 나무를 재현했고 무너져 내린 작은 돌은 기공석을 사용하여 돌의 결을 맞춰서 위에서 아래로 무너진 모습을 재현했습니다. 또한 구도의 멋진 느낌이 돋보이도록 식물은 높이가 낮은 2종류만 사용하여 심플하게 마무리했습니다. 평소에 레이아웃 수조를 제작할 때는 아쿠아리움 샵의 수초 수조 등을 참고하는데, 실제 경치를 보러가니 창작의욕이 무척 끓어올라서 경치 탐색~레이아웃 제작까지 줄곧 다른 때보다 더 즐거웠습니다.

Hayasaka 선생님의 촌평

본 그대로를 충실하게 재현하려고 한 것 같은 정성스러운 작품. 베이스에 소일을 깔고 차진 밭흙으로 적당한 경사를 만든 수법은 다른 작품과 같으며 구도 자체도 심플하지만 유목의 절묘한 각도와 돌 하나하나를 보면 신중하게 배치했다는 것이 전해져온다. 소재와 식물의 일체감이 크게 느껴지는 레이아웃이다. 돌의 높이가 너무 균일해서 변화가 부족하다는 점과 나중의 관리를 생각하면 윌로 모스를 메인으로 선택한 점이 아쉽다.

실제로는 없었던 이끼가 깔려 있어서 레이아웃 느낌이 난다

DATA
수조 크기●약 폭15×높이 16cm
사용한 식물●윌로 모스, 가는흰털이끼

이끼가 낀 그루터기

유목 주위를 재현한 근경이다

DATA
수조 크기●
15cm 큐브
사용한 식물●
가는흰털이끼, 깃털이끼, 큰고랭이 '제브리누스', 로니세라 '레몬뷰티', 후마타, 늦은서리이끼, 털깃털이끼, 꼬리이끼, 솔이끼

Mikiya Uchida 씨

필드에서 본, 그루터기가 풍화하여 너덜너덜해지고 뿌리와 줄기에 시간의 흐름을 느끼게 하는 많은 이끼가 붙어 있는 모습이 무척 마음에 들었습니다. 이 경치를 재현할 때 중앙의 그루터기를 유목 하나로는 재현하지 못해서 실제 경치와 같은 임팩트가 없었기 때문에 유목을 3개 사용했습니다. 또한 레이아웃 구도는 안쪽에서 앞으로 경사지게 만들어서 깊이가 느껴지게 했습니다. 경치를 보고 스케치를 하고 그것을 작품으로 만드는 작업은 처음이었지만 무척 좋은 경험이 되었습니다.

Hayasaka 선생님의 촌평

다종다양한 선태류와 식물을 사용하여 근경의 거리감을 재현한 작품. 레이아웃의 중심이 되는 유목을 가장 먼저 배치함으로써 이어지는 다른 소재들의 배치가 순조롭게 이루어지도록 한 것에서 가장 높은 경험치를 느낄 수 있었다. 또한 선태류 외에도 다른 식물들(의도적인 것이 아니라 이끼의 군생에 섞여서 자라난 식물들)을 잘 이용하고 있다는 점도 보는 사람에게 재미를 느끼게 한다. 앞으로 경관의 변화도 즐길 수 있는 작품이 되었다.

축적된 경치를 믹스!

레이아웃 제작·본문/Makoto Hayasaka (SENSUOUS)
촬영/Toshiharu Ishiwata

최근에는 의뢰를 받아 레이아웃을 만드는 일이 대부분이었다. 즉 대가를 받는다는 것이고 내용에 따라서는 필자의 자유도가 높은 경우도 있지만 어찌되었든 취미활동이나 재미를 위해서가 아니라 모든 것은 의뢰인을 위해서다. 이것은 입장상 필연적이고 감사한 일이라고도 생각하는데, 이 타이밍에 우연히 아쿠아 테라리움 제작을 하게 된 것에는 놀라기도 했다.

왜냐하면 이번 여름에 교토의 한 미니어처 가든에서 테라리움을 제작할 예정이 있기 때문이다. 이 지면에서 소개한 레이아웃은 그 미니어처 가든의 사양을 확인한다는 의미도 있다. 이른바 일석이조다.

이 사양의 명제는 미니어처 가든의 관리를 담당하는 분이 무리 없이 유지관리할 수 있어야 한다는 것. 예를 들어 펌프로 끌어오던 물이 멈춘 경우, 곧바로 대응할 수 있도록 알기 쉬운 시스템으로 만들지 않으면 안 되므로 펌프를 소쿠리 등에 넣어 바로 꺼낼 수 있도록 할 필요가 있다. 오해를 불러올 수도 있으므로 덧붙이자면 아쿠아리움이나 아쿠아 테라리움의 시스템은 설치와 관리를 경험해본 적이 없는 사람에게는 무척 복잡하고 어렵게 느껴지기 마련이다.

또 하나는 소일의 결정. 미니어처 가든은 장기간 유지하는 것을 희망하고 있으므로 소일 선정에서도 그 조건을 고려했다. 각 회사에서 여러 상품을 주문하여 색조와 강도를 확인했다. 구체적으로는 장기간 유지하는 과정에서 더러워져도 눈에 띄지 않는 색(검은색), 잘 찌부러지지 않는 단단함, 그리고 흡착력 등이 조건이다. 이 소일을 비롯하여 1년 이상 확실하게 유지할 수 있도록 곳곳에 조치를 마련해두었다.

이 아쿠아 테라리움 작품의 콘셉트는 "교토의 미니어처 가든에 설치하는 테라리움을 위한 프로토타입. 아름다운 유목의 배치, 시간 경과로 인해 자연스럽게 착생하는 이끼와 양치식물, 그 식물들에 가까이 다가간 시점에서도 즐길 수 있는 공간 제공"이다.

유목과 돌의 배치는 로케 헌팅을 하면서 찍은 사진을 많이 참고했다. 한 포인트가 아니라 오감으로 흡수한 모든 것을 수조에 구현한 형태다. 몇 가지 고민 끝에 배치한 것도 있지만 유목 등의 소재를 활용한 경치 제작이 반나절, 선태류 배치, 전체 조정에 반나절이 걸렸다. 생각한 대로 일이 진행된 것에 안심하고 감사함을 느끼면서 앞으로의 유지관리, 그리고 경과를 관찰할 생각이다.

기초가 된 것은 용왕석과 각종 유목. 이 레이아웃을 교토의 미니어처 가든 제작에 활용하고 싶다

Layout DATA

수조 ● 60×30×18cm
　　　(Cube Garden 60 Flat/ADA)
조명 ● LED 라이트
　　　(Solar RGB/ADA) 10시간/일
저상 ● 프로젝트 소일 엑셀
온도 ● 실온
관리 ● 분수기로 양수한 물을 육상 식물에 배수, 미스트 플로우(DOOA)에 의한 분무는 조명과 같은 시간에
식물 ① 홍지네고사리　⑤ 가는흰털이끼
　　　② 우산물통이　　⑥ 아기들덩굴초롱이끼
　　　③ 단풍의 일종　　⑦ 브릭샤 쇼트리프
　　　④ 깃털이끼　　　 그 외 불명종 다수

이번에 Hayasaka씨가 촬영한 필드의 모습. 한 포인트를 재현한 것이 아니라 전체적인 인상을 수조 안에 구현했다

올해는 이야기를 나누며……
경치를 헌팅하여 수조에! 2020

2019년의 팔루다리움과 아쿠아 테라리움 특집 중에서 호평을 받았던 "경치를 헌팅하여 수조에 재현". Hayasaka씨와 제자들이 필드로 나가서 봤던 풍경 중에서 마음에 드는 것을 수조에 재현한다는 기획이었다. 2020년에는 그 포인트에 관해 이야기를 들어보았다

Makoto Hayasaka(SENSUOUS)
H2 그룹의 대표. 전문학교 아쿠아리움 코스의 강사도 맡고 있다. 관상어 사육관리사 2급, 비오톱 계획관리사 2급, 비오톱 시공관리사 2급, 애완동물 사육관리사 2급

―작년에 이어 계획했었던 "경치를 헌팅". 코로나의 영향으로 이번에는 필드에 나갈 수 없었습니다.
Hayasaka 재미있는 기획이었습니다. 그 후에 그 기사를 읽고 텔레비전 제작회사에서 연락이 오기도 했습니다.
―필드는 나중에 즐기기로 하고, 마침 새로운 아쿠아 테라리움도 완성되었다고 하니 이번에는 가게에서 수조를 보며 이야기를 나눠보도록 하겠습니다.
Hayasaka 경험을 토대로 이런저런 이야기를 할 수 있을 것 같습니다.
―수초 레이아웃과 팔루다리움은 자연의 풍경을 참고한다는 것이 대전제라고 할 수 있는데, Hayasaka씨는 평소에도 그런 의식을 가지고 자연을 보고 있나요?
Hayasaka 지금까지 의식적으로 레이아웃을 위해 사진을 찍는다고 생각해 본적은 없었습니다. 하지만 사진을 정리해보니 화소수가 낮은 디지털 카메라를 사용하던 시절부터 계속 찍어왔다는 사실을 깨달았습니다.
―일상적으로 찍었던 것이군요.
Hayasaka 아니요, 일상 속에서 찍은 것이 아니라 숲, 강, 바다에 가서 찍은 사진이 대부분입니다.
―찍으러 간다는 말인가요?
Hayasaka 그것도 약간 다릅니다. 텔레비전 방송국으로부터 의뢰를 받아서 생체 조달을 위해 필드에 나가는 경우가 자주 있습니다. 그때 카메라를 가지고 갑니다.

―일석이조네요.
Hayasaka 레이아웃을 위해 풍경을 찍는 일은 직접적으로 돈을 받을 수 있는 일이 아니니까요. 그래서 다른 일을 하는 김에 사진도 함께 찍게 된 것일지도 모릅니다.
―경영자다운 시점이라 생각됩니다.
Hayasaka 의식주, 그 외에 움직이는 것이라면 모두 일과 연관 짓고 싶다고 생각하고 있습니다. 레이아웃에도 그것이 영향을 미쳐서 자신을 위해 만드는 경우가 없습니다. 손님으로부터 의뢰를 받아서 만들거나 판매를 하기 위해 만드는 등, 반드시 일과 연관을 시킵니다.

―조금 전에 숲, 강, 바다라고 하셨는데, 팔루다리움과 아쿠아 테라리움을 만들 때는 어떤 곳의 풍경을 참고하시나요?
Hayasaka 강과 숲이 많습니다. 이번에 제작한 아쿠아 테라리움은 니가타의 계곡을 참고했습니다.
―그 사진을 보고 제작하신건가요?
Hayasaka 약간 다릅니다. 저는 유목과 돌 등의 소재를 토대로 레이아웃의 이미지를 떠올립니다. 이 레이아웃에서는 수조에 유목을 놓아둔 순간에 "그 풍경(니가타의 계곡)을 베이스로 해야겠다"고 정했습니다.
―작업을 하다가 머릿속 서랍에 있는 풍경과 연결시킨 것이군요.
Hayasaka 이 레이아웃을 제작할 때에는 다른 풍경이 아니라 니가타의 계곡이 머릿속에 떠올랐습니다. 물론 그것은 베이스이고 제가 지금까지 경험해온 필드의 다양한 요소도 더해져 있습니다. 예를 들어 야쿠시마에서 본 쓰러진 나무와 시즈오카에서 본 암벽 등.
―필드에 대한 이야기로 돌아가 보겠습니다. 카메라 셔터를 누를 때의 기준이 있습니까?
Hayasaka 물이나 녹색이 없는 풍경은 찍지 않습니다. 그리고 하늘도 찍는 것 같습니다. 구름을 좋아합니다.
―풍경을 찍을 때에는 쓰러진 나무나 돌처럼 가까이 있는 것, 또는 산줄기처럼 멀리 있는 것, 이런 식으로 구분하나요?
Hayasaka 딱히 구분하지는 않습니다. 대개 반반이라고 생각합니다. 생각해보니 의외로 레이아웃을 위한 사진에는 엄밀한 기준이 없는 것 같습니다.
―감각의 영역이니까 말로 표현하는 것이 어려울지도 모릅니다.
Hayasaka 그러니까……제 의식 속에서는 다른 사람의 사진과는 다른 사진, 또는 자신이 전에 찍었던 것과는 다른 사진을 찍자는 의식이 강합니다. 굳이 말하자면 그것이 기준이라고 할 수 있겠습니다.

Hayasaka 약간 이야기가 다른 길로 새버리는데, 괜찮나요?
―네, 괜찮습니다.
Hayasaka 제가 생각하고 있는 장사 포인트가 있습니다. 만인에게 사랑받는 것이 아니라 일부의 사람들에게 좋은 평가를 받는다면 먹고 살 수 있다, 그렇게 생각하고 있습니다. 지금은 소비하는 측에서 보면 선택지가 많아서 어려운 시대지만 어떻게든 자신이 속해 있는 분야에서 최고가 되면 된다고.
―요즘 시대의 비즈니스 스타일일지도 모릅니다.
Hayasaka 일부 사람이라도 좋으니 완전히 푹 빠지는 것이 중요하고 모두가 "왠지 모르게 좋다"고 말하는 것만으로는 먹고 살 수 없다고 생각합니다. 그래서 레이아웃이건 장사건 확실한 개성이 없으면 안 되는 것입니다.
―그래서 더더욱 다른 사람의 사진과는 다른 풍경을 찍고자 하는 의식이 필요하다는 이야기군요.
Hayasaka 그런 것들의 축적이 중요합니다. 개성으로 이어지게 됩니다.

(119페이지로)

니가타의 계곡을 수조 안에 넣다

커다란 유목 2개에 작은 유목을 조합하여 높이가 높은 레이아웃을 완성시켰다. 인터뷰는 이 수조를 보면서 진행했다

수조 ● 90×45×30cm
조명 ● LED 라이트(Solar RGB/ADA)×2 9시간/일
저상 ● 소일(프로젝트 소일 엑셀)
여과 ● 수중 펌프의 수류를 여과 백으로 통과시킨다
온도 ● 실온
관리 ● 환수를 일주일에 한 번 10ℓ, 1일 1회 분무
사육종 ● 구피(10)
식물 ● 깃털이끼, 아기들덩굴초롱이끼, 뉴 라지 펄그라스, 디네마 폴리불본

참고한 풍경

사진 / Hayasaka

나무 뿌리가 기어가고 있는 암벽. 이끼가 자라난 모습에서 깊은 정취가 느껴진다

이끼로 뒤덮인 야쿠시마의 쓰러진 나무

니가타의 계곡. 험준한 바위 표면에 식물이 달라붙듯이 자라나 있다

―레이아웃에서 비즈니스론까지 발전했습니다(웃음).
Hayasaka 항상 그런 것들을 생각하고 있습니다(웃음).
―강사로도 일하는 Hayasaka씨다운 모습이라고 생각합니다. "이왕 하는 거, 그걸로 먹고 살 수 있게 하자".
Hayasaka 그 부분을 전달하는 것은 의식하고 있습니다. 힘든 일은 있지만 좋아하는 일을 하면서 돈을 받는다. 학생들에게 그것이 얼마나 멋진 일인지 알게 해주고 싶고 어떻게 하면 계속 할 수 있는지에 대해서도 열심히 고민해봐야 한다고 생각합니다.

―지면관계상, 다시 레이아웃에 관해 이야기를 해보겠습니다. 이번 작품은 아쿠아 테라리움입니다. 밀폐되어 있지 않고 유목이 크게 튀어나와 있습니다.
Hayasaka 개방감이 느껴지는 레이아웃을 좋아해서 이런 스타일의 작품이 많습니다. 그리고 밀폐된 팔루다리움에서는 아무리해도 유리에 습기가 많이 차서.
―유목에는 깃털이끼가 잘 자라나 있습니다.
Hayasaka 세팅한지 5개월 정도 지났는데, 제대로 새로운 잎이 자라났습니다.
―개방형 레이아웃에서는 이끼 육성이 어렵다는 이미지가 있습니다.
Hayasaka 그것에 관해서는 시행착오를 거쳐 어떤 방법에 도달했습니다.
―구체적으로는?
Hayasaka 아쿠아 테라리움에서는 펌프에서 나오는 배수를 들어 올려서 유목 등의 소재 위쪽에서 물을 떨어뜨립니다.
―폭포처럼 한꺼번에 떨어뜨리는 경우도 있고 튜브를 사용해서 넓은 범위에 나눠서 보내는 경우도 있습니다.
Hayasaka 사실 그렇게만 하면 이끼 육성이 어렵습니다. 아무리해도 물이 미치지 못하는 부분이 생기기 때문입니다.
―물의 유무에 따라 레이아웃의 제한이 생긴다는 말인가요?

Hayasaka 그렇습니다. 이끼를 배치하고 싶은 부분에 배치할 수 없는 경우가 늘어납니다. 그런 문제를 해결하기 위해 시판되는 제품 중에 흡수성이 있는 소재를 이끼 아래에 놓아두기로 했습니다. 이렇게 하면 수조에 부은 물을 끌어올릴 수 있고 수류에서 어느 정도 멀리 떨어진 곳까지 물을 끌어올 수 있습니다.
―그렇게 해서 물밖에 있는 이끼의 재배가 성공하게 된 것이군요.
Hayasaka 이 방법을 다양한 이끼에 시험해봤는데, 깃털이끼, 아기들덩굴초롱이끼, 세모양털이끼, 이 3종류는 장기유지하기 쉽다는 사실을 확인했습니다.
―모두 아름다운 이끼들이군요.
Hayasaka 아직 3종류지만 이 이끼들을 아쿠아 테라리움에서 사용할 수 있다고 확신할 수 있게 된 것은 저로서는 큰 성과입니다. 이끼뿐만 아니라 다양한 육성방법과 레이아웃 스타일을 앞으로도 개척해가고 싶습니다.

이끼 육성의 포인트

①테라 테이프를 유목에 감는다. 신축성이 있어 접착제는 필요하지 않다

②테라 테이프에 이끼를 올리고 실(테라 라인)로 고정시킨다. 이렇게 하면 물이 잘 오지 못하는 장소에도 이끼를 배치할 수 있다

사용한 테라 테이프(DOOA)는 흡수성이 높은 소재. 이런 식으로 물에 담가두면 10cm 이상 물을 끌어올린다

메인인 깃털이끼. 세팅한지 5개월 정도 지났지만 제대로 성장하고 있다

수조는 오버플로우 시스템. 환수를 할 때는 수조에 물을 붓고 수조 아래에 있는 용기로 물을 떨어뜨린다

레이아웃은 전방위형. 어디에서 봐도 분수용 튜브 등이 보이지 않도록 배려했다

열대식물 육성 Q&A

답변 / Taketoshi Sue(Picuta)

팔루다리움에 도입하는 열대식물을 키우기 위해서는 어떤 기재가 필요하며 어떤 점에 주의해야 좋을까요? Q&A 형식으로 전해드립니다

틸란드시아 이오난사
튼튼한 틸란드시아의 대표종. "이오난사"는 보라색이라는 의미. 보라색 꽃이 피어서 이런 이름이 붙었다

알루미늄 선(직경 1.5mm)
에어플랜츠를 팔루다리움에 도입할 때는 이런 알루미늄 선을 사용하면 좋다

테라리움에서 자라는 단풍(사진 오른쪽)

Q 팔루다리움에 적합한 식물은?

A 음지에서 자라는 식물이거나 강한 빛을 필요로 하지 않는 식물 중에서 선택하면 될 것입니다

실내 재배가 전제입니다. 추운지역이나 건조지대가 원산지인 식물을 제외하면 대부분 키울 수 있습니다. 특히 열대~아열대에 걸쳐 분포해 있는, 이른바 열대식물은 온도만 유지할 수 있다면 일년 내내 성장합니다. 언제나 생생한 식물들을 볼 수 있다는 점은 이 취미의 묘미입니다.

팔루다리움에 적합하지만 그다지 사용되지 않는 식물 중 하나로 에어플랜츠(틸란드시아)가 있습니다. 이름 때문인지 물을 너무 많이 주면 문제가 생긴다고 오해하고 있는 사람이 많은 것 같습니다. 물론 종류에 따라서는 물을 많이 필요로 하지 않는 것도 있지만 시판되고 있는 에어플랜츠의 대부분은 물을 좋아합니다.

그 중에서도 소형종인 이오난사(그림1)는 특히 튼튼한 틸란드시아 중 하나입니다. 요수재배에도 적응할 수 있고 건조에도 강하며 내음성도 뛰어납니다. 꽃이 피어도 씨앗이 생기지 않는다면 그대로 시들지 않고 자주가 자라나 클램프(복수의 자주가 모여 있는 상태)가 되어 점점 아름다워집니다. 바리에이션도 풍부해서 더 활용해도 좋을 식물입니다. 에어플랜츠는 묶거나 고정시키거나 하면 잘 자라게 됩니다. 직경 1.5mm 알루미늄 선으로 고정시키는 것이 편리합니다(그림2).

사계절이 있는 온대지역 식물은 선택지에서 빠져 있는 경우도 있지만 예를 들어 일본산 바위취, 석창포, 양치, 이끼 종류 등은 팔루다리움에서 얼마든지 사용할 수 있습니다. 필자는 단풍이 실내 테라리움에 심어져 있는 모습을 보고 놀란 적이 있습니다. 물어보니 2년 가까이 시들지 않고 성장하고 있고 때때로 트리밍을 하고 있다고 했습니다(그림3). 일본산 낙엽수도 사용할 수 있다는 사실에 놀라고 말았습니다. 그렇게 생각하면 아직 시도해보지 않았을 뿐, 아직 많은 종류가 도입될 수 있는 가능성을 품고 있는 것일지도 모릅니다. 선입견에 얽매이지 않고 입수가 쉬운 일본산 식물을 적극적으로 사용하면 재미있는 팔루다리움이 만들어질 것입니다. 시판되는 소품분재를 활용해도 재미있으리라 생각합니다(모든 종이 가능하다는 것은 아닙니다).

Q 어떤 용기에서 육성하면 좋은가?

A 수조나 비바리움용 케이지 등이 편리합니다

수조는 관상에도 적합하고 물을 줄 때 물이 주도를 유지할 수 있습니다. 또한 물을 부으면 열대어용 히터와 서모스탯을 사용할 수 위 여기저기로 튈 염려도 적으며 습도가 필요한 식물이라면 뚜껑을 닫아서 고습있으므로 추운 방이라도 미니 온실로서 기능합니다. 빈 수조를 가지고 있는 분이라면 팔루다리움으로 리뉴얼해보기 바랍니다. 그 외에 작품집에서 이용하고 있는 정면이 열리는 타입의 비바리움용 케이지나 전용수조(그림4), 글래스 용기, 꽃꽂이 수반, 플라스틱 케이스 등도 좋을 것입니다.

Q 육성에 적합한 용토는?

A 분해가 느린 유기물, 또는 인공착생소재를 이용합니다

"육성에 적합한 용토"와 "장기간 유지할 수 있는 용토"는 상반된 관계에 있습니다. 보통의 화분은 빨리 크게 키우기 위해 매년 옮겨 심는 것을 전제로 한 용토를 사용합니다. 일반적으로는 적옥토를 6할, 잘 분해되는 유기물(부엽토나 피트모스)을 4할 섞는 패턴이 많습니다. 이 경우 유기물은 흙 안에서 적당히 분해되며 식물에 필요한 영양분을 공급합니다. 또한 분해 과정에서 "부식"으로 변화하여 CEC(염기치환도)를 높임으로써 비료분을 붙들어 매는 힘을 향상시키기 때문에 식물에게 쾌적한 환경이 만들어집니다. 하지만 옮겨 심을 때는 4할이나 넣은 유기물의 대부분이 이미 분해되어 적옥토만 남아있는 경우가 많습니다. 즉 식물에게 있어서는 분해가 진행되는 흙은 좋지만 장기유지를 전제로 제작하는 팔루다리움에서는 양이 줄어들거나(그림5) 벽에 붙이는 경우에는 벗겨져 떨어질 우려가 있습니다. 또한 팔루다리움 안에서 부엽토나 피트모스를 사용하면 버섯파리(그림6)가 발생하는 경우가 있습니다. 이들 유기물은 식물의 성장에 도움이 되는 반면 이와 같은 마이너스 면도 함께 가지고 있습니다. 팔루다리움에서는 일반적인 화분에서 많이 사용되는 부엽토나 피트모스는 피하는 편이 무난합니다. 같은 유기물이라도 분해가 느린 나무껍질 등이 들어가 있는 용토(극상 조형군 등)를 사용하면 위생적이면서 장기유지도 가능합니다. 또한 벌레가 발생할 걱정이나 분해에 의해 양이 줄어들 걱정이 없는 용토로는, 화학섬유로 만든 하이그로론이나 테라 테이프, 활착군(그림7) 등의 식재포도 상당히 사용하기 쉽습니다. 이들 식재포는 각각 특성이 다르며, 도수성이 뛰어난 종류, 보수성이 뛰어난 종류, 또는 두 성질을 다 갖추고 있는 종류 등이 있지만 기본적인 기능은 샤워파이프 등에 의한 급수만으로(일부가 물에 접해 있으면) 넓은 범위에 물이 골고루 퍼지도록 할 수 있습니다. 이로 인해 멘테넌스가 편해지고 설치도 쉬우므로 무척 편리한 소재입니다(그림8). 요수방식도 가능하지만 수분 증발에 의한 염소축적이 일어나지 않도록 식재포에는 적당히 물을 계속 뿌려주시기 바랍니다.

Q 빛의 강도는 어느 정도가 필요한가?

A 빛은 무척 중요한 요소이고 실패하는 분도 많이 있으므로 자세하게 해설합니다

특히 수초수조의 연장으로 팔루다리움의 조명을 생각하면 실패해버리는 경우가 많습니다. 그 중 가장 많은 실패 사례는 "빛을 과하게 비추는" 것입니다. 물을 붓지 않은 그림9를 보시기 바랍니다. 수조에 조명의 빛이 비쳐 보이는 것을 확인할 수 있습니다. 아쿠아리움에서는 보통 수면에서 빛이 반사되기 때문에 모든 빛이 물속에 도달하지는 않습니다. 그러면 어느 정도 반사되고 있을까요? 센서의 높이는 그대로 두고 물을 가득 채운 상태

그림 4
전용 시스템
팔루다 시스템 60(DOOA). 환기와 미스팅이 자동으로 된다

그림 5
용토의 감소
피트모스를 주체로 한 용토로 실험하면 1년 정도 후에 분해가 진행되어 양이 감소한다. 좌측 글래스면에 공간이 생긴 것을 알 수 있다

그림 6
버섯파리의 유충(좌)과 성체
부엽토나 피트모스를 사용하면 버섯파리가 발생할 수도 있다

그림 7
인공착생소재
활착군(좌)과 하이그로론(우). 둘 다 도수성이 좋기 때문에 급수용 튜브 배관이 불필요하다. 인공소재라서 벌레 발생이나 용토가 줄어들 걱정이 없다

그림 8
식재포를 사용한 예
활착군(좌)과 하이그로론(우). 둘 다 가공이 쉬워서 용기의 형태나 육성 스타일에 따라 다양한 식재를 즐길 수 있다(테라 테이프에 관해서는 119페이지 참조)

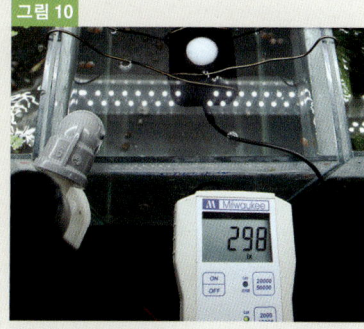

그림 9
조명 실험1 물을 붓지 않았다
4290lx(럭스/조도:조명에 의해 빛을 받는 면의 밝기를 수치화한 것)

그림 10
조명 실험2 물을 가득 부었다
4290lx→2980lx로 감소

그림 11

조명 실험 3
팔루다리움에서 사용되는 많은 음성식물은 조도 1000lx 정도를 기준으로 생각하면 된다. 오른쪽이 필자의 온실에서 사용하고 있는 인공조명(형광등 타입의 LED). 보기에는 좋지 않지만 빛의 확산성이 뛰어나고 잎이 타는 것도 방지한다

그림 12

물주기
축압 분무기(가든 스프레이)(상)와 자동 미스팅 시스템(하)

가 그림10입니다. 수치를 보면 물을 부음으로써 빛이 확산되어 대략 빛의 1/3이 반사되는 것을 알 수 있습니다.

이처럼 아쿠아리움의 조명은 물속에 도달하는 빛을 기준으로 만들어져 있기 때문에 물을 충분히 채우지 않은 상태에서는 빛이 지나치게 많이 닿게 되고, 그 결과 잎이 타버리는(잎이 황록색으로 변한다) 경우가 발생합니다.

식물의 종류에 따라 다르지만 3000럭스 정도라도 수상육성에서는 쿠바 펄글라스나 양치식물 등은 잎이 타버리는 경우가 있습니다. 이런 현상을 방지하기 위해서는 빛을 약하게 하는 것 외에 빛을 확산시키는 것이 중요합니다. 특히 LED 조명은 지향성이 높기 때문에 확산광으로 되어 있지 않은 경우가 많습니다. 수중은 공기 중보다 빛이 잘 확산되므로 수초수조에서는 큰 문제가 없습니다. 위와 같은 이유에서 빛의 확산은 아직 형광등이 더 뛰어난 경우도 있어 형광등을 사용하는 팔루다리움 애호가도 있습니다.

그러면 형광등으로 되돌아가면 되는가? 그렇지는 않습니다. 조명기구를 멀리 떨어뜨려 설치하면 빛의 확산도는 증가하고 광량은 줄어듭니다. 케이지와 조명 사이에 어느 정도 거리를 두면 됩니다. 딱 좋은 상태를 알기 위해서는 pH와 온도를 계측하는 것과 마찬가지로 조도(lx(럭스))를 측정하기를 추천합니다. 광원에서 가장 멀리 떨어진 곳이 1000럭스인 것을 대략적인 기준으로 생각하면 대부분의 음성식물은 잘 자라게 됩니다(그림11).

광원을 떨어뜨릴 수 없는 경우에는 빛을 줄이고 확산시켜주는 필터를 사이에 끼우는 방법이 있습니다. 또한 팔루다리움에서는 케이지 사이즈에 비해 광량이 약한 아쿠아리움용 LED를 선택하는 것도 좋은 방법입니다.

여기에서 빛의 파장에 관해서도 살펴보겠습니다. 최근 연구결과에 의해 식물 육성에는 청색과 적색 파장만 필요한 것이 아니라는 사실이 밝혀졌습니다. 실제로 청색과 적색은 엽록체에 잘 흡수되는 파장(이과 수업에서 배운 사람도 많으리라 생각합니다)입니다. 한편 녹색은 잘 흡수되지 않는데, "녹색은 필요가 없나?"라고 한다면, 그렇지 않다고 합니다. 잘 흡수되지 않기 때문에 잎의 안쪽까지 침투하여 잎 뒤쪽의 해면상조직에서 난반사하게 되고 결과적으로 광합성 양을 증대시킨다고 합니다. 더 자세하게 알고 싶은 분은 Ichiro Terashima 도쿄대학 교수의 논문을 보시기 바랍니다.

빛의 3원색은 "청·적·녹"이며 합치면 "백색"이 됩니다. 즉 너무 어려운 것은 생각하지 말고 "하얀 빛"을 기본으로 하면 큰 문제는 없다는 이야기입니다. 또한 최근의 하얀 LED는 태양광에 꽤나 가까워서 연색성(Ra)이 80(태양빛을 100으로 한다) 이상이나 되는 제품이 많이 시판되고 있습니다. 표준적인 형광등이 60~70 정도인 것을 생각하면 LED는 꽤 뛰어난 파장분포를 가지고 있다고 할 수 있습니다. 물론 식물에 따라서는 특정 파장을 강하게 주는 편이 더 잘 자라는 케이스도 있습니다. 하지만 팔루다리움에 식재되는 식물은 다종다양합니다. 자연의 빛에 가까운 파장을 사용하는 것이 다양한 식물을 키우는 데에 있어 리스크가 적은 방법이라고 할 수 있습니다. 그런 관점에서도 조도와 마찬가지로 연색성 Ra도 알기 쉬운 지표가 됩니다. 조사시간은 8~12시간을 대략적인 기준으로 하면 좋을 것입니다.

Q 물을 주는 빈도와 방법은?

A 축압 분무기나 자동 미스팅 시스템을 이용합니다

수초수조에서는 원래 수중에서 식물을 재배하므로 "물주기"라는 개념 자체가 없습니다. 하지만 팔루다리움에서는 적당한 습도를 유지하기 위해서도 반드시 "물주기"를 생각해야만 합니다. 수동으로 물을 뿌려도 되지만 축압 분무기가 있다면 무척 편리합니다. 또한 자동 미스팅 시스템을 설치하면 매일 물을 주는 번거로움에서 해방될 수 있습니다(그림12). 경수 지역에서 사용하는 경우, 글래스면에 탄산칼슘 결정이 부착되어 보기에 좋지 않게 되거나 노즐이 막히거나 하는 일이 있습니다. 그런 경우에는 RO수를 이용하면 칼슘 부착을 대폭적으로 경감시킬 수 있습니다.

Q 육성에 적합한 온도와 보온방법은?

A 재배하는 종류에 따라 대응합니다

열대식물은 당연히 겨울철 보온을 생각할 필요가 있습니다. 대략적인 기준으로 겨울철에는 15℃ 이상만 된다면 문제가 없을 것입니다. 앞에서 이야기했듯이 수조에서는 물을 부어서 히터와 서모스탯(또는 오토히터)을 사용할 수 있기 때문에 수조 전체가 보온됩니다. 물이 없는 경우에는 시트 형태의 히터를 벽에 붙이는 것도 좋은 방법입니다. 하지만 가연물에 닿거나 먼지가 쌓이지 않도록 하는 등, 화기에 충분히 주의하기 바랍니다.

식물 육성에서는 추위보다 여름철 고온이 문제가 되는 케이스가 많습니다. 고온에 약한 식물을 육성하고 있다면 미스팅 시스템을 채용하는 것만으로도 기화열에 의해 케이지 안의 온도가 내려가서 효과적입니다. 또한 팬으로 바람을 보내는 것도 좋지만 강한 바람은 식물의 생육을 방해할 우려가 있으므로 주의가 필요합니다.

Q 육성에 적합한 습도와 그 유지방법은?

A 식물에 따라 적절한 습도를 파악하는 것이 중요합니다

식물 종류에 따라 달라집니다. 공기가 잘 통하지 않도록 뚜껑을 완전히 닫아서 약간 열기와 습기가 차있게 하는 편이 잘 자라는 식물도 있지만 그렇게 되면 바로 상태가 나빠지는 종류도 있습니다. 이슬이 맺히는 정도의 환경에서 상태가 좋아지는 식물은 물을 주는 빈도를 줄일 수 있기 때문에 사실 꽤나 편하게 재배할 수 있습니다. 사용하고 있는 식물과 그 성장상태를 보면서 조기에 적절한 습도를 파악하도록 합시다.

Q 영양소는 필요한가?

A 그다지 필요하지 않습니다

팔루다리움에서는 "식물을 크게 키우자!"라는 생각은 그다지 적합하지 않습니다. 여기에서 사용되는 식물의 대부분은 원래 수목에 착생해 있거나 바위에 붙어 있는 등, 영양이 빈약한 상태에서 생육하고 있습니다. 그래서 영양소를 지나치게 주면 줄기가 길어져 잎과 잎 사이가 멀어지는 등의 역효과를 일으킬 우려가 있습니다. 또한 무리하지 않고 천천히 성장시키는 편이 초체가 단단히 죄어져서 멋지게 보입니다. 꼭 빨리 크게 성장시키고 싶은 경우에는 영양소(비료) 첨가가 효과적입니다. 그 때는 2000배 정도의 액비를 분무기로 뿌려주는 것만으로 충분합니다. 유기질 비료는 벌레가 생길 수 있으므로 피하는 편이 좋을 것입니다.

Q 평소 멘테넌스는 무엇을 하면 되는가?

A 변화를 놓치지 않도록 합시다

건조한 장소라면 급수, 물을 뿌려줍니다. 성장한 식물에 의해 다른 식물에게 빛이 닿지 않고 있다면 트리밍을 하거나 식재 장소를 바꾸는 식으로 대응합니다. 또한 시든 잎이 있다면 제거하고 때때로 해충이 발생하지 않았는지 체크합니다. 평소부터 잘 관찰하여 변화를 놓치지 않는 것이 중요합니다.

Q 이끼나 남조류가 발생하면 어떻게 하는가?

A 제거하고 용토와 착생소재를 씻습니다

수초수조에서는 미움을 받는 이끼(조류)지만 팔루다리움에서는 습도가 지나치게 높지만 않다면 글래스면에 이끼가 발생하는 경우는 없습니다. 이것은 팔루다리움이 수초수조보다 멘테넌스가 편한 이유 중 하나입니다. 한편 남조류가 발생하는 원인은 식물이나 배양토에서 나오는 노폐물 등이 쌓여서 용토 안에 서식하고 있는 선옥세균 류의 활성이 떨어진 경우 등입니다. 대책은 손으로 남조류를 제거하고 새로운 물을 뿌린 후 충분히 배수하여 배양토와 식재소재를 씻어내면 됩니다. 배수밸브가 없는 케이지에서는 정기적으로 물을 듬뿍 준 후에 강제적으로 배수하는 방식으로 대응합니다.

Q 진드기나 깍지벌레 등의 해충을 발견한다면?

A 해충을 들이지 않도록 도입시 체크를 철저하게 합니다

실내에서는 바깥에서 침입하는 리스크는 상당히 적으므로 도입시에 잘 관찰하는 것이 중요합니다. 진드기는 무척 종류가 많고 식물의 생육에 영향을 미치지 않는 종류도 있지만 응애는 식물을 시들게 할 수도 있습니다(그림13). 발생했을 때는 자주 물을 뿌리면 없어지는 경우가 많습니다. 반면 깍지벌레는 무척 끈질기므로 손으로 제거하는 수밖에 없습니다. 아무튼 가지고 들어오지 않는 것이 가장 중요합니다.

그림 13

응애에 의해 피해를 입은 식물

Q 식물의 상태가 좋지 않은(성장이 느리다, 약해진 것처럼 보인다, 클라이머계임에도 기듯이 성장하지 않는다) 경우 어떻게 하는가?

A 환경을 제대로 개선한 후 기다립니다

식물은 육성환경이 맞지 않거나 옮겨심기 등으로 인해 이동이 잦아지면 반휴면 상태가 되는 경우가 많습니다. 살아있기는 하지만 새싹을 피우지 않는 상태입니다. 또한 너무 만지는 것이 원인이 되는 경우도 많으므로 다시 "성장 스위치"를 켜기 위해서는 움직이지 않게 하는 것이 중요합니다. 그래서 벽이나 착생소재에 "단단히 고정시키는" 것도 유효하며 물을 줄 때마다 조금이라도 움직이는 상태는 좋지 않습니다. 클라이머계 식물은 플라스틱 핀이나 알루미늄 선(철사)(그림14) 등을 사용하여 단단히 고정시키는 것이 기본입니다. 일단 휴면 상태에 들어가면 2~3개월 새싹이 나오지 않는 경우가 많이 있습니다. 필자의 지인 중에 정원사가 있어 물어보니 수목을 이식했을 때 2년 정도 싹이 나오지 않는 경우도 자주 있다고 합니다. 육성환경을 개선한 후에는 다시 싹을 전개하기를 바라며 끈기 있게 기다립시다.

Q 샵에서 식물을 고를 때의 포인트는?

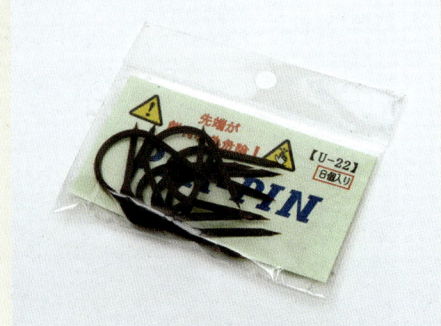

식물의 고정
플라스틱 핀(상)과 식물용 알루미늄 선(사진 중간, 직경 1.5mm)을 사용하여 단단히 고정시킨다

아쿠아리움 수초도 사용할 수 있다. 사진은 부세파란드라

A 첫 번째로 사이즈를 생각합니다

자신의 재배환경에 맞는 사이즈의 식물을 고르는 것이 중요합니다. 식물은 자라났을 때 각각 본래의 사이즈가 있는데, 반드시 건강하고 크게 자라난 것이 좋은가? 하면 꼭 그렇지는 않습니다. 실제로 작고 약간 위축되어 있는 개체를 도입하는 편이 좋은 케이스도 있습니다. 그것을 회복시켰을 때에 멋지게 소형화에 성공하여 케이지 사이즈에 맞는 개체로 자라나는 경우도 많이 있습니다. 다양한 관점에서 고르면 좋을 것입니다.

Q 아쿠아리움의 수초도 사용할 수 있는가?

A 사용할 수 있는 수초를 소개해 드리겠습니다

아래쪽에 빛이 닿기 어렵기 때문에 육성이 어려운 유경종, 대형화되는 에키노도루스, 강한 빛이 필요한 글롯소스티그마 등을 제외하면 팔루다리움에 도입이 가능합니다. 특히 사용하기 편한 것은 쿠바 펄그라스, 크립토코리네, 부세파란드라(그림15), 아누비아스 종류입니다. 수상엽으로 판매되고 있는 것은 그대로 사용할 수 있지만 수중엽이나 반수중엽 개체는 갑자기 육상재배를 하면 망가지는 경우도 있습니다. 특히 입하 직후에는 유통 관계상 수상엽인 수초가 많으므로 미리 샵에 입하상황을 물어보고 수상엽으로 입하되는 개체가 있다면 그 상태로 구입하면 될 것입니다.

Q 산에서 채집한 이끼나 양치식물을 도입해도 되는가?

A 가능한 한 증식된 식물을 사용합시다

필자는 산에서 채집한 식물을 귀중하게 여기고 즐기는 일이 취미로서 그다지 건전하지 않다고 생각하고 있습니다. 물론 그런 행위를 일절 부정하는 것은 아니며 자연 채집이 없으면 매력적인 식물도 볼 수 없게 될 것입니다.

직접 채집하는 경우에는 법률을 준수하고 토지주인에게 허가를 받는 것을 대전제로 해야 하며 관리할 수 있는 만큼의 양만 가지고 돌아오는 것이 최소한의 매너입니다.

최근, 양식 있는 플랜트 헌터에 의해 채집된 식물은 그 귀중함을 충분히 이해 받아 많은 팔루다리움 애호가와 식물 애호가들을 매료시키고 있는 것도 사실입니다. 이들의 증식개체가 유통됨으로써 자연에 미치는 영향이 억제되는 흐름으로 가길 바랍니다.

최근 이끼가 붐을 이루고 있고 일본산 이끼 등도 산에서 채집된 것을 많이 볼 수 있습니다. 채집 장소에 따라서는 영향이 적은 케이스도 있겠지만 소비자는 가능한 한 증식된 것을 구입하도록 하고 판매자는 증식된 것에 부가가치를 더하는 등의 배려가 필요하다고 느낍니다. 난획 등에 의해 자생지가 사라지고 채집, 재배금지 등의 규제가 생긴다면 되돌릴 수 없는 상황에 처하게 됩니다. 원래는 마음의 치유를 위한 취미임에도 자연을 조금씩 잘라내 파는 행위를 토대로 성립한다면 그것은 진짜 치유가 아니라고 생각합니다.

Q 보기 좋게 레이아웃하는 요령은?

A 자연을 흉내 내는 것입니다

자연이란 어떤 것인지를 의식하면 식물의 배치는 자연스럽게 정해지는 경우가 많습니다. 이를 위해 의식했으면 하는 것은 위에서 쏟아지는 빛이 전체에 빠짐없이 비춰지고 있는 상황인가 아닌가? 입니다.

예를 들어 잎이 크게 펼쳐지는 식물을 심으면 아래에 그림자가 생기기 때문에 그런 식물은 처음부터 아래쪽에 심습니다. 꼭 위에 식재하고 싶은 경우에는 그 아래에 물이나 유목, 바위를 배치하여 식물 이외의 소재를 레이아웃하면 될 것입니다.

또한 직선적으로 식물을 배치하지 않는 것도 요령 중 하나입니다. 로제트형 식물은 지그재그가 되도록 장소를 결정하고 그 사이에 클라이머게나 이끼 등을 곁들이면 자연스러운 인상의 레이아웃이 됩니다. 그리고 식물로 가득 채우지 않는 것도 중요하니 "간격"도 중요하게 생각하기 바랍니다.

이 "간격"의 연출은 유목, 돌 등을 사용하면 자연스러운 분위기가 납니다. 수초 레이아웃과 마찬가지로 원근법을 이용하면 더 깊이감이 있는 작품으로 만들 수 있습니다. 팔루다리움에서는 사용할 수 있는 식물종이 아쿠아리움에 비해 압도적으로 많으므로 이것저것 궁리를 하다보면 다양하게 놀 수 있습니다. 여러분도 한 번 팔루다리움을 만들어서 즐겨보시기 바랍니다.

interview

팔루다리움 / 아쿠아테라리움에 적합한 식물

팔루다리움·아쿠아테라리움은 이제 막 시작되었다고 해도 과언이 아니고 사용되는 식물에 관한 기준이 어느 정도 만들어지고는 있지만 시행착오를 겪는 부분도 크다. 그런 현재 상황 속에서 어떤 식물을 즐기면 좋을 것인가에 대해 이야기를 들어보았다

구성 / 편집부 촬영 / Toshiharu Ishiwata

Kei Hinata
aquarium shop earth

수초 레이아웃과 함께 팔루다리움과 아쿠아테라리움도 좋아한다. 기존의 종류만 사용하는 것이 아니라 적극적으로 새로운 식물을 도입하기 위해 항상 촉각을 곤두세우고 있다. 이번 글에서는 본문내용 외에도 추천하는 식물 선택과 해설을 담당하고 있다

―Hinata씨가 마음속에 떠올리고 있는 팔루다리움의 환경이란?

Hinata 팔루다리움에는 많은 형태가 있지만 일반적으로 말하자면 습윤한 환경이라는 조건을 우선 생각해볼 수 있을 것입니다. 건조한 환경은 비바리움이나 테라리움이라 불리는 레이아웃 범주에 속한다고 생각합니다.

―그러면 그 습윤한 환경에 맞는 식물은?

Hinata 양치식물은 빼놓을 수 없습니다. 팔루다리움하면 인공적이지 않은 자연의 재현이라는 이미지가 있는데, 태곳적부터 존재하는 양치식물은 그런 이미지와도 어딘지 모르게 겹칩니다.

―확실히 울창하게 우거진 양치식물은 공룡이 활보하던 시대를 떠올리게 합니다.

Hinata 그 외에 스파티필름이나 포토스, 칼라디움 등의 천남성과 식물도 기르기 쉬워서 팔루다리움에 많이 사용됩니다. 보통종은 원예점에서 구할 수 있고 진귀한 종은 식물에 대해 정통한 열대어샵에서도 볼 수 있습니다. 마니아들에게 인기가 높은 아글라오네마도 이 종류입니다.

―천선과나무 같은 피쿠스 종류도 팔루다리움에서 자주 볼 수 있습니다

Hinata 이 종류 중에서 푸밀라는 포복성 식물이라 넓은 면적을 뒤덮고 싶을 때 사용하면 좋습니다. 벤자미나와 대만고무나무 등의 목본식물도 물에 강해서 습윤한 팔루다리움에서도 기를 수 있습니다.

―수초는 어떤가요? 물가 식물의 필두입니다.

Hinata 특히 한천배지를 넣은 수초컵의 수초는 기중엽이라서 팔루다리움의 육상부에서도 기르기 쉽습니다. 물론 건조에는 약하므로 케이스 안의 습도를 유지하거나 물에 잠길랑 말랑한 위치에 배치하는 등의 조치가 필요합니다.

―변화를 주지 않는 것이 중요하군요.

Hinata 그것은 수초뿐만 아니라 모든 식물이 다 그렇습니다. 서서히 환경에 적응시키는 것이 중요합니다.

―많은 식물이 대상이 되는 팔루다리움이지만 대략적으로 이런 종이라면 괜찮다고 할 수 있는 기준이 있나요?

Hinata 물과 습기를 좋아해야 한다는 것은 당연한 이야기이고 내음성이 있는 것도 중요합니다. 최근의 아쿠아리움용 라이트는 밝은 제품이 많은데, 식물이 성장하면 그늘이 져서 어두워지는 부분도 생깁니다. 특히 수조 아래쪽에 심는 식물은 그런 점을 고려해야 할 것입니다.

―팔루다리움에 적합한 식물들이 가진 외견상 공통점이 있다면?

Hinata 일률적으로 말할 수는 없지만 큐티쿨라가 발달된 두껍고 딱딱한 잎을 가진 식물은 건조한 환경을 좋아하므로 습도가 높은 팔루다리움에서는 기르기 어려울 수도 있습니다.

―크기에 대해서는 어떤가요?

Hinata 의외로 저는 그 부분에 관해서는 신경을 쓰지 않습니다. 이산화탄소의 양 등으로 성장을 컨트롤하기 쉬운 수초와 비교하면 약간의 어려움이 있기는 하지만 육상 식물도 가지를 자르거나 해서 크기를 컨트롤할 수 있습니다. 어떤 식물이건 팔루다리움에 적응시키는 과정 자체에서 재미를 느끼고 있고 새로운 식물을 개척함으로써 팔루다리움의 폭이 더 넓어진다고 생각합니다.

추천하는 팔루다리움 · 아쿠아테라리움 식물

토끼발고사리
길게 뻗은 잎자루가 다른 식물과의 차이점입니다. 크게 자라지만 가위로 잘라 컨트롤하면서 작게 기르는 것도 이 분야의 묘미라고 할 수 있지 않을까요?

히드로코틸레 트리파르티타
물이 많은 아쿠아테라리움, 물은 적지만 습윤한 팔루다리움, 둘 다 적응할 수 있습니다. 육지라면 아쿠아리움만큼 밝지 않은 환경에서도 잘 자랍니다

피그미 머쉬룸
이쪽은 아쿠아리움에서 사용할 수 있는 아이템. 아쿠아리움에서도 팔루다리움에서도 성장이 빠르고 육성은 쉽습니다. 둥근 잎으로 신비로운 세계관을 연출할 수 있습니다

워터론
아쿠아리움에서는 친숙한 전경초. 수중육성에는 고전하는 사람도 많은 것 같지만 팔루다리움의 다습한 환경, 풍부한 영양분이 없는 저상환경에는 상당히 적합합니다

피커스 박시노이데스
반덩굴성 피커스의 일종. 상당히 많은 수분을 요구한다고 하며 아쿠아 테라리움에서도 물 공급이 적은 장소에서는 시들어버리는 경우도 많습니다. 일본풍 분위기를 연출할 때 도움이 되지만 그것이 반대로 레이아웃의 표현을 제한시켜버리는 경우도 있습니다

미크로그람마 헤테로필라
미크로그람마의 소형종이며 근경은 눈에 띄지 않는 타입입니다. 유목 등에 달라붙어 성장하는 모습을 즐길 수 있는 클라이머계. 성장속도가 느려서 벽면 녹화에는 부적합하지만 악센트로 사용하기에 좋습니다

미크로그람마 박시니폴리아
미크로소리움과 비슷한 형태의 잎을 가진 중남미산 양치식물. 성장속도는 완만하다고 할 수 있습니다. 털이 난 아름다운 근경도 이 식물을 선택한 포인트입니다

~ 입수하기 쉽고 추천할만한 종류를 소개합니다 ~
# 팔루다리움과 아쿠아 테라리움에서 사용하기 좋은 식물도감

사진.글/Taketoshi Sue(Picuta)

팔루다리움과 아쿠아 테라리움이라고 해서 특별한 식물만 사용하는 것은 아니다. 물론 유통되고 있는 수많은 원예식물 중에는 적합한 종과 그렇지 않은 종이 있으므로 그런 부분에 대한 해설도 섞어서 추천할만한 식물을 소개해보도록 하겠다

후마타 고사리
Davallia mariesii/Humata tyermannii
자잘하게 째져있는 작은 잎을 가지고 있어 어떤 장면에건 어울린다. 활착성을 가지고 있다는 점도 장점인데, 유목, 바위나 인공섬유 등에도 활착시킬수 있다

뮤렌베키아 컴플렉사
Muehlenbeckia complexa
통칭 와이어 플랜츠. 부드러운 인상으로 빈틈을 채워주는 명조연. 내음성은 약간 떨어진다. 너무 많이 자란 경우에는 과감하게 트리밍을 해서 상태를 유지하도록 하자

필레아 글라우카
Pilea glauca
상당히 소형이라 좁은 공간에도 심을 수 있다. 다육식물이면서 다습한 환경에 강한 것도 장점이다. 색조가 차분해서 조연역할을 하는 식물로 사용하면 좋다

줄고사리 더피
Nephrolepis cordifolia 'Duffii'
잎이 가늘어서 다른 식물을 방해하지 않고 레이아웃하기 쉬운 식물. 영양상태가 좋으면 대형화되지만 잎베기를 하거나 해서 사이즈를 유지할 수 있다

틸란드시아 키아네아
Tillandsia cyanea
꽃아나나스라는 이름으로 예전부터 사랑받아왔다. 잎이 가늘고 색이 진하기 때문에 레이아웃 안쪽(수조후방)에 식재하기 좋다. 잎을 관상하는 것뿐이라면 어두운 환경에서도 문제없이 자라고 내음성도 높다

피토니아
Fittonia albivenis
잎의 색이 풍부하고 최근에는 잎 가장자리가 들쑥날쑥한 타입의 품종까지 등장했다. 내음성이 강해서 어두운 환경에서도 잎의 아름다운 색을 유지한다. 단, 저온에는 약하므로 15℃ 아래로 내려가지 않도록 관리해야 한다

크립탄서스
Cryptanthus spp.
크립탄서스 종류는 소형종이 많고 잎의 색도 풍부해서 악센트로서 사용하면 무척 화려한 연출이 가능해진다

피커스 푸밀라 '미니마'
Ficus pumila 'Minima'
푸밀라의 왜성품종. 내음성, 내한성도 강하고 성장도 빨라서 초보자에게 추천할만하다

휴케라
Heuchera spp.
풍부한 색과 형태의 잎을 가지고 있어 악센트로 사용하기 좋은 식물. 잎베기를 해서 소형으로 유지할 수 있고 저온에도 강하기 때문에 활용의 폭이 앞으로 더 넓어질 것이다

쿠바 펄그라스
Hemianthus callitrichoides 'Cuba'
아쿠아리움에서는 잘 알려진 수초지만 수상엽은 팔루다리움에서도 카펫처럼 생육하기 때문에 무척 사용하기 편하다. 어두워도 웃자라지 않고 이끼처럼 사용할 수 있다

쿠션모스
Sellaginera spp.
셀라기네라 종류이며 자잘한 잎들이 봉긋한 형태로 빽빽하게 자란다. 성장속도가 느려서 경관 유지도 쉽다

피커스 박시니오이데스
Ficus vaccinioides
원래는 덩굴식물이지만 줄기가 두꺼워서 세워서 재배하는 것도 가능하다. 미니어처 수목처럼 꾸미거나 울창한 수풀을 만드는 등 다양한 표현을 즐길 수 있다

틸란드시아 이오난사
Tillandsia ionantha
에어플랜츠의 한 종류. 다습한 환경을 좋아하지만 건조한 환경도 잘 견디고 적은 빛으로도 자라는 튼튼한 종이다. 와이어로 고정시켜 사용하면 좋다

사라세니아 푸르푸레아
Sarracenia purpurea
소형이면서 존재감이 강해서 물가 식물로 심으면 무척 좋은 분위기를 낸다. 식충식물이라 날파리 등도 때때로 먹어준다

대만고무나무
Ficus microcarpa
무척 튼튼해서 어떤 장소이건 식재가 가능하다. 사진의 개체처럼 뿌리가 땅 위로 나온 타입도 입수할 수 있다. 물가에 심어서 맹그로브 숲을 연출해보는 것도 재미있을 것이다

팔루다리움과 아쿠아 테라리움에 적합한 식물

팔루다리움에는 어떤 타입의 식물을 심으면 좋을까? 수초에 비해 육상식물의 종류가 지나치게 많아서 고민하는 사람도 많으리라 생각합니다. 선택결과에 따라서는 밸런스가 무너지거나 바로 시들어 버리는 등, 바람직하지 않은 케이스도 나오게 됩니다. 선택할 때 주의할 점과 팔루다리움에 적합한 식물의 특징과 종류를 소개해보도록 하겠습니다.

아쿠아리움 경험에서 배운다

아쿠아리움의 레이아웃에는 화단이나 정원을 만드는 듯한 더치식과 미니어처 자연풍경을 재현하는 네이처계까지 다양하게 있지만 최근에는 후자의 레이아웃이 주류를 점하고 있습니다. 이번에는 후자의 레이아웃을 목표로 한다는 전제로 이야기를 진행해보겠습니다.

네이처계 레이아웃에서 사용하는 수초는 경치로서 보이는 모습이 중요하기 때문에 크고 눈에 띄는 잎을 가지고 있는 수초보다 가는 잎을 가진 수초와 소형 수초 중에서 고르는 경우가 많습니다. 팔루다리움에서도 마찬가지로 가능한 소형 식물 중에서 고르는 것이 중요합니다.

다습한 환경을 잘 견디는 식물이어야 한다

팔루다리움의 내부는 다습한 경우가 많으므로 다습한 환경에 약한 식물은 피하기 바랍니다. 멋지다는 이유로 괴근 식물을 심어도 어느 날 갑자기 질척질척하게 녹아버릴 수 있습니다. 다습에 약한지 어떤지 판단할 수 없을 때는 뿌리를 보면 대략적으로 알 수 있습니다. 일부 예외도 있지만 두꺼운 뿌리를 가진 식물은 다습한 환경에 약한 경향이 있습니다.

강한 빛을 좋아하지 않는 음지식물

아무리 인공조명을 설치했다고 해도 양지식물을 실내에서 키우는 것은 어렵습니다. 기본적으로 음지에서 자라는 식물부터 고르는 편이 오랫동안 즐길 수 있습니다.

내열성과 내한성

냉난방이 항상 가능한 환경이라면 문제가 없지만 그런 환경을 제공할 수 있는 사람은 그리 많지 않을 것입니다. 식물 중에는 더위에 약하거나 저온에 노출되면 시들어버리는 식물도 있습니다. 제공할 수 있는 환경이 괜찮을지를 생각하며 식물을 도입하도록 합시다.

덩굴식물(클라이머)의 활용

일반적인 로제트형 식물만으로도 풍경을 만들 수 있지만 약간의 빈틈을 채우거나 유목에 휘감기게 하는 등, 연출의 폭을 넓혀주는 덩굴식물은 요긴하게 쓰이는 존재입니다. 편리해서 다용되는 경우도 많지만 수조 가장 안쪽 면에 커다란 잎을 가진 클라이머를 심으면 원근감 밸런스가 무너져버릴 수 있습니다. 클라이머를 사용할 때는 특히 잎의 사이즈에 주의하기 바랍니다.

더 활용하고 싶은 에어플랜츠와 식충식물

틸란드시아 종류에게 붙은 에어플랜츠라는 이름이 오해를 불러온 것인지, 다습한 환경에 두면 시든다고 생각하는 사람이 많지만 물론 종류에 따라 다르기는 해도 항상 습한 환경인 쪽이 상태가 좋은 종류도 많이 있습니다. 그 중에서도 이오난사와 스트릭타는 굉장히 튼튼하고 물을 좋아합니다. 연출의 폭도 넓어지므로 아무쪼록 사용해보기 바랍니다.

식충식물도 더 많이 활용되기를 바라는 종류인데, 원래 습지에서 자라는 종이 많아서 팔루다리움이나 아쿠아 테라리움에 상당히 적합합니다. 그 중에서도 소형종은 내음성이 뛰어난 종류가 많아 추천하고 싶습니다.

~한 걸음 더 나아간 인도어 그린 라이프를~
팔루다리움에서 꽃을 즐긴다

사진.글/Taketoshi Sue(Picuta)

양치식물과 이끼식물을 다용하는 팔루다리움은 촉촉한 분위기가 나서 좋은데, 거기에 꽃도 함께 즐길 수 있게 된다면 기분도 명랑해지고 그 변화하는 모습에 한층 더 애착이 생길 것이다

1-1 : 꽃을 피우는 팔루다리움에 적합한 식물을 모아심기 해봤습니다. 실내에서 꽃밭을 즐기는 것도 가능합니다

계절마다 꽃을 즐길 수 있는 정원을 만들고 싶다! 그런 꿈을 품어 본 적이 있는 사람도 많지 않을까요? 수련, 작약, 도라지 등의 풀꽃. 그리고 모란, 수국, 장미 등의 꽃나무. 정원에서는 초목의 녹색뿐만 아니라 꽃을 피우는 식물의 존재를 빼놓을 수 없습니다.

팔루다리움은 정원의 실내 버전이라고도 할 수 있으니 초목의 녹색만 즐기는 것이 아니라 꽃도 즐길 수 있다면 한층 더 매력적인 존재가 될 것이라 생각합니다.

그 조건

양치식물이나 이끼 이외에는 어떤 식물이건 자손을 남기기 위해 언젠가는 꽃을 피웁니다. 하지만 꽃이 수수하고 가끔씩 피는 식물의 경우에는 꽃을 관상하기에 적합하지 않습니다.

또한 아무리 꽃을 잘 피운다고 해도 사이즈가 크면 팔루다리움에서 중요한 경치감이 날아가 버리고 하루 정도 만에 꽃이 시들어버리면 놓치는 경우도 있을 것입니다. 소형이면서 빈번하게 아름다운 꽃을 피우고 개화기도 어느 정도 긴, 그런 식물이 팔루다리움에서 꽃을 관상하기에 적합한 종류라고 할 수 있습니다.

실내에서 즐길 수 있는 풀꽃

꽃을 메인으로 즐기는 풀꽃으로 유명한 종류로는 돌담배 종류인 세인트폴리아가 있습니다. 아프리카에 분포해 있는 몇몇 원종에서 개량된 것이며 다양한 품종이 만들어져 있습니다. 통상적으로 유통되고 있는 보통종이라 분류되는 세인트폴리아는 팔루다리움에서는 너무 크기 때문에 적합하지 않습니다. 세미 미니, 미니, 마이크로 등의 소형품종 중에서 고르면 팔루다리움에서도 충분히 즐길 수 있습니다(사진 1-2).

그 외에 같은 돌담배 종류 중에 브라질 원산의 신닝기아와 잎도 즐길 수 있는 에피스시아, 종류에 따라서는 베고니아도 사용하는 것이 가능합니다.

소형화시키기 쉬운 인공섬유 재배

돌담배 종류는 물론이고 베고니아도 포함하여, 인공섬유 재배는 근역을 제한하기 쉽기 때문에 소형화시키기에 상당히 적합합니다(사진 1-3, 1-4). 팔루다리움에서도 사용하기 편한 인공섬유가 시판되고 있지만 인공섬유를 재배에 사용할 때에는 주의해야만 하는 점이 하나 있습니다. 그것은 영양분과 노폐물 등을 전기적으로 묶어 놓을 수 있는 힘(완충능력)이 거의 없다는 점입니다. 그래서 노폐물이 뿌리 옆에서 떨어지지 못하고 뿌리에 피해를 입히기 쉬우며 곰팡이 등이 발생하기 쉬운 경향이 있으므로 정기적으로 깨끗한 물을 부어서 씻는 것이 상당히 중요합니다. 자연의 바위에 자라난 식물도 마찬가지지만 자연계에서는 비가 내릴 때마다 초연수에 의해 씻겨 내려간다는 점을 잊어서는 안 됩니다.

수목도 사용할 수 있다

정원에서는 많이 이용되는 꽃나무지만 팔루다리움에서도 사용할 수 있는 나무가 있습니다. 잘 알려져 있지 않은 식물이지만 말피기아 코키게라라는, 아세로라와 같은 종류에 속한 수목이 있습니다. 필자의 회사에서 이 식물을 LED 조명만으로 키워본 결과, 꽃과 함께 붉은색 열매도 달렸습니다. 또한 최근에 팔루다리움에서 자주 사용되고 있는 백정화 등도 꽃이 피는 경우가 있다고 합니다.

꽃이 피는 식물 중에는 활용할 수 있는 종류가 아직 더 있으리라 생각하므로 아무쪼록 독자 여러분도 선입견에 얽매이지 말고 다양한 도전을 해보기 바랍니다. 잎뿐만 아니라 꽃도 즐길 수 있다는 점이 더해진다면 이 취미의 폭은 점점 더 넓어질 것이라 생각합니다.

1-2 : 왼쪽이 세인트폴리아의 보통종. 오른쪽이 마이크로 미니 세인트폴리아. 미니계는 원종 세인트폴리아보다 작아서 테라리움, 팔루다리움에서 사용하기 쉽다

1-3 : Suisaku의 "유목 DECO"에 활착시킨 세인트폴리아와 왕모람

1-4 : Picuta의 "활착군"에 활착시킨 세인트폴리아와 봉작고사리

팔루다리움에 적합한 꽃이 피는 식물

세인트폴리아 '핍스퀵' (마이크로 미니)

여러 소형품종 중에서도 특히 꽃이 잘 피는 품종입니다. 개화기간도 길어서 수개월에 걸쳐 잇따라 꽃을 피웁니다. 전체적으로 작고 팔루다리움을 화려하게 만들어주는 뛰어난 품종입니다

세인트폴리아 '아마디트레일' (미니어처 트레일러)

소형품종 중에서는 드물게 겹꽃이고 연보라색 미니 장미 같은 꽃을 피웁니다. 잎자루가 짧아서 다닥다닥 붙은 형태로 자라기 때문에 전체적인 모습만으로도 관상가치가 높습니다

세인트폴리아 '티니 바퍼' (마이크로 미니)

현재 유통되고 있는 세인트폴리아 중에서 가장 작은 클래스의 품종입니다. 보라색의 귀여운 벨 모양의 꽃이 핍니다. 아주 작은 공간에서도 재배할 수 있고 상당히 튼튼한 품종이기 때문에 앞으로 팔루다리움에서도 점점 더 많이 이용될 것이라 생각됩니다

신닌기아 무스키콜라

돌담배과의 초소형종. 어둡고 다습한 환경에서도 자라며 꽃도 잘 피는 매력적인 종입니다. 무늬가 있는 아름다운 잎이 지면과 닿을 듯이 자라는 로제트 타입이라서 팔루다리움의 하초로서 사용하기 좋은 식물입니다. 덩이줄기가 있으므로 잎이 상해도 재생력이 뛰어납니다

베고니아 반케르크호베니

베고니아 종류는 너무 크게 자라므로 팔루다리움에는 사용하기 어렵다는 것이 정설이지만 이 종류는 귀중한 초소형종입니다. 붉고 가는 줄기에 녹색의 작은 잎이 나오고 황색 꽃이 잇따라 핍니다

신닌기아 푸실라

무스키콜라와 비슷하게 생긴 종이지만 더욱 소형입니다. 작은 몸에 비해 많은 꽃이 핍니다. 꽃의 색은 하얀색부터 진한 보라색까지 폭이 넓습니다. 무스키콜라와 마찬가지로 덩이줄기를 가지고 있습니다

페트로코스메아 플라시다

언뜻 제비꽃과 비슷해 보이지만 이것도 돌담배 종류입니다. 이 종의 뛰어난 점은 내한성입니다. 겨울철에 보온을 할 수 없는 팔루다리움에서도 시드는 일 없이 자라는 튼튼한 종입니다

에피스시아

잎의 색이 상당히 풍부해서 컬러리프처럼 활용되는 경우가 많지만 사실 꽃도 빈번하게 핍니다. 이 사진에서는 마침 붉은색 꽃만 피어있지만 그 외에도 백색, 황색, 핑크 등이 있습니다

워터 자스민

동남아시아에서는 꽃도 향기도 즐길 수 있는 분재 소재로서 많이 사용됩니다. 실내재배 데이터도 많이 있으므로 팔루다리움에서도 잘 키우면 좋은 향기가 나는 꽃을 피게 할 수 있을지도 모릅니다

데이노스티그마 타미아나

베트남 원산의 돌담배과 식물입니다. 언뜻 잎이 세인트폴리아의 것과 비슷하지만 긴 꽃줄기에서 큰 꽃이 핍니다. 잎과 꽃의 사이즈감이 차이가 나서 마치 새나 나비가 날고 있는 장면처럼 보입니다

알소비아 디안티플로라

별명 레이스 플라워 바인. 자잘한 톱니가 있는 아름다운 꽃이 피며 런너를 뻗으면서 사방으로 퍼져나갑니다. 내한성도 뛰어나서 8℃ 정도까지라면 견딜 수 있습니다

말피기아 코키게라

아세로라와 같은 종류인 수목. 새싹이 나올 때마다 핑크색 프릴을 입은 아름다운 꽃이 잇따라 핍니다. 다습에도 강하고 인공조명에도 적합한 모습을 하고 있습니다. 수분하면 붉은색 열매를 즐기는 것도 가능합니다

column

팔루다리움의 식물과 삼림의 생태계

글 /Toshiharu Akanuma

사진/Toshiharu Ishiwata, 편집부

심연의 행위를 알자

어둑어둑한 열대우림의 오지, 또는 이끼가 낀 깊은 산의 풍경 등, 팔루다리움에는 녹색의 심연을 들여다보는 듯한 환상적인 이미지가 있다고 생각한다. 하지만 그런 풍경을 자신의 손으로 만들려고 할 때, 무척 중요한 부분이 있다고 생각한다.

바로 삼림의 생태계를 아는 것이다. 적을 알고 나를 알면 어쩌고 하는 말이 있는데, 숲 속에 우거진 식물들은 평소에 볼 수 있는 식물들과는 다른 환경에서 살아가고 적응하고 있다. 그들에 대해 알면 더 이미지를 떠올리기 쉬워진다고 생각하지 않는가?

아니라고? 그러면 이제부터 그렇게 생각해주기 바란다.

그들에게는 비료가 부족하다

삼림, 특히 열대우림은 상당히 특수한 환경이다. 질소와 인 등의 식물이 생장하기 위해 꼭 필요한 비료분이 극단적으로 적은 것이다. 정글이라고 하면 그런 것들도 풍부하게 있을 것 같은 이미지일지도 모르지만 실제로는 영양분이 적은 환경이다.

그 주된 원인은 부식질로 뒤덮인 토양이라고 생각되며 비슷한 환경인 습지대도 역시 극단적으로 비료분이 적다. 이런 환경에서는 비료분의 대부분을 비에 섞여 있는 질소 등에 의존한다고 하니 험난한 생활이다. 또한 숲 안쪽은 빛도 잘 들어오지 않기 때문에 이런 환경에서 자라나는 식물은 근본적으로 보수적이다.

보수적이라고 말해도 의미를 알기 어려울지도 모르지만 반대에 위치해 있는 것이 적극적인 투자를 하는 식물들이다. 일년초 등이 대표적인데, 영양분과 광합성을 통해 얻은 에너지를 잎과 줄기를 만드는 것에 투자하고 적극적으로 꽃을 피워 종자를 뿌린다.

반대로 보수적인 식물은 천천히 영양분을 비축하면서 성장하고 꽃을 피우기까지도 시간이 오래 걸린다. 이런 보수적인 식물은 대개 저영양, 저광량에 적응한 상태이며 비료분과 에너지를 효율적으로 이용할 수 있다.

비여, 더 내려라

또한 조금이라도 영양을 얻을 수 있도록 특수한 적응을 한 식물도 적지 않다. 착생식물처럼 나무 위에서 서식하거나 식충식물처럼 곤충으로부터 영양을 얻는 식물도 있다.

팔루다리움에서도 이런 식물이 사용되는데, 착생식물은 조금이라도 높은 장소에서 자라면서 비로부터 영양분을 얻고 빛을 우선적으로 얻으려고 하는, 눈물겨운 노력을 한다. 또한 이런 식물은 뿌리가 내린 부분에 쌓인 유기물 등도 미생물이 분해하면 다시 흡수한다고 하니 뭐라고 할까, 참으로 철저한 절약생활이라고 할 수 있겠다.

반면 영양을 외부에서 손에 넣고자 하는 것이 식충식물인데, 이런 식물은 원래 끈적끈적한 잎에 벌레가 붙으면 거기에서 영양을 얻다가 진화했다고 알려져 있다. 영양분이 극단적으로 적은 열대우림과 습지에서는 벌레로부터 영양을 얻는 성질이 극단적으로 발달할 수밖에 없었을 것이다. 실제로 영양분의 반 이상을 곤충에게 의존하는 식충식물도 있다고 하니 그들에게 있어서는 생명줄이라고 할 수 있겠다. 때때로 곤충을 주는 편이 건강에 좋을 것 같다.

팔루다리움에는 일본의 이끼도 많이 사용되는데, 이들은 다종다양해서 일괄적으로 말하기가 어렵다. 이끼는 원래 관다발을 가지고 있지 않고 특히 착생하는 타입의 이끼는 영양분을 비나 공기에 의존하고 있기 때문에 그다지 비료분을 많이 필요로 하지 않는 식물이라고 알려져 있지만 우산이끼 종류처럼 사람의 생활권에 자라나는 이끼는 질소분을 좋아하는 경우가 많다고 한다.

좀처럼 판단하기가 어려운 문제이지만 한 가지 흥미로운 이야기가 있다. 질소산화물이다. 이것은 사람이 활동하면서 배출하는 대기오염 물질인데, 잎에 흡수되면 아질산 이온과 질산 이온이 되고 식물에게는 비료원이 된다. 하지만 양이 과하면 잎의 산화 등, 악영향을 미칠 수도 있다고 한다.

이끼는 이러한 대기오염에 민감하게 반응하고 질소산화물의 농도는 이끼의 다양성에 영향을 미친다고 한다. 즉, 질소산화물이 많은 환경에서는 그것을 견딜 수 있는 이끼가 늘어나고 그렇지 않은 이끼는 감소하여 결과적으로 다양성을 잃게 된다는 것이다.

깊은 산에 분포해 있는 이끼는 감소하는 쪽인 경우가 많다고 하니 역시 많은 양의 비료는 좋아하지 않는 것일지도 모른다.

하지만 이렇게 보니, 어찌되었든 삼림에서는 비에 대한 의존도가 높고 팔루다리움에서도 인공적인 비(분무기 등)가 내리도록 하는 것이 중요하다는 것을 알 수 있다. 비로 생명을 연명하는 그들에게 있어 비는 단순한 건조방지가 아니라 그야말로 은혜 그 자체일 것이다.

착생하는 거대한 박쥐란. 이 식물은 수분과 비료분을 비축하는 저수엽(외투엽이라고도 한다)이라는 기관을 근원에 가지고 있다. 인도네시아에서

일본의 산에서 발견한 이끼. 작은 물줄기를 모아서 떨어뜨리는 가지 끝에 군락을 형성하고 있었다

이끼 **양치식물** **지생란**

3개의 그룹에서 뽑은
아쿠아테라리움과
팔루다리움에 적합한 식물들

팔루다리움과 아쿠아테라리움을 깊은 정취가 느껴지는 공간으로
연출해주는 이끼와 양치식물, 소형 지생란들. 이번에는 그 중에서도 일본에
자생하고 있는 종류들에게 스포트라이트를 비춰보았다

사진·글/Naoto Tomizawa(오카야마 이과대학 전문학교 아쿠아리움 학과장)

이끼

팔루다리움과 아쿠아 테라리움에서 자연감 넘치는 정경을 재현하고자 할 때 최적의 소재가 되어주는 이끼들. 이끼는 일본에도 많은 종류들이 자생하고 있다. 그 생육환경을 보면 건조에도 강하고 밝은 환경을 좋아하는 서리이끼나 털깃털이끼, 가는참외이끼, 습도를 좋아하고 임상 등의 약간 어두운 장소를 좋아하는 너구리꼬리이끼, 나무이끼, 큰꽃송이이끼, 물방울이 떨어지는 장소를 좋아하는 가는물우산대이끼, 봉황이끼 등, 실로 다양하다.

아름다운 정경을 만들기 위해서는 그 특징들을 잘 이해하고 팔루다리움과 아쿠아 테라리움이라는 한정된 공간에 적합한 종류를 골라야 한다. 이번에는 오래전부터 실제로 팔루다리움에 식재해봤었던 많은 이끼들 중에서 생육상황이 좋았던 추천하는 종류를 중심으로 소개해볼까 한다.

팔루다리움에 최적인 이끼 카탈로그

꼬리이끼 *Dicranum japonicum*
복슬복슬한 동물의 꼬리를 연상케 하는 모습이라 이런 이름이 붙었다. 팔루다리움에 사용할 때에는 습기가 너무 많지 않은 수조 중간~윗부분에 배치하면 좋다

아기들덩굴초롱이끼 *Plagiomnium acutum*
강 주변이나 습한 숲길 위에 밝은 녹색 카펫을 깐 것처럼 군생한다. 수조 안에서는 물 근처 습도가 높은 장소에 배치하면 아름다운 모습을 보여주게 되지만 지나치게 습도가 높은 것은 금물이다

큰꽃송이이끼 *Rhodobryum giganteum*
가는 축 끝에 우산 모양으로 잎을 펼치는 아름다운 종이다. 강 주변이나 숲 주변의 너무 밝지 않은 장소에서 볼 수 있다. 단독으로 배치하기보다 몇 개를 모아서 심는 편이 더 보기에 좋다. 너무 높은 습도에는 주의가 필요하다

나무이끼 *Climacium japonicum*
가늘고 긴 줄기 끝에 잎이 무성하게 자라서 야자나무처럼 보이는 대형 이끼이며 런너를 뻗어서 증식한다. 계류 옆의 모래땅이나 부엽토 위에서 볼 수 있고 습도를 좋아하지만 용토가 너무 젖어있는 것은 금물이다

너구리꼬리이끼 *Pyrrhobryum dozyanum*
자잘한 꼬리 모양으로 잎을 펼치는 아름다운 이끼이며 계류나 청류 옆의 약간 평평한 임상에서 자주 볼 수 있다. 다습한 환경을 유지하면 수조 안에서도 잘 적응하고 아름다운 모습을 보여줄 것이다

세모양털이끼 *Bryhnia novae-angliae*
밝은 녹색의 가늘고 긴 봉을 늘어놓은 듯한 모습으로 번성하는 것이 특징인 종이다. 습도를 좋아하지만 건조한 환경에도 강하다. 양치식물처럼 잎이 자라는 이끼와 조합하면 좋은 악센트가 된다

참깃털이끼 *Bryonoguchia molkenboeri*
입체감이 느껴지는 봉긋한 모습이 특징인 아름다운 종이다. 다습한 환경을 좋아하지만 지나치게 습도가 높으면 주의가 필요하다. 재배는 약간 어렵지만 한 번 도전해보고 싶은 매력적인 이끼다

공작이끼 *Hypopterygium fauriei*

이름 그대로 공작이 날개를 펼친 모습을 연상시키는 아름다운 종. 다습한 환경을 좋아하지만 너무 습하거나 후덥지근한 환경에는 약하다. 입수하는 것은 다소 어렵지만 최근에는 인터넷 통신판매에서 볼 수 있는 경우도 많다

깃털이끼 *Thuidium kanedae*

아름답게 갈라진 모습이 인기가 있는 대중적인 종. 건조 다습에도 강해서 아쿠아 테라리움이나 팔루다리움에도 최적인 종. 약간 작은 물가깃털이끼도 알려져 있지만 둘 다 재배는 쉽다

구슬이끼 *Bartramia pomiformis*

매우 섬세한 용모를 가진 종으로 여성에게도 인기가 높다. 산간 계곡이나 계곡 사면에서 울창한 녹색 군락을 이룬다. 다습, 건조에도 강하지만 후덥지근하거나 너무 습하면 요주의

털깃털이끼 *Hypnum plumaeforme*

도시에서는 별로 볼 수 없지만 산간부에서는 흔히 볼 수 있는 종이다. 도로변 등에서 큰 군락을 이룬다. 건조에 강해서 정원이나 이끼볼을 만들 때 사용되기도 하지만 항상 젖어있는 상태는 금물

가는물우산대이끼 *Pellia endiviaefolia*

투명감이 있는 심록색의 얇은 잎이 겹쳐지며 자라는 종이며 물이 떨어지는 것 같이 젖은 장소를 선호한다. 수중 육성도 가능해서 아쿠아리움샵에서 판매하기도 한다. 아쿠아 테라리움에 적합한 종

물가깃털이끼 *Thuidium cymbifolium*

깃털이끼 중에서는 소형종이며 계곡가의 바위 위나 임상에 큰 군락을 이룬다. 다습에도 강하고 물방울이 떨어지는 곳에서도 자라기 때문에 팔루다리움이나 아쿠아 테라리움에도 적합하다

가는흰털이끼 *Leucobryum neilgherrense*

산태, 만두태라는 이름으로도 판매되고 있는 가장 대중적인 종이다. 분재나, 정원, 이끼볼 등의 폭넓은 장소에서 재배되고 있다. 건조, 다습에 강하지만 항상 젖어있는 환경은 적합하지 않다

팔루다리움에 최적인 양치식물 카탈로그

양치식물

이끼 못지않게 팔루다리움과 아쿠아테라리움에서 자주 사용되는 양치식물. 강가나 임상 등의 습기가 있는 그늘진 부분에서 많이 볼 수 있지만 돌담이나 수목에 착생하는 종류는 건조에도 강하다.

팔루다리움에 양치식물을 사용할 때에는 환경이 적합한지 아닌지도 주의해야 하지만 그 크기도 중요하다. 입수할 때에는 소형이었어도 환경에 적응하면 거대화하는 종류도 많고 레이아웃의 밸런스를 무너뜨리거나 그늘을 만들어서 다른 식물을 시들게 해버리는 등의 폐해가 발생하는 경우도 적지 않다.

그래서 양치식물을 고를 때에는 그 종류가 어느 정도까지 자라는지를 조사해보고 최대 사이즈로 성장했을 때를 상정하여 레이아웃해야 한다.

여기에서는 소형수조에서도 즐길 수 있는, 다 성장해도 여전히 소형인 양치식물을 소개해보도록 하겠다

부채괴불이끼 *Crepidomanes minutum*
이름 그대로 작은 부채처럼 생긴 잎을 전개한다. 계류 근처의 바위 표면 등에 커다란 군락을 만드는 소형종이다. 시트처럼 되어 있는 것은 팔루다리움의 배면이나 돌 위 등에 사용하기에 적합하다

누운괴불이끼 *Vandenboschia kalamocarpa*
물방울이 뚝뚝 떨어지는, 푹 파인 동굴 입구 부근에 군생하는 종이며 항상 축축한 환경을 좋아하고 수중육성도 가능하다. 건조에는 약하기 때문에 항상 뚜껑을 닫아둔 다습한 환경에서 재배해야 한다

뱀톱 *Huperzia serrate*
마치 유경수초를 보고 있는 것 같은 독특한 모습을 가진 종이다. 크기와 잎의 폭의 차이를 토대로 3개의 아종으로 나누지만 같은 종이라는 설도 있다. 재배는 어렵지 않지만 지나치게 높은 습도는 금물이다

비늘이끼 *Selaginella remotifolia*
숲 바닥이나 숲길 옆을 뒤덮듯이 군락을 만드는 포복성 셀라기넬라. 알맞은 환경에서는 녹색 융단을 펼친 것처럼 번성한다. 지나치게 늘어났을 때에는 솎아낼 필요가 있다

바위손 *Selaginella involvens*
연결된 줄기에서 잎을 하나씩 펼치는 셀라기넬라의 한 종류. 건조에도 강하지만 잎이 둥글게 말려버리므로 습도가 높은 환경에서 재배하도록 하자. 자외선이 강하면 잎이 오렌지색으로 변한다

일엽초 *Lepisorus thunbergianus*
가늘고 긴 잎을 가지고 있는 소형 착생 양치식물이다. 아침저녁으로 이슬이 맺히는 신사나 공원 나무줄기, 돌담 등에서 볼 수 있다. 수조 안에서는 유목이나 바위에 착생시킬 수도 있고 용토에 심어도 재배가 가능하다

콩짜개덩굴 *Lemmaphyllum microphyllum*
포복하는 줄기 양 사이드에서 녹색 콩을 찌부러뜨린 것 같은 잎이 자라나는 소형종. 계류 옆 바위 위나 나무줄기를 뒤덮듯이 큰 군락을 만든다. 건조에도 강해서 수조의 배면을 뒤덮기에 적합하다

붉은사철란 *Goodyera biflora*
잎과 줄기만 보면 상상하기 어려울 정도의 커다란 꽃을 피우는 종이며 오래전부터 산야초로서 사랑받아왔다. 다습한 환경에도 강해서 수조에 만든 물가나 폭포 주변에 심기에 적합하다

소형 지생란

붉은사철란이나 털사철란, 사철란, 카고메란. 이런 무늬가 들어가 있는 종들은 금란이라고 불리며 에도시대 때부터 사랑받아왔다. 또한 일본뿐만 아니라 다른 나라의 애호가들도 높게 평가하는 소형 지생란이며 꽃도 아름다워서 잎에 무늬가 없어도 인기가 높다. 일본에서는 이 외에도 많은 소형 지생란이 알려져 있지만 그 중에서도 특히 구디에라속, 말락시스속 종은 비교적 어두운 장소에서도 볼 수 있으며 습도가 높고 아침저녁 이슬이 맺히는 환경을 좋아하기 때문에 팔루다리움이나 아쿠아 테라리움에 적합한 종류가 많다.
이번에는 입수, 재배 모두 비교적 쉽고 외견도 매력적인 종류를 중심으로 픽업해보았다. 종류에 따라서는 항상 축축하게 젖어 있는 환경을 싫어하거나 물방울이 뚝뚝 떨어지는 장소에서도 태연하게 자라나는 등, 다양한 타입이 있지만 모두 실제로 팔루다리움에서 문제없이 재배가 가능했던 종류뿐이므로 수조의 원포인트로서 한 번 재배에 도전해보기 바란다.

섬사철란 *Goodyera foliosa* var. *laevis*
이 종류 중에서는 가장 다습한 환경에 강한 종이며 근원이 항상 물에 잠겨 있는 상태에서도 문제없이 생육한다. 그래서 붉은사철란과 마찬가지로 물가나 폭포 옆에 심기에 적합하다

사철란 *Goodyera schlechtendaliana*
잎에 메추리알 무늬 같은 것이 들어간 타입도 있지만 무늬가 없는 타입도 있다. 비교적 건조한 장소에서 볼 수 있는 종이므로 수조 안에서는 수조 상부나 물에서 멀리 떨어진 장소에 배치하면 좋다

털사철란 *Goodyera velutina*
벨벳 같은 짙은 녹색 잎에 하얀색 센터 라인이 들어가 있는 아름다운 종이다. 비교적 튼튼해서 수조 안에서는 다양한 장소에 배치할 수 있지만 근원이 항상 젖어 있는 장소는 피하는 편이 좋다

카고메란 *Goodyera hachijoensis* var. *matsumurana*
하치조엔시스의 아종이며 대나무를 엮어 만든 바구니 같은 무늬가 전체에 들어가 있는 아름다운 종이다. 사철란 정도는 아니지만 지나치게 습한 환경은 금물이며 물가에서 멀리 떨어진 장소에 배치하는 것이 좋다

말락시스 반카노이데스 *Malaxis bancanoides*
세로로 주름진 잎이 겹쳐지며 자라는 말락시스의 한 종류. 기본적으로 밝은 녹색 한 가지 색만 띠고 있지만 붉은빛이 도는 줄기를 가진 타입도 있다. 건조한 환경은 싫어하지만 항상 축축한 상태도 피하는 편이 좋다

구디에라 펜둘라 *Goodyera pendula*
이 종류 중에서는 드물게도 나무 위나 바위 위에 착생하는 종이다. 수조 안에서는 유목이나 바위 위 등에 배치하면 깊은 정취가 느껴지는 풍경이 될 것이다. 너무 습하지 않은 장소라면 이끼들 사이에 심어도 문제가 없다

자연에서의 채집과 트리트먼트

앞의 카탈로그에서는 일본산 식물들을 소개했다. 여기에서는 자생하는 식물을 입수할 때 주의해야 하는 점과 그 후의 처리 등에 관해 이야기해볼까 한다

사진·글/Naoto Tomizawa
(오카야마 이과대학 전문학교 아쿠아리움 학과장)

이끼와 양치식물, 지생란 입수법

팔루다리움과 아쿠아 테라리움에서 사용하는 이끼와 양치식물은 샵이나 인터넷에서 입수하는 것이 일반적이다. 하지만 실제로 자생하고 있는 상태를 관찰해보면 레이아웃을 만들 때나 재배할 때 도움이 되는 큰 힌트를 얻을 수도 있다. 그때 이끼와 양치식물을 채집하는 것도 즐거운 일이다.

하지만 아무데서나 채집할 수 있는 것은 아니고 장소에 따라서는 채집이 금지되어 있거나 채집하면 처벌을 받을 수도 있다.

그래서 여기에서는 절대로 채집해서는 안 되는 장소, 채집해도 문제가 없는 장소에 관해 언급해보도록 하겠다. 참고로 지생란은 자생수가 격감하고 있으니 원예업자가 증식한 것을 구입하도록 하자.

채집해서는 안 되는 장소

국립공원, 국정공원 및 지방자치단체가 만든 자연공원은 자연공원법에 의해 그곳에 분포해 있는 동식물이 보호를 받고 있으므로 채집은 금지되어 있다.

그 이외의 장소 중에 사유지인 경우에는 소유권자의 허가를 받으면 기본적으로는 채집이 가능하다. 하지만 친척이나 지인 등이 있는 경우를 제외하고 갑자기 필드로 나가서 토지 소유권자를 찾는 일은 어렵다.

또한 경승지 등, 많은 사람들이 방문하는 폭포나 계곡에서도 기본적으로 채집이 금지되어 있다.

채집하기 좋은 장소

국유림이나 지방자치단체가 소유한 숲 등의 임도와 국도 옆. 특히 강 옆의 삼나무 숲길이나 국도 근처에는 이끼 종류도 많아서 채집하기 좋다. 엄밀하게 말하면 허가를 받을 필요가 있지만 취미 레벨로 사용하는 양이라면 허가를 받지 않아도 채집이 가능하다.

이것은 레이아웃에 사용하는 돌 등의 경우도 마찬가지이며 기본적으로 강변에서 돌을 채취하려면 그 지역의 토목사무소에 허가를 받고 요금을 지불한 다음 채취해야만 하지만 대부분의 지역에서 취미활동에 사용할 목적이고 손으로 들 수 있는 사이즈의 돌이라면 채취해도 상관이 없다고 알려져 있다.

하지만 필자도 모든 지방을 다 확인한 것은 아니므로 불안하다면 그 지역의 토목사무소에 확인을 해보도록 하자.

차를 타고 필드로 갈 때는 다른 차에 방해가 되지 않는 장소에 차를 세우고 통행하는 차를 주의하면서 채집하도록 하자.

폭포나 계곡은 수많은 이끼와 양치식물을 볼 수 있는 장소다. 특히 경승지는 많은 사람들이 이끼를 포함한 경관을 즐기는 장소이므로 채집은 하지 말고 관찰만 하도록 하자

계류 옆 삼나무 숲의 임도나 국도 같은 곳이 채집하기에 적합하다

임도 옆의 바위 표면에 자라난 구슬이끼

임도 옆에 널리 퍼져 있는 깃털이끼

임도 길 위에 자라난 아기들덩굴초롱이끼

채집한 이끼와 양치식물의 클리닝과 트리트먼트

해충 구제

채집한 이끼와 양치식물에는 곤충이나 다족류, 민달팽이나 작은 달팽이, 곰팡이 등이 부착되어 있는 경우도 있다. 그대로 수조에 넣으면 다른 식물이 먹히거나 곰팡이가 퍼지는 등, 다양한 트러블을 불러일으킬 수 있다. 그래서 가지고 돌아온 다음 바로 클리닝과 트리트먼트를 할 필요가 있다.

이끼와 양치식물을 채집했으면 밀폐 용기나 지퍼가 있는 봉지에 넣고 그것을 보냉백이나 쿨러박스에 넣어 가지고 돌아온다. 더운 계절에는 보냉제 등을 넣어서 온도가 올라가지 않도록 해야 한다.

집에 도착하면 이끼와 양치식물을 용기에서 꺼내서 바구니에 늘어놓고 시든 잎 등의 이물질과 눈에 보이는 생물을 핀셋 등으로 제거한다. 다음으로 흐르는 물로 흙과 진흙을 깨끗하게 씻어낸다. 완전히 흙을 제거하면 흩어져버리기 쉬운 봉황이끼 등은 그렇게 되지 않을 정도로 흙을 남겨두도록 하자.

다 씻었으면 바구니째 물에 가라앉혀서 수돗물에 30분 정도 담가둔다. 이때 주방 표백제를 물 1ℓ당 1cc 정도(염소농도로는 0.005%) 넣으면 살균효과가 높아진다. 이 경우, 담가두는 시간은 10분 정도가 적당하다. 시험해본 결과로는 이 농도의 10배 정도 되는 농도에서도 이끼의 염소에 대한 내성을 확인할 수 있었지만 모든 이끼를 시험해본 것은 아니므로 불안할 때는 소량의 이끼로 테스트를 한 후에 실시하는 편이 좋다고 생각한다.

적합, 부적합을 구별하는 방법

그 다음에는 다시 한 번 물로 잘 씻고 축축하게 적신 용토(적옥토나 거기에 경석을 섞은 것)를 깔아놓은 뚜껑이 있는 컨테이너 박스에 이끼를 늘어놓는다. 그리고 단단히 뚜껑을 닫은 후 직사일광이 닿지 않는 밝은 장소에서 2주 정도 관리한다. 그 2주 동안 때때로 뚜껑을 열어서 안을 확인하고 건조해지지 않도록 분무기로 물을 주도록 하자.

이렇게 하면 습윤한 팔루다리움이나 아쿠아 테라리움에 가까운 환경이 만들어지기 때문에 육성환경을 알 수 없는 이끼를 채집했을 때 사용할 수 있는지 없는지도 판단할 수 있다. 판단기준은 2주가 지나도 채집했을 때와 같은 녹색을 유지하고 있는지 아닌지다. 색을 유지하고 있다면 사용할 수 있을 가능성이 높고 반대로 색이 퇴색하거나 갈색으로 변해버리는 등, 명백하게 쇠약해져 있는 경우에는 환경에 잘 맞지 않을 가능성이 높으므로 사용은 피하는 편이 좋다.

현장에서의 처리

❶ 채집한 이끼는 밀폐 용기나 지퍼가 있는 봉지에 넣는다

❷ 밀폐 용기나 봉지를 보냉백에 넣어서 가지고 돌아온다

자택에서의 트리트먼트

❶ 이끼를 바구니에 펼쳐서 이물질과 눈에 띄는 생물을 제거한다

❷ 흐르는 물로 진흙과 흙을 씻어낸다

❸ 바구니째 물에 가라앉히고 30분 정도 방치한다

❹ 뚜껑이 있는 컨테이너 박스에 축축하게 적신 용토를 깐다

❺ 그 위에 한 번 더 씻은 이끼를 늘어놓는다

❻ 뚜껑을 닫고 직사일광이 닿지 않는 밝은 장소에서 2주 정도 관리한다

~ 더 이상 시들게 하지 않는다! ~
타입별 이끼의 생육방법

사진·글/Naoto Tomizawa
(오카야마 이과대학 전문학교 아쿠아리움 학과장)

이끼는 팔루다리움과 아쿠아 테라리움에서 자연감을 연출하는 소재이며 또한 그 자체도 아름답기 때문에 주역으로서도 인기가 높다.

이끼의 종류는 많고 좋아하는 환경도 다양하다. 아름답게 키우기 위해서는 최적의 환경을 준비할 필요가 있다. 여기에서는 대표적인 이끼의 종류를 재배환경에 따라 3개의 그룹으로 나눠서 각각의 재배방법과 레이아웃에 적합한 배치방법을 소개해보도록 하겠다.

건조를 좋아하는 타입

서리이끼나 담뱃잎이끼, 은이끼, 가는참외이끼 등의 건조에 강한 타입의 이끼는 도시의 아스팔트 틈이나 도로 옆 모래가 모여 있는 장소, 공원 흙 위, 오래된 블록 담 같은 장소에서 볼 수 있는 등, 가장 가까이에서 볼 수 있는 이끼다. 날씨가 맑을 때는 잎을 둥글게 말고 시든 것 같은 모습으로 장기간에 걸쳐 건조한 환경을 견디고 비가 내리면 바로 잎을 펼쳐서 아름다운 녹색을 띤 모습으로 변신한다.

이 타입의 이끼는 바람이 잘 통하고 건조한 밝은 장소에서 생육하고 있기 때문에 약한 조명과 습기에는 약해서 항상 습기가 차 있는 상태에서는 곰팡이가 생기고 썩어버리는 경우도 많다. 그래서 팔루다리움이나 아쿠아 테라리움에서 사용되는 일은 적고 분재의 근원을 덮을 때 사용하거나 미니어처 가든이나 정원 같은 오픈된 공간에서 사용하는 경우가 대부분이다.

만일 팔루다리움에서 사용할 생각이라면 뚜껑 없이 건조해지기 쉬운 환경을 만들고 근원에 물이 고이지 않도록 물이 잘 빠지는 용토나 바위에 붙여서 수조 상부에 배치하는 등의 조치가 필요하다. 단, 항상 건조한 상태면 잎이 오그라져서 관상가치가 없어져버리므로 아침저녁에는 분무기로 물을 뿌리고 낮에는 완전히 건조한 상태로 있도록 관리하면 좋을 것이다.

다른 타입의 이끼와 조합하는 경우에는 비교적 건조에 강한 털깃털이끼나 가는흰털이끼, 작은흰털이끼 등을 고르면 되지만 가능한 한 이 그룹의 이끼를 사용하는 경우에는 같은 그룹의 종류만으로 레이아웃을 구성하면 유지관리하기가 쉬울 것이다.

습도별 타입 구분

건조를 좋아하는 타입

은이끼

서리이끼

이 외에 담뱃잎이끼, 가는참외이끼, 참꼬인이이끼, 늦은서리이끼 등

중간 타입

비꼬리이끼

너구리꼬리이끼

이 외에 털깃털이끼, 깃털이끼, 구슬이끼, 큰꽃송이이끼 등

습기를 좋아하는 타입

가는물우산대이끼

큰잎덩굴초롱이끼

이 외에 프리미엄 모스, 봉황이끼 종류, 물가고사리이끼, 낫물가이끼 등

중간 타입

구슬이끼, 너구리꼬리이끼, 깃털이끼, 가는흰털이끼 등, 팔루다리움, 아쿠아 테라리움에서 다용되는 종류를 포함하여 대부분의 이끼가 이 타입에 속한다.

이 그룹을 재배하기에 가장 좋은 환경은 습도가 높고 용토가 지나치게 축축하지 않은 상태다. 몇 개월 이상 양호한 상태를 유지하기 위해서는 제대로 이런 점들에 유의해야 한다. 많은 사람들이 "고습도를 좋아하는 이끼"="젖은 상태를 좋아한다"라고 착각을 해서 이끼 재배에 실패하고는 한다. 이 그룹에 속한 이끼의 경우, 고습도는 좋아하지만 항상 젖어있는 상황은 좋아하지 않는다. 항상 젖어있으면 썩어버리고 곰팡이가 생겨서 시들어버리는 경우가 많다.

이 그룹에 가장 적합한 환경은 아침저녁에는 습도 80% 이상, 낮에는 70% 정도. 그리고 용토는 약간 젖어 있는 상태를 유지하는 것. 또한 이끼는 어두운 장소에서 자란다고 생각하는 경향이 있지만 실제로는 그늘이라고 해도 꽤 밝은 장소에서 자란다. 조명은 유경수초를 키울 수 있는 정도의 밝기가 적합하다. 이 그룹을 키우는 방법은 뚜껑을 제대로 닫아서 고습도를 유지하고 평소에 분무기로 물을 뿌려주는 것이다. 미스팅 장치를 사용하는 경우에는 용토가 너무 젖지 않도록 가동시간을 조절하도록 하자. 타이머를 사용할 때는 가능하면 일주일 동안 매일 개별적으로 컨트롤할 수 있는 제품을 사용하여 일주일에 2~3회는 가동하지 않는 날을 정해두면 좋을 것이다.

습기를 좋아하는 타입

중간 타입을 설명하면서 대부분의 이끼는 항상 용토가 젖어있는 상태는 좋아하지 않는다고 이야기했지만 개중에는 항상 용토가 물에 젖어 있는 상태를 좋아하는 종류도 있다.

팔루다리움, 아쿠아 테라리움에서 자주 사용되는 종류로는, 큰잎덩굴초롱이끼, 아기들덩굴초롱이끼, 물가깃털이끼, 세모양털이끼, 낫물가이끼, 물가고사리이끼, 봉황이끼 종류 등이 있다. 또한 반 이상 몸을 물속에 가라앉혀서 육성하는 물이끼 종류와 가는물우산대이끼, 프리미엄 모스, 불꽃 모스(윌로 모스), 물긴가지이끼(리시아) 등, 수초처럼 완전한 수중에서도 육성이 가능한 종류도 있다.

이와 같은 타입의 이끼는 아쿠아 테라리움의 물가에 배치하기에 최적이지만 물이 전혀 움직이지 않는 장소에서는 썩는 것처럼 시들어버리는 경우가 많다. 시드는 원인은 충분한 산소를 포함한 물이 없으면 잘 자라지 못하기 때문이라고 생각된다.

수조 안의 젖은 장소에 이 타입의 이끼를 배치할 때는 이런 점을 고려하여 폭포나 완만한 수류를 만들고 그 주변 등, 뿌리의 물이 항상 바뀌는 장소에 심거나 아쿠아 테라리움용으로 판매되고 있는 에어튜브를 사용한 분기식 점적장치로 사면이나 유목에 물을 떨어뜨려서 육성하는 것이 포인트다. 이 점에 주의하면 다른 이끼와 비교해 봐도 아쿠아 테라리움 등의 물가를 장식하는 아이템으로서 최적일 것이다.

육성 환경에 따른 변화

미스팅 장치가 가까워서 용토가 너무 젖은 상태가 되어 시들어버린 가는흰털이끼

습도, 습기 모두 가장 좋은 상태에서 양호한 생육을 보여주는 가는흰털이끼

뚜껑을 닫지 않은 수조의 상부에서 너무 건조한 환경으로 인해 시들어버린 가는흰털이끼

팔루다리움의 폭포 근처에 배치한, 습기를 좋아하는 봉황이끼 종류

건조를 좋아하는 서리이끼는 오픈된 공간에서 즐기기에 적합하다

습도 컨트롤은 글래스 뚜껑의 개방부분의 넓이로 조절하면 좋다

아쿠아 샵에서 살 수 있는
팔루다리움 / 아쿠아 테라리움으로
사용하고 싶은 수초

협력/Yoshikazu Takahashi(One's Mall 로열 홈센터 치바키타점)

대부분의 수초는 물속뿐 아니라 물 위에서도 생활할 수 있는데, 그런 수초라고 해도 역시 다른 식물에 비해 건조한 환경에 약해서 육상에서 사용한다면 밀폐도와 습도가 높은 팔루다리움에서 사용할 것을 추천한다. 팔루다리움/아쿠아 테라리움에서 흔히 볼 수 있는 수초를 몇 그룹으로 나누어 소개해보도록 하겠다

아누비아스

아프리카 원산의 천남성과 식물. 잎의 색은 진하고 잎은 두껍다. 물건에 붙어서 성장하는 성질(활착)이 있기 때문에 입체적인 레이아웃에도 적합하다. 소형종부터 대형종까지 다양하다. 개량품종도 다수.

아누비아스 나나
Anubias barteri var. *nana*

아누비아스 나나 '골든'
Anubias barteri var. *nana* 'Golden'

아누비아스 그라킬리스
Anubias gracilis

부세파란드라

최근 10년 정도 사이에 보급된 동남아 원산의 천남성과 식물. 잎의 색은 진하고 잎은 두껍다. 종류에 따라서는 잎에 에어브러시로 뿌린 것 같은 무늬가 들어가 있다. 이것도 아누비아스처럼 활착한다. 작은 종이 많다.

부세파란드라 sp. '그린 웨이비'
Bucephalandra sp. 'Green Wavy'

부세파란드라 sp. '케다강'
Bucephalandra sp. 'Kedagang'

이끼(모스) 류

물속에서 자랄 수 있는 이끼류도 아쿠아리움에서는 많이 유통된다. 하지만 모든 종이 육상에서 아름답게 전개되는 것은 아니고 현 상태에서는 피콕 모스, 크리스마스 모스, 윌로 모스, 자와 모스 정도가 많이 사용된다. 활착하는 종류가 많기 때문에 그것들은 각도가 있는 육상부의 그라운드 커버로도 사용하기 쉽다.

※아쿠아리움 세계에서는 '수조에 자라난 불쾌한 조류'도 이끼라고 부르지만 이 책에서 별다른 설명 없이 이끼로 표기되어 있는 경우에는 '관상·육성용 이끼류'를 가리킨다.

윌로 모스
Taxiphyllum barbieri

자와모스
Vesicularia dubyana

피콕 모스
Taxiphyllum sp. 'Peacok Moss'

크리스마스 모스
Vesicularia montagnei

양치식물

미크로소리움이나 볼비티스, 자바펀 등의 양치류도 육상부에서의 육성이 가능하다. 이것들은 활착하므로 유목 끝부분 등에 붙여도 레이아웃에 변화가 생겨 재미있다.

미크로소리움
Microsorum pteropus

볼비티스 '베이비리프'
Bolbitis heteroclita 'difformis'

자바펀
Bolbitis heteroclita

카펫 플랜츠

녹색 융단처럼 펼쳐지는 수초들을 모아서 소개한다. 적당한 간격을 두고 심으면 머지않아 성장해서 녹색 융단이 되지만 이산화탄소를 첨가한 수중과 비교하면 육상에서는 느리게 성장한다.

뉴 라지 펄그라스   T.I
Micranthemum tweediei

워터론   T.I
Utricularia graminifolia

헤어 그라스   T.I
Eleocharis acicularis

그 외

드워프 머쉬룸이나 호주 노치도메 등, 둥근 잎이 자라나는 특징적인 모습의 피막이속 종류는 레이아웃의 악센트 역할로 많이 사용된다. 가장자리가 톱니 같은 잎이 특징인 하이그로필라 핀나티피다는 유경초이면서도 활착력이 강해서 레이아웃의 다양한 장소에서 활용하기 쉽다.

드워프 머쉬룸   T.I
Hydrocotyle verticillate

호주 노치도메   T.I
Hydrocotyle tripartite

하이그로필라 핀나티피다   T.I
(불그스름한 수초)
Hygrophila pinnatifida

column

미스트식 안내

여기에서는 수초를 소개하고 있지만 55페이지에서 해설한 것처럼 수중엽이든 수상엽이든 대부분의 수초는 건조에 약하다. 그래서 특히 환경에 적응하지 못한 세팅 초기에는 습도를 유지하기 위해 랩 등을 수조에 씌워두는, 이른바 "미스트식"으로 육성하는 방법을 추천한다. 특히 아쿠아용 수조를 사용하는 경우, 부속된 뚜껑의 틈이 커서 습도를 유지하기 어려울 수도 있다. 때때로 환기를 하고 성장이 궤도에 올랐다고 생각되면 다른 뚜껑으로 바꾸면 될 것이다(계속 랩을 씌워두면 보기 좋지 못하므로).

랩을 씌워서 습도를 유지하고 있다

여기에서는 발사재와 두꺼운 비닐로 간이 뚜껑을 만들어서 사용하고 있다

주역으로 앉히다!?
존재감이 있는 식물들

협력/AQUA TAKE-E, Aqua Design Amano, Aqua Forest 신주쿠점,
AQUA free, Aqua Revue, H2 메구로점, Kanedai 히가시토츠카점,
color, Shimorin, charm, Remix 카스가이점, yossie_y2k

지금까지 다양한 식물들을 소개했지만 앞에 나왔던 카테고리에 속하지 않는 매력적인 식물들을 모아서 소개해보도록 하겠다. 기본적으로는 육상에서 기를 수 있는 식물들뿐이다.

쥬얼 오키드 (보석란)

벨벳 같은 잎에 반짝반짝 빛나는 무늬가 들어가 있는 아시아산 난초. 습윤한 환경을 좋아하지만 후덥지근한 환경은 싫어한다. 식물의 상태를 보면서 최적의 환경을 찾아보자.

마코데스 페톨라
Macodes petola

도시니아 마르모라타
Dossinia marmorata

쿨하셀티아 자바니카
Kuhlhasseltia javanica

베고니아

원예품종이 많이 알려져 있지만 팔루다리움/아쿠아 테라리움 세계에서는 주로 잎을 즐기는 원종계가 인기다. 핑크색 스팟을 가진 종류, 금속광택을 내뿜는 종류 등, 표현은 다양하다.

베고니아 암피옥서스
Begonia amphioxus

베고니아 클로로스틱타
Begonia chlorosticta

베고니아 네그로센시스
Begonia negrosensis

천남성과 종류

위장무늬가 멋진 아글라오네마, 어딘가 고급스러운 분위기가 나는 호말로메나 등을 거느리고 있다. 인기 있는 원예품종도 있지만 산지명이 붙어 있거나 하는 희귀한 종은 마니아들이 무척 탐을 낸다.

아글라오네마 픽텀 '천둥' T.I
Aglaonema pictum

아글라오네마 로툰덤 '타이거' T.I
Aglaonema rotundum

호말로메나 sp. '상어피부C' T.I
Homalomena sp.

호말로메나 sp.
'마운트 베사르 타입 옐로우' T.I
Homalomena sp.

착생란

육성에 흙을 사용하지 않아도 이끼 위에서 얽히게 하거나 착생시킬 수 있다. 꽃도 즐길 수 있는 그룹이다. 통풍이 잘 되는 환경을 좋아하는 종류, 저온에 강한 종류 등, 종에 따라 특성이 다르므로 각각 알맞은 환경에 배치하도록 하자.

디네마 폴리불본 T.I
Dinema polybulbon

카틀레아 콕시네아 T.I
Cattleya coccinea

에피덴드럼 포팩스 ADA
Epidendrum porpax

막실라리아 소프로니티스 ADA
Maxillaria sophronitis

그 외

팔루다리움이나 아쿠아 테라리움의 환경은 다양하기 때문에 수조에 들어가는 식물의 대부분이 그 대상이 된다고 해도 과언이 아니다. 안테나를 높게 세우고 오리지널리티 넘치는 레이아웃을 만들어보자.

셀라기넬라 윌데노위
Selaginella willdenowii
빛을 쬐면 잎이 파랗게 빛난다. 양치식물

블레크넘 옵투사텀 var. 옵투사텀
Blechnum obtusatum var. obtusatum
통칭 오브오브. 태고의 세계를 방불케 한다. 양치식물

브리세아 라시나에
Vriesea racinae
둥글게 위로 말린 잎이 특징적. 브로멜리아의 일종

아르디시아 sp. '수마트라 바랏'
Ardisia sp.
촉촉한 질감과 톱니잎이 재미있다. 자금우의 일종

라비시아 sp. '리아우 스마트라'
Labisia sp.
벨벳 같은 잎에 하얀색 라인이 늑골처럼 들어가 있다. 자금우의 일종

펠리오니아 sp. 'Binh Dinh'
Pellionia sp.
포복하면서 자란다. 벽면을 기게 하거나 늘어뜨리는 등의 응용을 할 수 있다. 쐐기풀과

동물이 있으면 즐겁다
팔루다리움 / 아쿠아 테라리움에서
기르고 싶은 생물들

사진·글/Takashi Omika
협력/Sagami Suisan, Heat Wave

다양한 형태가 있는 팔루다리움과 아쿠아 테라리움이지만 수조 내부를 육지와 물이 있는 곳으로 나눌 경우에는 각각의 면적은 작아진다. 그래서 수륙양용 생물 이외에는 그 크기와 수가 제한되기 쉽다. 그 외, 식물과의 상성 등을 고려하여 기르기 쉬운 생물들을 픽업해보았다

바리아빌리스 "서던"
보석 같은 아름다움을 자랑하는 다트프록.
본종은 기르기 쉬운 입문종 같은 존재다. 체장 약 3mm

글래스 엔젤
몸은 투명감이 강해서 뼈까지 잘 보인다.
순담수성이고 기르기 쉽다. 전장 약 3.5cm

범블비 고비
전장 3cm 정도의 사랑스러운 소형 고비.
새로운 물에서 사육하는 것이 적합하다.

반졸리니
황색 도트가 개성적이고 기르기 쉬운 다트프록.
체장 약 3cm

차코뿔개구리
비교적 소형이고 기르기 쉬운 뿔개구리의 일종.
체장 약 5cm

아홀로틀(우파루파)
멕시코산 도롱뇽의 일종.
성체는 전장이 20cm가 넘는다

제브라 스네일
아름다운 줄무늬를 가진 갈고동의 일종.
이끼 제거에도 도움이 된다. 각경 약 2cm

아주레우스
옛날부터 잘 알려진 다트프록.
체장이 5cm 정도라서 이 종류 중에서는 대형이다

오네이트 팩맨
뿔개구리의 일종.
사진은 유체이며 장난감 같아서 사랑스럽다.
체장 약 10cm

슈퍼 레드 체리 쉬림프
전신이 진홍색으로 물들어 있는 생이새우의 개량품종.
튼튼하고 기르기 쉽다. 전장 약 2cm

페구 보우 핑거드 게코
미얀마~말레이 반도 북부에 분포해 있는 보우 핑거드 게코의 일종.
전장 약 12cm

벨벳 블루 쉬림프
라피스 라줄리와 같은 청색이 매력적인
생이새우의 개량품종. 전장 약 2cm

딥 레드 뱀파이어 크랩
인도네시아산 게오세사르마속 게.
갑폭 약 2cm의 소형종

하프 오렌지 뱀파이어 크랩
타이산 게오세사르마의 한 종류.
기르기 쉽고 팔루다리움에 추천한다. 갑폭 약 2cm

팔루다리움이나 아쿠아 테라리움에서 생물을 사육하는 경우에는 생물 사육 환경과 식물의 재배 환경을 능숙하게 링크시키는 것이 포인트가 됩니다. 여기에서는 팔루다리움과 아쿠아 테라리움에서 사육을 즐길 수 있는 생물과 사육 포인트를 해설해 보도록 하겠습니다.

어류

물을 채운 아쿠아 테라리움은 케이지 사이즈에 맞춰 다양한 물고기의 사육을 즐길 수 있습니다. 화려한 색채의 열대어도 좋지만 재미있는 움직임과 특이한 외모에 중점을 두고 물고기를 선택하는 것도 추천합니다. 예를 들면, 바위나 유목의 표면에 착지하면서 기분 좋게 헤엄치는 범블비 고비 같은 고비 종류는 재미있게 관상할 수 있는 존재입니다. 또한 투명감이 강한 몸을 가진 글래스 피쉬 종류는 너무 눈에 띄지도 않고 청량감 넘치는 레이아웃을 목표로 한다면 안성맞춤인 존재일 것입니다. 언뜻 보기에 물고기가 있는 것을 눈치 채지 못하는 것도 반대로 즐거울지도 모릅니다.

물고기 사육에서 주의할 것은 점프에 의한 사고입니다. 물고기가 케이스 밖으로 튀어 나오거나 육지에서 말라 버리는 경우도 있습니다. 예를 들어 해체트 피쉬나 와일드 베타 종류 등, 도약력이 있는 물고기는 주의가 필요합니다.

양서류

다습한 환경의 팔루다리움과 양서류는 상성이 좋아서 다양한 종류의 사육을 즐길 수 있을 것입니다. 자주 사육되고 있는 것은 일본 파이어벨리 뉴트와 소드테일 뉴트 등의 일본산 뉴트입니다. 수륙 양용이고 온도 관리도 엄격하게 하지 않아도 되지만 물건의 틈새에 낀 채 빠져 나오지 못하고 그대로 죽을 수도 있으니 레이아웃을 할 때에는 주의하시기 바랍니다. 사육방법 등의 내용은 이 책의 다음 페이지에서 자세하게 해설하고 있으니 그 쪽을 참조하시기 바랍니다. 그 이외에는, 물을 많이 채워둔 아쿠아 테라리움에서는 아홀로틀, 물을 적게 채워둔 팔루다리움에서는 팩맨이나 다트프록 등의 개구리 종류도 사육 가능합니다. 단, 팩맨은 저상을 파고 들어가기 때문에 식물은 착생종을 메인으로 심거나 계단식으로 육지를 만들어 식물을 심는 등, 생태에 맞춰 레이아웃 해야 합니다.

파충류

팔루다리움에 적합한 파충류 종류는 그리 많지 않지만 자외선을 비출 필요가 없는 게코 종류, 그 중에서도 보우 핑거드 게코나 케이브 게코 등은 환경을 만들기 쉬울지도 모릅니다. 열대~아열대 지역의 임상에 서식하기 때문에 다습한 환경을 선호하지만 항상 젖어있는 것보다는 적당히 건조하고 때때로 미스트로 습도를 올리는 환경 조성이 적합합니다. 바닥의 습기 상태나 공중 습도는 종류에 따라 조절하시기 바랍니다. 사육시에는 은신처가 되는 쉘터를 넣는 것도 잊지 말아야 합니다.

갑각류

팔루다리움이나 아쿠아 테라리움에 적합한 갑각류는 생이새우 종류나 소형 게 등입니다. 그 중에서도 재미있는 것은 뱀파이어 크랩입니다. 색채가 선명한 소형종이 많고 식물이나 유목에 올라가는 등, 입체적인 움직임도 즐길 수 있습니다. 게는 탈피를 위해 물을 채워둔 공간이 필요한데, 하프 오렌지 뱀파이어 크랩은 육상에서 탈피하는 특이한 생태를 가지고 있기 때문에 특별히 물을 채워둘 필요가 없다는 것도 팔루다리움에 적합한 특성입니다.

패류

아쿠아 테라리움을 만들고 싶지만 물고기나 양서류를 돌보는 것이 힘들 것 같다고 생각하는 사람에게는 패류를 추천합니다. 관상보다 이끼 제거 생물로 이용되는 경우가 많은 패류이지만 갈고둥 종류는 무늬가 아름다운 것이 많아서 관상에 적합합니다. 잘 관찰해 보면 상당히 많이 돌아다니고 사실은 재미있는 수생 생물입니다.

일본 파이어벨리 뉴트의 생활과 사육

혼인색 기후현산 수컷(사육개체). 개체차도 있지만 혼인색을 띤 수컷은 아름답고 전시수조 내에서도 상당히 눈에 띈다. 수컷이 혼인색을 띠지 않는 지역도 있다

전편 ## 암수와 번식행동에 대해

팔루다리움의 주민으로 인기가 높은 일본 파이어벨리 뉴트. 하지만 자연에서의 생활모습과 사육의 기본에 관해서는 그다지 잘 알려져 있지 않은 것 같다. 전, 중, 후, 3회로 나눠 그 본 모습을 소개해보도록 하겠다

수컷 기후현산 수컷(사육개체). 수컷의 꼬리는 암컷에 비해 폭이 넓고 끝 부분이 가늘다. 번식기에는 총배설강 부근의 부풀어 있는 곳이 비대해지고 이선도 두드러지게 된다

암컷 기후현산 암컷(사육개체). 암컷의 꼬리는 수컷에 비해 가늘고 길다

리포트/세계 담수어원 수족관 Aqua Toto Gifu 전시사육부 학예원 Masaoki Tagami

시작하며

일본 파이어벨리 뉴트 *Cynops pyrrhogaster*는 혼슈, 시코쿠, 큐슈 주변의 섬에 서식하는 일본 고유의 양서류입니다. 단순하게 "뉴트"나 "일본 뉴트"라고 표기되기도 합니다. 논이나 연못 등, 비교적 사람의 눈에 띄기 쉬운 장소에서도 볼 수 있어 친근한 생물 중 하나라고 생각합니다. 제가 근무하는 수족관에는 관람객을 위해 일본 파이어벨리 뉴트에 관한 해설을 하는 시간이 마련되어 있는데, 일본 파이어벨리 뉴트를 알고 있는 사람이 많고 사육하고 있는 사람도 꽤 많다는 인상을 받습니다. 하지만 야생에서 일본 파이어벨리 뉴트들이 어떻게 살고 있는지에 대해서는 별로 알려져 있지 않은 것 같습니다. 이번에는 우선 일본 파이어벨리 뉴트의 생태에 관해 간단히 소개해볼까 합니다.

생태에 관해

일본 파이어벨리 뉴트는 물가에 사는 생물이고 야생개체를 발견할 기회가 많은 것도 물속에 있는 개체입니다. 물속에서는 깔따구 유생 등의 작은 생물과 수면에 떨어진 곤충들, 지렁이와 올챙이, 일본 파이어벨리 뉴트의 알 등, 다양한 것들을 먹으며 생활하고 있습니다. 수명은 길고 사육 개체 중에는 30년 가까이 사는 개체도 있습니다.

독을 가지고 있어서 포식자는 그다지 없는 것 같으며 몇몇 조류와 살무사, 황소개구리 정도가 보고되었습니다. 줄무늬뱀에게 포식되었다는 예도 보고되었지만 발견 후에 줄무늬뱀이 사망해서 일본 파이어벨리 뉴트의 독 때문에 죽은 것이라고 추측하고 있습니다. 일본 파이어벨리 뉴트의 독은 복어독(테트로도톡신)과 같은 강한 신경독이며 적에게 공격을 받으면 피부와 눈 뒤쪽에 있는 이선 등에서 독을 분비합니다. 이름의 유래이기도 한 특징적인 배의 색은 적에게 독을 가지고 있다는 사실을 알리는 경고색이라 생각됩니다.

또한 사육할 때는 그다지 볼 수 없지만 적에게 공격을 받으면 다리를 올려서 몸을 뒤로 젖히는 포즈를 취합니다. 이것은 무당개구리 반사(Unken reflex)라고 불리며 배의 색과 무늬를 보여주는 경고자세입니다.

암수에 관해

암수 구별법 중 하나는 꼬리의 형태입니다. 암컷은 가늘고 길고 곧게 뻗어 있지만 수컷은 폭이 넓고 꼬리의 끝부분이 가늘어집니다. 산란기는 4월부터 7월 무렵인데, 구애행동은 가을에도 이루어집니다. 이 시기가 되면 수컷의 꼬리와 동체에는 혼인색이 나타나 보랏빛이 도는 상당히 아름다운 색으로 변화합니다.

또한 총배설강에서 털 같은 것이 보입니다. 이것은 모상돌기라 불리는 관 모양의 기관이며 여기에서 암컷을 유혹하는 페로몬이 방출됩니다. 이 페로몬의 이름은 "소데프린"이라고 하는데, 양서류에서 처음으로 분리된 성페로몬입니다. '소데프린'이라는 이름은, 만엽집에 실려 있는 누카타노오오키미의 시에서 소매(소데)를 흔들어 애정을 표시하는 모습이 나오는데, 그 모습이 일본 파이어벨리 뉴트의 구애행동과 비슷하다고 해서 붙은 것입니다. 또한 암컷도 수컷에 대해 페로몬을 방출한다는 사실이 최근의 연구결과를 통해 밝혀졌습니다. 이쪽은 "아이모린"이라고 불리며 이 이름도 앞에서 이야기한 시의 답가에서 따온 것이라고 합니다.

번식행동과 성장

그러면 수컷과 암컷은 어떤 구애, 번식행동을 보이는 것일까요? 우선 수컷이 암컷을 확인하면(①) 암컷의 머리 앞에서 꼬리

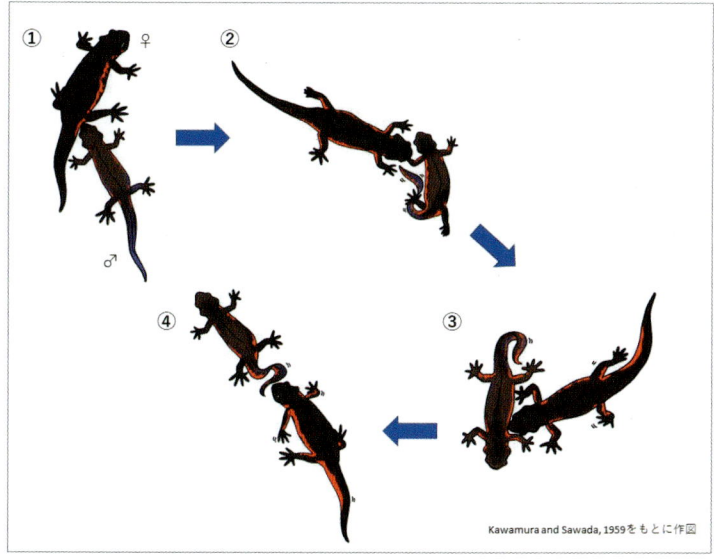

번식행동
사육개체를 관찰해 봐도 암컷이 수컷을 받아들이는 장면은 좀처럼 보기 어렵다. ①~④ 각각의 행동에 관해서는 본문참조

알
알은 한 개씩 낳으면서 뒷다리를 요령껏 사용하여 수초에 싸놓는다. 알의 직경은 2mm 정도

모상돌기 (화살표)
기후현산 수컷(사육개체). 털처럼 보이기도 하지만 관 모양이며 복부항문선으로 이어져 있고 여기에서 페로몬이 방출된다

유생
소형 도롱뇽 종류의 유생과 비슷하지만 뉴트의 유생은 성장을 하면서 서서히 체색이 검어지고 체측에 점처럼 보이는 측선이 눈에 띄게 되어 구별할 수 있다

를 열심히 흔듭니다(②). 암컷이 수컷을 받아들이면 목 옆 부근을 가볍게 누르는 등의 신호를 보내고(③) 그 후에 수컷의 뒤를 따라가고 2마리가 천천히 전진합니다(④). 그때 수컷은 정자가 들어있는 덩어리(정포)를 떨어뜨리고 그 위를 암컷이 지나갈 때 총배설강에 덩어리가 붙으면서 암컷의 체내로 정자가 들어가게 됩니다. 체내로 들어간 정자는 그대로 저장되었다가 산란을 할 때 이용됩니다. 즉 일본 파이어벨리 뉴트는 체내수정을 하는 생물인 것입니다. 참고로 가을에 암컷의 체내에 저장된 정자는 다음 해 봄에 산란을 할 때도 이용된다는 사실이 밝혀졌습니다.

암컷은 산란기 동안 100~400개 정도의 알을 여러 번에 걸쳐 낳습니다. 뒷다리를 요령껏 사용하여 나뭇잎으로 싸서 만드는 찰떡처럼 수초 등으로 감싸고 알을 하나씩 낳습니다. 알은 약 3주일 정도 지나면 부화하고 물속의 작은 동물을 먹으며 성장합니다. 유생에게는 우파루파처럼 겉아가미가 있고 다리는 개구리의 올챙이와는 반대로 앞다리, 뒷다리 순서로 자라납니다. 그 후에 약 3개월이 지나면 변태하고 생활 장소를 육상으로 옮깁니다. 육지로 올라간 유체는 톡토기나 진드기 등의 작은 토양생물을 먹으며 살아갑니다. 대략 3~4년이 지나면 성성숙하지만 표고가 높은 장소에서는 더 시간이 걸린다고 알려져 있습니다. 그 후에 성체는 번식을 위해 다시 물가로 모여들게 되는데, 물가에서 멀리 떨어진 장소에서 발견되는 경우도 있습니다. 이동도 포함해서 육상에서도 때때로 생활을 하고 있는 것 같습니다.

●

지금까지 친근한 생물인 일본 파이어벨리 뉴트의 생활에 관해 간단히 소개했지만 그 생태는 아직 잘 모르는 부분도 많이 있습니다. 또한 최근에는 서식수가 줄어들고 있어 이제는 가까이에서 친숙하게 볼 수 있는 생물이 아니게 되었습니다. 특히 관동지방에서는 각 현의 레드리스트에 절멸위기종으로 지정되어 있습니다.

그 이유로는 서식지의 개발과 포장정비, 벼 재배방법의 변화 등을 들 수 있습니다. 일본 파이어벨리 뉴트가 생명을 보존하기 위해서는 번식을 행하는 물가뿐만 아니라 유체가 생활하는 습윤한 육상 환경도 필요합니다. 또한 그 두 가지 환경을 자유롭게 왔다갔다 할 수 있는 환경이 없으면 살아갈 수가 없습니다. 또한 애완동물용으로 남획되는 일도 문제시되고 있습니다. 최근에는 인터넷 옥션 등에서 같은 산지라 생각되는 성체가 대량으로 판매되고 있는 경우가 있는데, 이런 행위가 개체군에게 미치는 영향은 심각하다고 할 수 있습니다. 설령 합법이라고 해도 엄격하게 삼가야 합니다.

참고문헌

Akiyama, S., Y. Iwao, and I. Miura. 2011. Evidence for true fall-mating in Japanese newt Cynops pyrrhogaster. Zoological Science, 28:758-763

Takashi Atobe, Nozomi Nishiumi, Shota Nakanoh. 2011. 줄무늬뱀에 의한 일본 붉은배 영원의 포식 예. 파충양서류학회보 2011(1):14-17

Terutake Hayashi. 1996. 영원. P.24-25. 27. Shoichi Sengoku, Tsutomu Hikida, Masafumi Matsui, Kazuhiro Nakaya(편). 일본동물대백과 제5권, 양서류・파충류・연골어류. Heibonsha. 도쿄.

Kawamura, T., and S. Sawada. 1959. On the sexual isolation among different species and local races of Japanese newts. Journal of Science of the Hiroshima University. Series B 18:17-30.

Marunouchi, J., H. Ueda, and O. Ochi. 2000. Variation in age and size among breeding populations at different altitudes in the Japanese newts, Cynops pyrrhogaster. Amphibia-Reptilia, 21:381-396

Matsui, K., K. Mochida, and M. Nakamura. 2003. Food habit of the juvenile of the Japanese newt Cynops pyrrhogaster. Zoological Science, 20:855-859

Tomoaki Nakada. 영원의 성페로몬이란-"미약"의 정체에 접근하다 https://academist-cf.com/journal/?p=3674 2019.12.16. 열람

Masafumi Matsui. 2014. 일본 붉은배 영원. p.144. 환경성(편) 레드데이터북 2014-일본의 절멸이 우려되는 야생생물-3 파충류・양서류. Gyousei. 도쿄.

Sawada, S. 1963. Studies on the local races of the Japanese newts, Triturus pyrrhogaster Boie Ⅱ. Sexual isolation mechanisms. Journal of Science of the Hiroshima University. Series B 21:167-180.

중편 지역별 차이에 대해

아츠미 종족 아츠미 종족의 유체(사육개체). 필자가 근무하는 Aqua Toto Gifu에서는 아이치 교육대학과 아이치현 등이 주도하고 있는 일본 파이어벨리 뉴트 아츠미 종족 보전활동의 일환으로써 만일의 경우에 대비하여 서식지역외 보전을 맡고 있다

뒷다리를 올린다 기후현산(사육개체). 꼬리를 흔들어 암컷을 유혹할 때에 뒷다리를 암컷에게 올리고 있다. 이런 행동을 하지 않는 지역도 있다

복 부 지역과 개체에 따라서 다양한 무늬가 들어간다

미약의 유래는

전편에서는 일본 파이어벨리 뉴트의 수컷이 암컷에게 정포(정자가 들어있는 주머니)를 주면 그것으로 체내수정을 하는 생물이라는 점 등, 번식행동에 대해 잠깐 이야기했습니다. 실제로는 수컷의 구애가 좀처럼 쉽게 받아들여지지 않는다고 하며, 야외에서도 사육할 때도 암컷이 수컷을 거들떠도 보지 않는 경우가 많습니다. 그래서 번식기에는 수컷이 항상 암컷에게 집요할 정도로 구애행동을 합니다. 이런 생태는 에도시대의 백과사전에도 적혀 있고 라쿠고 등, 다양한 창작물에서 언급되는 "영원 구이"가 미약 효과가 있다고 여겨지는 이유 또한 이와 같은 행동에서 비롯된 것입니다. 효과에 관해서는, 필자로서는 알 수 없지만 지금도 구입할 수 있는 가게가 있다고 하니 흥미가 있는 분은 한 번 시험해보시기 바랍니다.

구이뿐만 아니라 연구대상으로서도 일본 파이어벨리 뉴트는 유명합니다. 뉴트 종류는 오래전부터 발생학 연구에서 이용되었고 예를 들어 독일의 발생학자 슈페만씨가 뉴트의 배아(밴디드 뉴트와 크레스티드 뉴트)를 사용하여 오거나이저(형성체라고도 하며 배아발생 초기에 주위의 세포에게 작용하여 분화를 촉진시키는 영역)를 발견한 일은 특히 유명합니다. 최근에도 특히 재생연구에서 뉴트가 이용되고 있습니다. 뉴트의 재생능력은 상당히 뛰어나서 몸의 다양한 부분(팔다리와 눈, 뇌 등)을 잃거나 상처를 입거나 해도 재생한다는 사실이 잘 알려져 있습니다. 올챙이도 몸의 일부가 떨어져나가도 재생하지만 그 능력은 올챙이 시기에만 발휘되고 변태한 후에는 재생하지 않습니다. 하지만 뉴트는 어른이 되어도 재생능력을 가지고 있고 나이를 먹거나 여러 번 재생했다고 해서 능력이 저하되지도 않습니다.

눈 안의 수정체를 재생할 때마다 몇 번이나 제거했다는 실험결과에서는 약 30세였던 개체가 19회 재생했고 어린 개체의 정상적인 수정체와 비교해도 전혀 손색이 없는 것이었다고 합니다. 이 재생능력의 수수께끼가 밝혀질수록 재생의료 등에 도움이 될 가능성이 있습니다.

6개의 지역종족

일본 파이어벨리 뉴트는 홋카이도와 오키나와를 제외한 일본 각지에 서식하고 있는데, 지역별로 차이가 있다고 합니다. 1960년대에 발표된 논문에서는 일본 파이어벨리 뉴트의 가장 큰 특징인 배의 무늬와 같은 형태를 조사한 결과를 토대로 6개의 지역종족(토호쿠, 간토, 아츠미, 중간, 사사야마, 히로시마)으로 나누었습니다. 예를 들어 아츠미 종족은 아이치현 아츠미 반도에만 서식하고 있다고 알려져 있으며 등과 측면에 라인이 들어가 있고 전장이 짧으며 꼬리의 폭은 넓고 수컷이 혼인색을 발색하지 않는다는 등의 특징을 가지고 있다고 합니다. 하지만 1950년대에 이미 아츠미 반도의 일본 파이어벨리 뉴트는 절멸될 위기에 처해있었기 때문에 현재는 절멸되었다고 생각됩니다.

최근에 아츠미 반도와는 다른 장소에서 아츠미 종족의 특징을 가진 개체군이 발견되었지만 이쪽도 서식수가 상당히 적어서 위험한 상황이기 때문에 아이치현의 지정 희소 야생 동식물종으로 지정되어 포획 등이 금지되어 있습니다.

또한 형태뿐만 아니라 번식행동에도 지방종족별로 차이가 있다는 것이 밝혀졌는데, 사사야마 종족의 수컷은 꼬리를 흔들어서 암컷에게 구애할 때 뒷다리를 암컷의 어깨 부근에 올린다고 합니다. 이 행동은 앞에서 이야기한 아츠미 종족에서도 보이며

다지 기후현산(사육개체). 상처를 입거나 한 부분이 재생해서 이렇게 되었다고 생각된다

체색 특징적인 체색을 띠고 있는 지역 개체군도 있다. 색채변이는 아니다

"왜한삼재도회 45권 용사류, 46권 개갑류 귀해속"의 일본 파이어벨리 뉴트에 관한 내용이 나오는 페이지(왼쪽)

일본국회도서관 디지털 콜렉션에서

(뒷다리를 올리지 않는 경우도 있다) 중간 종족의 일부 지역에서도 관찰되고 있지만 그 외의 종족에서는 보이지 않습니다. 수컷뿐만 아니라 암컷의 행동에도 지역차가 있고 간토 종족의 암컷은 수컷의 구애를 받아들였다는 신호로 수컷의 목을 깨무는 경우가 많고 구애를 받아들인 후에 수컷의 뒤를 따라갈 때도 신호로 수컷의 꼬리를 깨무는 경우가 있습니다. 이것은 다른 지역의 암컷은 하지 않는 행동입니다. 이런 행동의 차이에 따라 일본에 사는 같은 일본 파이어벨리 뉴트임에도 페어의 지역이 다르면 번식이 잘 안 되는 예가 있다는 사실도 밝혀졌습니다.

유전적인 차이

형태와 행동만이 아니라 유전적으로도 차이가 있는데, 알로자임을 조사한 연구결과에서는 5개의 집단으로 나누고 미토콘드리아 DNA를 조사한 연구결과에서는 4개의 집단으로 나눕니다. 특히 간토와 토호쿠 지방의 집단은 다른 지역과 크게 분화되어 있습니다.

그 외에도 이즈 반도의 미나미이즈에서는 근린집단과 유전적으로 차이가 나는 등, 눈에 보이지 않는 부분에서도 지역에 따라 상당한 차이가 있다는 것이 밝혀졌습니다. 이런 유전적 차이들은 형태 등을 기준으로 그룹을 나눈 결과와 대체적으로 비슷한 결과입니다.

이처럼 같은 일본 파이어벨리 뉴트라도 각 지역별로 특징이 다르며 이 특징들은 오랜 세월에 걸쳐 만들어진 것입니다. 만일 여기에 다른 지역의 개체가 들어온다면 이와 같은 일본 파이어벨리 뉴트의 다양성은 파괴되어버릴 우려가 있습니다.

"키울 수 없게 되면 뉴트들이 있는 장소에 풀어주면 되나요?"

지금까지 관람객분들에게 이런 질문을 여러 번 받았지만 그 때마다 야외에 풀어주는 것은 절대 해서는 안 되는 행동이라는 것을 설명했습니다. 다양한 지역과 유래불명의 개체가 애완동물 목적으로 판매되고 있는 현재 상황을 생각하면 무척 걱정이 됩니다. 또한 설령 같은 산지의 개체라고 해도 한 번 사람이 사육했던 개체를 야외에 방류하는 것은 감염증 전염 등의 다양한 위험성을 내포하고 있으니 권장할 수 없는 행위입니다. 독자 여러분에게는 당연한 일이겠지만 "마지막까지 책임을 가지고 키운다"는 기본을 잊지 말아야 할 것입니다.

참고문헌

Tomohiko Shimada. 2015. 일본붉은배영원 아츠미 종족, 제3차 레드리스트 레드리스트 아이치 2015 신계재종 해설. 아이치현 환경부. https://www.pref.aichi.jp/kankyo/sizen-ka/shizen/yasei/redlist/ ryouseirui2015.pdf 2020.1.11. 열람

Sawada, S. 1963. Studies on the local races of the Japanese newt, Trituras pyrrhogaster Boie I. Morphological characters. Journal of Science of the Hiroshima University Series B. 21:135–165.

Sawada, S. 1963. Studies on the local races of the Japanese newts, Trituras pyrrhogaster Boie Ⅱ. Sexual isolation mechanisms. Journal of Science of the Hiroshima University Series B 21:167–180.

Shozo Sawada. 1961. 영원의 성행동의 지역적 차이. 동물학잡지 70(10):342–347.

Hayashi, T. and M. Matsui. 1988. Biochemical differentiation in the Japanese newts, genus Cynops (Salamandridae). Zoological Science 5:1121–1136.

Hayashi, T. and M. Matsui. 1990. Genetic differentiations within and between two local races of the Japanese newts, Cynops pyrrhogaster, in Eastern Japan. Herpetologica 46(4):423–430.

Tominaga, A., M. Matsui, N. Yoshikawa, K. Nishikawa, T. Hayashi, Y. Misawa, S. Tanabe, and H. Ota. 2013. Phylogeny and historical demography of Cynops pyrrhogaster (Amphibia:Urodela):Taxonomicrelationshipsand distributional changes associated with climatic oscillations. Molecular Phylogenetics and Evolution 66:654–667.

Tominaga, A., M. Matsui, and Y. Kokuryo. 2015. Occurrence and evolutionary history of two Cynops pyrrhogaster lineages on the Izu Peninsula. Current Herpetology 34(1):19–27.

Masuo Usui. 1993. 영원과 도롱뇽의 박물지. 코샤쿠샤. 도쿄. 337p.

Shimada, T., S. Maeda, and M. Sakakibara. 2016. A Morphological Study of Cynops pyrrhogaster from the Chita Peninsula: Rediscovery of the "Extinct" Atsumi Race Endemic to Peninsular Regions of Aichi Prefecture, Central Japan. Current Herpetology 35(1): 38

(공재) 테루모 생명과학 진흥재단. 지금 주목받는 최첨단 연구와 기술 탐험! 제31회.
https://www.terumozaidan.or.jp/labo/technology/31/index.html

JT 생명지연구관. 영원의 렌즈 재생에 매료되어. http://brh.co.jp/s_library/interview/94/ 2020.1.11. 열람

산란 뒷다리를 사용해서 알을 감싸면서 산란한다. 비닐끈 같은 인공물로도 대용이 가능하다

알 냉장고 등에 넣어서 차갑게 하면 발생을 늦출 수 있다

색채변이 개체 예전에 관람객분이 가지고 온 개체. 미에현산

후편 사육과 번식에 대해

유체 기후현산 유체(사육하에서 번식된 개체)

전~중편에서는 일본 파이어벨리 뉴트의 생태 등에 관해 이야기했지만 이번에는 "사육"에 관해 이야기해볼까 합니다. 사육방법은 사육의 목표에 따라 달라집니다. 예를 들어 "번식을 노리고 싶다""많은 개체를 함께 키우고 싶다"는 분도 있지만 "한 마리를 건강하고 소중하게 사육하고 싶다"는 분도 있을 것입니다. 모든 사육방법에 관해 해설할 수는 없으니 이번에는 필자가 근무하고 있는 수족관에서 사용하는 번식방법과 유생, 유체의 사육방법에 관해 간단히 해설해보도록 하겠습니다.

번식

일본 파이어벨리 뉴트와 같은 일본산 유미류인 소형 도롱뇽 종류 중에는 사육환경에 계절변화를 잘 반영하지 않으면 번식에 이르지 못하는 종도 많지만 일본 파이어벨리 뉴트는 집 안의 완만한 기온변화와 햇빛이 비치는 시간의 변화 등에 의해서도 비교적 번식을 잘 합니다. 암수를 같은 수조에서 사육하고 있으면 시기가 왔을 때 구애행동을 관찰할 수 있습니다.

산란은 초봄부터 시작되지만 그대로 놔두면 모처럼 낳은 알을 다른 개체가 먹어버립니다. 알을 낳아서 붙일 수 있는 수초(검정말이나 아나카리스 등)를 많이 넣어두면 다른 개체가 알을 먹는 것을 줄일 수 있습니다. 알을 확인했으면 다른 용기로 수초 자체를 이동시켜 관리합니다. 또한 수초가 없어도 비닐을 갈라놓은 것 등으로도 대용이 가능합니다. 외관을 신경 쓰지 않는다면 그것도 한 가지 방법이 될 수 있습니다.

알과 유생의 관리

수온에 따라 다르지만 대략 2~3주 정도가 지나면 부화합니다. 죽은 알이 있으면 물이 나빠지는 원인이 되므로 제거하기 바랍니다. 유생을 사육할 준비가 되어 있지 않다면 일시적으로 냉장고 등에 넣어두면 발생을 늦출 수 있습니다.

부화한 유생은 난황을 다 흡수할 때까지 며칠~일주일 정도는 먹이를 먹지 않습니다. 초기사료는 브라인 쉬림프 유생을 주고 급이 횟수는 매일~며칠에 한 번씩 주고 있습니다. 먹고 남은 브라인 쉬림프 유생은 물을 더럽히는 원인이 되므로 스포이트 등으로 빨아내야 합니다. 유생의 개체수와 수량의 따라 환수 빈도는 달라지지만 개체수가 적다면 남은 먹이를 물과 함께 빨아내고 줄어든 양만큼 며칠에 한 번씩 물을 추가하면 문제없습니다.

유생의 사육밀도는 확실하게 잘 육성시키고 싶다면 서로 잡아먹지 못하도록 하는 의미에서도 최대한 낮게 편이 좋다고 생각합니다.

유생이 조금 성장하면 냉동 붉은 장구벌레 등을 먹을 수 있게 됩니다. 핀셋으로 집어서 유생의 입 앞까지 가져간 다음 약간 흔들면 바로 달려들어 먹습니다. 변태가 가까워지면 곁아가미가 짧아지므로 육지를 사육 케이스 안에 만들 필요가 있습니다. 타이밍을 놓치면 익사할 수도 있으니 일찌감치 육지를 준비해두기 바랍니다. 제가 근무하는 수족관에서는 유생의 상륙시기가 가까워지면 사육용기 안에 원예용 적옥토를 완만하게 경사지게 깔아서 육지를 만들고 있습니다.

유체의 사육

유체는 육생이므로 사육용기 안에 물을 채워둘 수 없습니다. 저희 수족관에서 유미류 유체를 사육하는 방법은 적옥토를 전면에 깔고 은신처를 조금 넣어두기만 하는 심플한 방식입니다. 사육용기 안에 촉촉이 젖은 적옥토를 5cm 정도 깔고 거기에 부엽토를 약간 섞어서 사용하고 있습니다.

유체는 습한 열기에도 약하고 건조에도 약하므로 주의가 필요합니다. 바닥재는 끈적끈적한 상태가 아니라 촉촉한 상태를 유지합니다. 또한 빠지지 않을 정도의 깊이로 물을 채운 물그릇을 놓아두면 안심할 수 있습니다. 바닥재가 더러워진 것 같으면 흐르는 물로 씻거나 새로운 것으로 바꿉니다.

청소 빈도도 사육 상황에 따라 달라지지만 위생적이지 못한 환경에서 사육하면 병에 걸릴 수 있으니 자주 청소하는 것이 중요합니다.

먹이는 쌍별귀뚜라미의 일령유충에 시판되고 있는 양서파충류용 서플리먼트를 묻혀서 뿌리듯이 주고 있습니다. 서플리먼트 효과에 관해서는 없는 것보다는 있는 편이 좋은 것 같다는 정도이지 비교 검토를 한 것은 아니라서 솔직히 말하면 잘은 모르겠습니다. 오히려 먹이로 이용하기 전에 제대로 귀뚜라미에게도 먹이를 주는 편이 더 좋다고 생각합니다. 쌍별귀뚜라미 외에도 먹이용 초파리도 잘 먹습니다.

초파리는 작은 공간에서 간단히 증식시킬 수 있으므로 사육수가 적다면 초파리 쪽이 더 먹이로 주기 편할 것입니다. 익숙해지면 핀셋으로 주는 먹이를 받아먹게 되므로 사육개체수가 많지 않다면 핀셋으로 직접 먹이를 주는 편이 확실합니다. 동면상태가 될 정도로 기온을 떨어뜨리지 않는다면 겨울에도 먹이를 먹습니다. 무리해서 기온을 내릴 필요는 없습니다.

전장 6~7cm 정도까지 성장하면 케이스 안에 물을 얕게 부어서 서서히 수중생활로 이행시킵니다. 갑자기 수심이 깊은 곳을 만들면 익사할 수 있으므로 주의가 필요합니다. 유생을 상륙시킬 때와 마찬가지로 완만하게 경사진 저상을 만들고

사육수조

Aqua Toto Gifu에서는 두 개의 전시수조에서 일본 파이어벨리 뉴트를 사육전시하고 있습니다. 매년, 어느 수조에서건 번식행동을 관찰할 수 있습니다.
①폭 200cm×안길이 100cm×높이 100cm, 수심 25cm
②폭 90cm×안길이 90cm×높이 90cm, 수심 8cm

유체 사육 예

바닥재는 적옥토를 중심으로 사용하고 있다. 사진의 바닥재는 꽤 축축하지만 조금 더 건조한 상태에서 물그릇과 촉촉한 물이끼를 넣어두면 좋다

저면식 필터를 설치하면 좋을 것입니다. 또한 수중생활을 하게 되면 성체와 같은 사육관리를 할 수 있어 급이 작업 등도 편해집니다. 가정에서 사육할 때는 일찌감치 수중생활로 이행시키는 것도 좋은 방법 중 하나입니다.

사육개체의 입수

전편에서도 잠깐 이야기했지만 현재 일본 파이어벨리 뉴트 종의 존속을 위협하는 문제 중 하나가 애완동물용으로 난획되는 것입니다. 난획된 개체를 구입하면 또 다른 난획을 조장하게 될 수 있습니다. 가능하다면 실제로 서식지로 찾아가서 채집가능한 장소라는 점을 확인한 후에 사육관리할 수 있는 만큼의 개체만 자신의 손으로 채집해오는 것이 좋다고 생각합니다.

물론 개체수가 적은 장소라면 채집을 피하는 판단도 필요합니다. 서식지와 야생개체를 자신의 눈으로 관찰한 경험은 일본 파이어벨리 뉴트를 사육할 때 분명 도움이 될 것입니다.

팔루다리움과 아쿠아 테라리움에서 사용하기 편한 용품

아쿠아리움 용품을 유용하는 경우도 많았던 이 분야에도 전용 상품이 속속 등장하고 있다. 마음에 드는 것을 찾아보자!

※표기 사이즈는 폭×안길이×높이cm

수조·케이스

시스템 팔루다 60

시스템 팔루다 60 / DOOA

습도를 조정하는 미스트 플로우와 서큘레이션 팬, 와비쿠사 매트 등이 세트로 구성되어 있으며 팔루다리움 전용 시스템이다. 미스트와 팬은 파워코드 S-70(ADA)에 연결하여 분단위 가동을 설정할 수 있기 때문에 섬세한 습도조정을 하기 쉽다. 정글 플랜츠 등을 식재한 와비쿠사 매트를 배면에 있는 그리드에 고정시킬 수 있다.

- 시스템 팔루다 30(30×30×45cm)
- 시스템 팔루다 60(60×30×45cm)

시스템 테라 30 / DOOA

전면 글래스가 없는 개방적인 시스템. 시스템 팔루다와 마찬가지로 세트에 포함된 와비쿠사 매트를 배면에 부착할 수 있다. 미스트 플로우(안개)가 세트에 포함된 제품도 있다.

- 시스템 테라 30(30×30×40cm)
- 시스템 테라 30 미스트 플로우 풀세트

테라리움 프리미엄 1-2 테라리움 프리미엄 1-1

피쉬앤드림 테라리움 수조 / 피쉬코리아

피쉬앤드림 테라리움 수조는 고급 유리를 이용해 다양한 모델과 사이즈로 출시한 퀄리티 높은 테라리움 전용 수조이다. 실내외 어디에나 적합한 모델과 디자인으로 인테리어 효과를 높여준다.

팔루다리움 케이지 프로 / Apua Tailors

통기성, 배수의 효율과 편의성 등을 고려하여 제작한 팔루다리움 전용 케이지. 상부에는 미스팅 시스템을 부착할 수 있는 구멍도 만들어져 있다. 30×30×45cm

PHK02S (300 × 300 × 450mm)

PHK13 (600×450×900mm)

글래스 테라리움 / 렙티주

렙티주 사육장이 새롭게 업그레이드 됐다. 높아진 워터라인, 강화유리 소재를 사용하여 사용자의 편의를 최대한 고려했다. 앞과 위의 환기구를 통해 신선한 공기가 유입되어 쾌적한 환기가 가능하다. 또한 양방향 배수구가 있어 여과기 결합이 가능하다. 벨브를 통해 자유롭게 수위 조절이 가능하고 정기적인 배수가 가능하여 효과적으로 바닥면 세균증식의 문제를 해결할 수 있다.

세팅 예

호토리에 그린 카펫 키트 P / Suisaku

호토리에 라인업에 원주형 수조가 추가되었다. 녹색 융단 연출 폭이 넓어질 것 같다. 글래스 용기 외에 베이스 소일, 베이스 샌드, 라바스톤, 수초 씨앗이 동봉되어 있다. 직경 15×높이 15cm

아쿠아테리어 메다카용 N190 / Suisaku

부속된 플랜터에 물에 강한 식물을 심으면 간단히 아쿠아 테라리움이 완성된다. 물고기를 메인으로 사육하면서 식물도……라고 생각하는 사람에게도 좋을 것이다. 19×21×10cm

세팅 예(우드 베이스와 매그 라이트는 별매)

글래스 포트 SHIZUKU / DOOA

뚜껑에 물을 부으면 "물방울"이 조금씩 떨어진다. 용기 안의 습도가 이것으로 유지되는 것과 동시에 보기에도 좋게 만들어져 있다. 측면에는 과도한 습기를 방지하는 통기구멍도 만들어져 있다. 본체 사이즈 직경(최대)17×높이20cm

세팅 예

호토리에 그린 에그 키트 / Suisaku

달걀 모양의 귀여운 용기에서 팔루다리움을 즐길 수 있다. 부속된 씨앗을 뿌리면 손쉽게 그린을 즐길 수 있다. 글래스 용기 외에 베이스 소일, 라바스톤, 수초 씨앗이 동봉되어 있다
- 호토리에 그린 에그 키트S (직경 6×높이 9cm)
- 호토리에 그린 에그 키트M (직경 8.5×높이 13cm)

AQ-M160R   AQ-M210R

LEDSTAR AQ DOT 시리즈 / 어반네이처

보틀과 조광형 LED 라이트가 세트로 되어 있는 세련된 유리 수조. 조명 상단 터치식 버튼으로 쉽고 편하게 온, 오프가 가능하다. Full Spectrum RGBW, IP68 방수 등급, 6063 항공 알루미늄 바디, Epistar, Cree, Osram의 채택
- AQ-M300R (H300×160φmm)
- AQ-M160R (H300×170mm×170mm)
- AQ-M210R (H300×210×170mm)

기구류

Y35 RGBW SPECTRUM   Y30 FULL SPECTRUM

SPOTLIGHT LED LAMP / 어반네이처

식물 광합성에 탁월한 최적의 파장을 가지고 있고, 본체는 부식에 강한 블랙 아노다이징 처리가 되어 있어 내구성이 보장된다. 또한, 원활한 열 발산을 위한 쿨링팬이 장착되어 LED 사용시간을 대폭 늘렸다. 테라리움, 팔루다리움에 최적화된 램프로 등기구나 소켓에 장착해서 사용가능하다.

팔루다 라이트 60

팔루다 라이트 / DOOA

열대우림식물을 육성하기 위한 조명기구. 수초육성용 라이트와는 R(적), G(녹), B(청)의 밸런스비가 다르고 열대우림식물 특유의 푸르게 빛나는 잎과 컬러풀한 소형 원종 난의 꽃 등을 아름답게 관상할 수 있다. 폭 30cm와 폭 60cm가 있다
- 팔루다 라이트 30
- 팔루다 라이트 60

미스트 플로우 / DOOA

시스템 테라 30, 시스템 팔루다 30/60 전용 초음파 미스트 발생기. 여과조의 물속에 가라앉히고 전원을 켜면 미세한 안개가 발생한다. 교환용 진동판(3장), 전용 공구 등이 부속되어 있다.

치히로스 C II RGB / 디스커스코리아

치히로스 C II RGB는 실제의 자연광과 가장 유사한 강화 화이트 빛을 만들어 수조 안 깊숙히 반짝이는 놀라운 효과를 만들어 준다.
- 블루투스 콘트롤러 내장(Wi-Fi)
- IP43급 방수 및 방열 설계
- 360도 회전 지지대

세팅 예

아쿠아 테라 메이커 / GEX
수중 펌프, 분수기, 저면식 필터 등이 세트로 이루어져 있다. 아쿠아 테라리움과 팔루다리움에서 자유도가 높은 배수를 실현할 수 있다. 폭 60cm 이하의 수조에 대응

압축분무기 / 렙티주
노즐 조절로 물분사량 조절이 가능하고 잠금 버튼으로 지속적으로 분사가 가능하다. 1.5리터 용량으로 쉽게 사용이 가능.
• SP01(31×17×12cm)

사용예

고압 미스팅 시스템 / 렙티주
자연환경에서 내리는 비를 사육 환경에 재현하여 필요한 습도를 공급한다.
저소음 설계로 소음을 최소화하고 하나의 미스팅기로 여러개의 사육장에 동시 사용이 가능하다.(추가 노즐 별도 구매)
상부에서 물을 상시 주입 가능하여 편리함을 극대화 했다.
• TR05(235×235×400mm)

아쿠아 패널 히터 / Suisaku
수조 아래에 까는 타입의 히터. 물을 채운 아쿠아리움에서는 수중 히터를 이용할 수 있지만 작은 아쿠아 테라리움이나 물이 적은 팔루다리움에서는 이런 타입이 편리하다. 표면 온도 약 25~60℃ 범위에서 조정 가능. 때때로 수조 내의 온도를 확인하여 온도를 조정하자

저상 · 조형재

정글 베이스 / DOOA
물이 정체되기 쉬운 팔루다리움 수조 바닥에 사용하는 저상재. 경석을 베이스로 하여 만들었으며 식물의 생육에 효과적인 토양 미생물과 목탄가루가 함유되어 있기 때문에 저상 내의 통기성을 유지하고 식물의 뿌리가 썩는 것을 방지한다. 200㎖

정글 소일 / DOOA
팔루다리움 등에서 식물을 육성할 때 적합한 저상소재. 천연흑토를 베이스로 하여 만들었으며 식물의 생육에 유효한 토양 미생물과 무연탄을 함유하고 있어 식물이 뿌리를 잘 내리게 되고 건강하게 자란다. 700㎖

이스타 프리미엄 소일 / 이스타 코리아
부드러운 다공성의 입자로 가공하여 박테리아 서식과 수질 정화에 최적화된 소일이다. 풍부한 유기산 함유로 수초생장을 촉진하고 새우, 열대어 등에게 최적의 자연환경을 제공한다.
• 1L, 3L, 8L

닛소 커스텀 소일 / NISSO(서울아쿠아룸)
닛소 커스텀 슈림프 블랙 소일은 CRS계열 새우는 물론 고난이도 수초를 위해 개발된 소일이다.
벤토나이트 및 다량의 미량원소를 포함해 서서히 미네랄을 방출하여 까다로운 전경초와 고퀄리티 레드비까지 적용이 가능하다.
• 커스텀 블랙 1kg, 3kg, 8kg
• 쉬림프 블랙 1L, 3L, 8L

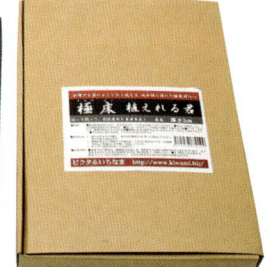

키와미도코 우에레루군(식물 식재용 폼) / Picuta
흡수성이 뛰어난 식물 식재용 폼. 높이가 높은 케이지에서도 물을 빨아올려준다. 커터나이프나 스푼 등으로 쉽게 조형이 가능. 물을 머금으면 검게 변해서 레이아웃에 잘 어울린다. 오아시스와 비슷한 재질.
• A4 사이즈 두께 3cm • A4 사이즈 두께 9cm

아트폼, 스프레이 본드 / 어반네이처
테라리움, 비바리움 등에서 사용가능한 아트폼과 스프레이 본드이다.
돌, 유목 등 사이를 메꾸거나 고정할 때 사용한다.

츠쿠레루군(조형용 폼)
/ picuta

강화 발포 스티로폼으로 만들어졌다. 칼로 자를 수 있고 글루건이나 실리콘으로 접착할 수 있기 때문에 팔루다리움의 토대, 육지, 펌프 커버 등, 다양한 장면에 이용할 수 있다. 어디를 자르던 검기 때문에 레이아웃에서도 눈에 잘 띄지 않는다. 59×29×1.5cm

패널 타입

Epiweb 에피웹 / Aqua Tailors

재생 플라스틱이 원료인, 식물이 착생하는 소재. 수조 배면에 붙이거나 잘라서 주머니를 만드는 등, 다양한 방법으로 사용할 수 있다. 패널 타입, 행잉 바스켓 타입, 브랜치 타입 등, 다양한 형태가 있다.

※ 29 × 44 × 2cm

Epiweb 세팅 예

키와미도코 조형군(식물 뿌리부착 용토)
/ Picuta

물을 부어서 진흙처럼 만들어 사용한다. 원하는 형태로 조형하기 쉽고 식물 재배도 가능. 각종 소재의 표면에 붙여서 사용하는 것도 가능하다
•2ℓ •4ℓ

Hygrolon(하이그로론) 시트
/ Aqua Tailors

식물을 착생시킬 수 있는, 보수성 높은 팔루다리움 시트. 보수, 흡수력이 높고 Epiweb 등의 소재에 붙여서 사용하면 더 높은 흡수성을 발휘하게 할 수 있다.
•50×50cm •100×100cm •100×200cm

Hygrolon (하이그로론) 3D
/ Aqua Tailors

팔루다리움용 시트 Hygrolon을 표면에 채용한 레이아웃 소재. 비틀거나, 늘리거나 줄이거나 해서 다양한 형태로 만들 수 있기 때문에 레이아웃 제작에서 유용하게 사용할 수 있다
•직경 약4.5×전장 약40~90cm
•직경 약10×전장 약45~90cm

레이아웃 용품 · 생체 등

Nature View 리얼 브랜치 우드
/ Suisaku

플랫 스톤(아래)과 마찬가지로 천연 유목의 질감을 리얼하게 재현한 레진제의 오너먼트. S사이즈와 M사이즈가 있고 각각 패턴이 4개 있다. 레이아웃의 다양한 장면에서 활약할 것 같다
•S사이즈
•M사이즈

 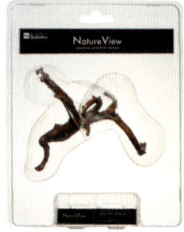  

S-02   S-01   M-03   M-01

Nature View 플랫 스톤 그레이

우드스톤 / Aqua Tailors

돌이면서 나무처럼 보이기도 하는 신비한 소재. 펜치 등으로 쪼갤 수도 있어 원하는 형태로 만들기 쉽다. 표면이 자잘하게 울퉁불퉁해서 식물도 착생하기 쉽다

Nature View 플랫 스톤 블랙

Nature View 플랫 스톤 / Suisaku

천연석의 질감을 리얼하게 재현한 레진제의 오너먼트. 납작한 형태라서 겹쳐 쌓거나 칸막이로 사용하는 등, 다양한 방법으로 사용할 수 있다. 수질에 영향을 주지 않기 때문에 물고기 등의 동물을 사육할 때도 안심할 수 있다. 그레이와 블랙 2가지 색상이 있다. 둘 다 6개입

테라 베이스 / DOOA

표면에 이끼 등을 착생시켜 키울 수 있는 도기제 오너먼트. 내부에 물을 채우면 조금씩 표면에서 배어나와 식물을 적신다. 먼저 발매되었던 M사이즈의 뒤를 이어 S, L사이즈도 발매되었다
•테라 베이스S(직경10×16cm)
•테라 베이스M(직경10×23cm)
•테라 베이스L(직경11.6×28cm)
•테라 베이스M

테라베이스 M

테라 라인 / DOOA

유목이나 테라 베이스에 착생란이나 모스를 고정시킬 때 사용하는 라인. 녹색이라 식물과 섞여서 눈에 잘 띄지 않는다. 화학섬유이기 때문에 오랫동안 단단히 식물을 고정시킬 수 있다

Epiweb 전용 플라스틱 핀 / Aqua Tailors

수지제라서 썩지 않고 선단이 특수한 형태이기 때문에 잘 빠지지 않는 핀. Epiweb 전용으로 개발되었다.
- ㄷ-8(18×12mm/16개입)
- U-12(30×16mm/12개입)
- U-22(40×26mm/8개입)

활착군(천 재질 활착소재) / Picuta

높은 보수력을 가진 시트 형태의 소재. 표면에 보풀이 일어나 있어 흙을 사용하지 않아도 식물을 재배할 수 있다. 또한 뒷면은 지퍼의 한쪽과 같은 기능을 하기 때문에 미리 레이아웃 소재에 본제품의 앞면을 부착해두면 수직 벽면에서도 활용할 수 있고 탈부착도 가능하다
- S (30×24cm)
- M (48×30cm)
- L (60×48cm)
- XL (100×70cm)

테라 테이프 / DOOA

유목 등에 감아서 물을 빨아올려 건조를 방지하고 이끼 등의 착생식물이 생육하기 좋은 환경을 만드는 자착성 보습 테이프. 사용방법은 p119 등을 참고하기 바란다

호토리에 미니픽 / Suisaku

아쿠아리움과 팔루다리움을 귀엽게 장식해주는 미니 피겨. 핀을 저상에 꽂아서 고정시킨다. 버섯, 독화살개구리, 무당벌레 등, 12가지 라인업이 있다. 내구성이 강한 소재(레진)로 만들어졌다.

버섯 3종 세팅 예   독화살개구리

AQUA KM+ 종합 수질개선 박테리아 / 서울아쿠아룸

수조내 유기물, NH3, NO2, 제거 효과가 우수하며, 녹조(시아노 박테리아) 및 곰팡이성 병원균의 발생을 억제하여 더 건강한 수질을 유지시켜 준다.
비바리움, 팔루다리움 내 각종 곰팡이 제거에도 효과가 좋다.(100:1 비율로 희석하여 사용)

루드위지아 sp. 슈퍼레드

미리오필럼 마토그로센세

BIO 미즈쿠사의 숲 / ADA

특수한 한천배지에서 자라난 수초가 컵에 들어 있다. 반수중엽이기 때문에 육상에서도 재배할 수 있다. 헤어 그라스, 하이그로필라 핀나티피다, 아누비아스 나나 등, 다수가 라인업

베고니아 암피옥서스
(육상에서 육성)

라게난드라 케랄렌시스
(수중에서도 육성 가능)

모스 바인(RV0410)   테라리움 장식 잎(TP003)

정글 플랜츠 / DOOA

수초와 열대어가 사는 지역에 자생하는 식물을 취급하는 시리즈. 판매 시, 육상에서 육성할 수 있는 종류에는 녹색 라벨이 붙어 있고 수중에서도 육성할 수 있는 종류에는 하얀색 라벨이 붙어 있으므로 레이아웃에 사용할 때 기준이 된다

모스바인, 테라리움 장식 용품 / 렙티주

파충류 등의 주거지 장식용으로 사용할 수 있다. 이 제품들은 구부리고, 비틀 수 있고 자연스러운 느낌과 모양을 가지고 있어 다른 크기의 덩굴들과 함께 조합해서 장식할 수 있다.
파충류를 위한 완벽한 자연 은신처이고 테라리움에 자연스러움을 더하는 아이템 이다.

식물의 이름 색인

※일부 약칭 있음

이 책의 레이아웃 소개 코너, 세팅 코너에 등장한 식물의 이름을 추출했습니다. 실제로 레이아웃을 제작할 때 참고하시기 바랍니다

레이아웃 소개 코너(p12-51)

ㄱ
- 가는물우산대이끼 · 50
- 가는흰털이끼 · 13,14,21,24,25,26,32,33,34,35,40,47
- 공작고사리 · 30
- 공작이끼 · 43
- 구슬이끼 · 14,28,35,50
- 글록소스티그마 · 16
- 긴콩짜개덩굴 · 22-23
- 깃털이끼 · 28,32,33,34,35

ㄴ
- 나자스 · 37
- 날개이끼 sp. · 37
- 너구리꼬리이끼 · 20,25,35,43,50
- 네오레겔리아 '파이어볼' · 20
- 네펜테스 벤트리코사 · 51
- 네프로레피스 · 22-23
- 네프로레피스 '라임샤워' · 25
- 네프로레피스 '블루벨' · 17
- 누운괴불이끼 · 50
- 뉴 라지 펄그라스 · 17,18,19,29,42

ㄷ
- 다발리아 · 20
- 다발리아 피지엔시스 · 15
- 닭의장풀 sp. 'KEISAK' · 16
- 대만고무나무 · 24,26,27
- 더피고사리 · 32,33,41
- 덩굴초롱이끼 · 50
- 덴드로비움 리케나스트럼 프렌티세이 · 18
- 드라세나 · 14,26
- 드라세나 '레인보우' · 38
- 드워프 머쉬룸 · 17
- 디네마 폴리불본 · 46,51

ㄹ
- 라게난드라 나이리 · 18,29
- 라게난드라 미볼디 · 51
- 라게난드라 미볼디 '그린' · 29
- 라게난드라 미볼디 '레드' · 45
- 라게난드라 케랄렌시스 · 18,29
- 라게난드라의 일종 · 16
- 라비시아 · 51
- 레우코브리움 스카브룸 · 50
- 리시아 · 42
- 림노필라 sp. 베트남 · 18

ㅁ
- 말락시스 로위 · 44
- 메디오칼카 버스테지 · 29
- 무늬 프테리스 · 22-23
- 미니 속새 · 42
- 미역고사리 · 15
- 미크로소리움 "트라이던트" · 48
- 미크로소리움 디베르시폴리움 · 15,32
- 미크로소리움 프테로푸스 · 42
- 미크로소리움 sp. · 48

ㅂ
- 바위취 · 24
- 벌레잡이통풀 · 17
- 벌보필럼 암브로시아 · 51
- 베고니아 '핑크 서프라이즈' · 29
- 베고니아 네그로센시스 · 51
- 베고니아 루조넨시스 · 18,44,51
- 베고니아 세라티페탈라 · 30
- 베고니아 콰드리알라타 · 18
- 베고니아 폴리로엔시스 · 29
- 베고니아 sp. · 18
- 베고니아 sp. '카푸아스 훌루' · 51
- 보스턴 고사리 · 22-23
- 볼비티스 '베이비리프' · 42
- 볼비티스 헤우델로티 · 29,42
- 볼비티스 헤테로클리타 '커스피다타' · 48
- 볼비티스 sp. · 48
- 봉황이끼 · 20
- 부세파란드라 sp. '그린 웨이비' · 42
- 부세파란드라 sp. '케다강' · 45
- 부세파란드라 sp. '쿠알라쿠아얀Ⅰ' · 47
- 부세파란드라의 일종 · 16
- 부채괴불이끼 · 50
- 부처손 · 35
- 블레크넘 '실버 레이디' · 51
- 블레크넘 니포니쿰 · 51
- 비꼬리이끼 · 14,50

ㅅ
- 사라세니아 · 17
- 서리이끼 · 20
- 석창포 · 14
- 세라토스틸리스 필리피넨시스 · 18,29
- 세라토킬루스 비그란듈로서스 · 44
- 세인트폴리아 · 22-23
- 셀라기넬라 · 21
- 셀로기네 핌브리아타 · 29,51
- 소네릴라 sp. · 44
- 소엽맥문동 · 13,40,47
- 솔레이롤리아(아이리쉬 모스) · 14
- 쇼트 헤어 그라스 · 45
- 수초의 씨앗(하이그로필라의 일종) · 15
- 스킨답서스 sp. · 30
- 스킨답서스 sp. '무나섬' · 48
- 스파이키 모스 · 15,45
- 시페루스 · 16,49
- 신닌기아 푸실라 · 24

ㅇ
- 아글라오네마 '미니마' · 51
- 아글라오네마 '실버 퀸' · 49
- 아기들덩굴초롱이끼 · 21,32,50,2
- 아넥토킬루스 알보리네아투스 · 51
- 아누비아스 나나 · 49
- 아누비아스 나나 '미니' · 42,47
- 아누비아스 나나 '쁘띠' · 29,45,46
- 아디안텀 · 22-23,26
- 아라과이아 레드 샤프리프 하이그로 · 46
- 아르디시아 '터틀백' · 30
- 아리다룸 sp. · 44
- 아마존 프로그비트 · 40,46
- 아메리칸 스프라이트 · 49
- 아스파라거스 · 13
- 아스플레니움 안티쿰 · 44
- 아스플레니움 안티쿰 '빅토리아' · 51
- 안수리움 · 22-23
- 알테르난테라 레이넥키 · 16
- 애기모람 · 17,30,35
- 애기모람(야쿠시마산) · 24,29
- 양치식물(불명종) · 51
- 양치식물의 동류 · 35
- 양치식물의 일종 · 33
- 에피덴드럼 포팍스 · 18,51
- 에피프레넘 sp. · 44
- 오오쿠보 고사리 · 24
- 워터 머쉬룸 · 37,48
- 워터론 · 16,18,19,29,30
- 위핑 모스 · 16,43
- 윌로 모스 · 37,40,42,46
- 윤이끼 · 28,41,43
- 이오니머스 미크로필러스 '골드' · 13

ㅈ
- 자바펀 · 29,44,47
- 자와모스 · 44,47,48,51
- 자이언트 살비니아 · 51
- 작은흰털이끼 · 20,22-23,28,31,41
- 조릿대 · 14
- 좀벼슬이끼 · 50
- 주름솔이끼 · 18
- 줄고사리 · 16,34,43

ㅊ
- 참양털이끼 · 25
- 초롱이끼 · 35

ㅋ
- 카렉스 엘라타 '아우레아' · 41
- 칼라테아 · 22-23
- 캄파놀라 '블루원더' · 38
- 코브라 그라스 · 29
- 콜리시스 sp. · 44
- 콩짜개덩굴 · 50
- 쿠션 모스 · 24
- 크리스마스 모스 · 18,45,46,48
- 크립탄서스 '그린' · 14
- 크립탄서스 '핑크 스타라이트' · 32
- 크립탄서스 비타터스 '레드' · 33
- 크립토코리네 루켄스 · 18
- 크립토코리네 파바 · 47
- 큰꽃송이이끼 · 30
- 큰잎덩굴초롱이끼 · 50

ㅌ
- 털깃털이끼 · 16,17,21,22-23,50
- 털수세미이끼 · 50
- 테이블 야자 · 40

ㅍ
- 파리지옥 · 17,47
- 펄그라스 · 47,49
- 펠리오니아 · 21
- 펠리오니아 레펜스 · 48,51
- 포고나테룸 '모니카' · 24
- 포토스 · 26,38
- 폴리시아스 프루티코사 · 14,27
- 프테리스 · 13,20,22-23,46
- 프테리스 멀티피다 · 25,30
- 프테리스 앙구스티핀나 · 43
- 플레우로탈리스 테레스 · 18
- 플레임 모스 · 16,30
- 피그미 머쉬룸 · 18
- 피커스 박시노이데스 · 33,43
- 피커스 푸밀라 · 22-23,34
- 피커스 푸밀라 '미니마' · 14,22-23,28,33
- 피커스 푸밀라 '미니마'(대엽) · 26
- 피커스 푸밀라 '코알라' · 26
- 피커스 sp. · 35
- 피커스의 동류 · 21
- 피콕 모스 · 29,30,45
- 피토니아 · 22-23,32,33,35
- 피토니아 '러버스 트랩' · 30
- 피토니아 '러버스' · 28
- 피토니아 '레드 플레임' · 28
- 피토니아 '레드' · 22-23
- 피토니아 '정글 플레임' · 28
- 피토니아 '포레스트 플레임' · 30
- 피토니아 '핑크 토닙' · 28
- 피토니아 '핑크' · 22-23,30
- 필레아 글라우카 '그레이시' · 27
- 필로덴드론 sp. '파푸아뉴기니' · 42,49
- 핍토스파사 리들레이 · 44

ㅎ
- 하이그로필라 핀나티피다 · 18,29,45
- 향나무솔이끼 · 16
- 헤데라 · 13,16
- 헤데라 헬릭스 '미니에스터' · 38
- 호말로메나 sp. · 44
- 호주 노치도메 · 16,46
- 후마타 고사리 · 42,43,47
- 히드로코틸레 레우코세팔라 · 49
- 히포에스테스 '레드' · 22-23
- 히포에스테스 '핑크' · 22-23
- 히포에스테스 '화이트' · 22-23

세팅 코너(p56~91)

ㄱ
- 가는흰털이끼 · 57-59,84-85
- 가지윤이끼 · 66-69
- 구슬이끼 · 80-93
- 깃털이끼 · 63-65,84-85
- 깃털이끼 · 86-88
- 깃털이끼의 동류 · 77-79
- 꼬리고사리 · 80-93
- 꼬리이끼 · 70-73
- 꼬리이끼의 동류 · 77-79

ㄴ
- 넉줄고사리(양치식물) · 77-79
- 네프로레피스 · 86-88
- 뉴 라지 펄그라스 · 70-73

ㄷ
- 다발리아 피지엔시스 · 63-65
- 대만고무나무 · 57-59
- 더피고사리 · 63-65,84-85
- 덩굴초롱이끼 · 86-88

ㅁ
- 마코데스 페톨라 · 66-69
- 멜라스토마 sp. 'Sibolga' · 66-69
- 모노솔레니움 테네룸 · 86-88
- 물푸레나무 · 80-93
- 미크로소리움 프테로푸스 · 89-91

ㅂ
- 베고니아 sp. 'Batang Ai' · 66-69
- 베고니아 sp. 'Julau' · 66-69
- 베고니아 sp. 'Nanga Pinoh' · 66-69
- 볼비티스 헤우델로티 · 70-73
- 볼비티스 sp. '카메론 하이랜드' · 66-69
- 봉의꼬리 · 80-93
- 부세파란드라 sp. '그린 웨이비 무니타입' · 70-73
- 부세파란드라 sp. '브라우니 골든' · 74-76
- 부세파란드라 sp. '신탕' · 74-76
- 부세파란드라 sp. '체리' · 74-76
- 부세파란드라 sp. '케다강' · 66-69,70-73
- 부세파란드라 sp. '쿠알라쿠아얀Ⅰ' · 70-73
- 부세파란드라 sp. '쿠알라쿠아얀Ⅱ' · 66-69
- 비늘고사리 · 80-83

ㅅ
- 서리이끼 · 86-88
- 셀라기넬라 sp. · 66-69
- 소엽맥문동 · 86-88
- 수초의 씨앗(하이그로필라의 일종) · 60-61
- 스파티필럼 · 89-91
- 시페루스 알터니폴리우스 · 86-88

ㅇ
- 아기들덩굴초롱이끼 · 63-65
- 아누비아스 나나 '미니' · 70-73,89-91
- 아누비아스 나나 '쁘띠' · 86-88
- 아디안텀 · 86-88
- 아디안텀 미크로필럼 · 57-59
- 아리다룸의 일종 · 74-76
- 아스파라거스 플루모서스 · 57-59
- 아코루스 무니타입 · 86-88
- 알테르난테라 레이넥키 '미니' · 70-73
- 양털이끼 · 77-79
- 윌로 모스 · 60-61,63-65,89-91
- 윤이끼 · 80-93
- 이오니머스 미크로필러스 · 57-59

ㅈ
- 자바펀 · 70-73
- 자와 모스 · 70-73,86-88
- 작은흰털이끼 · 63-65,86-88

ㅊ
- 초롱이끼의 일종 · 77-79

ㅋ
- 쿠션 모스 · 57-59,89-91
- 크립탄서스 '그린' · 89-91
- 크립탄서스 '노비스타' · 89-91
- 크립토코리네 '실버퀸' · 74-76
- 크립토코리네 웬티 '그린' · 70-73
- 크립토코리네 웬티 '트로피카' · 70-73
- 털깃털이끼 · 63-65,70-73
- 털깃털이끼의 동류 · 77-79
- 틸란드시아 이오난사 · 89-91
- 펠리오니아 · 89-91

ㅍ
- 프테리스 · 86-88
- 피커스 '화이트 써니' · 57-59
- 피커스 푸밀라 '미니마' · 66-69,89-91
- 피커스 푸밀라 '코알라' · 89-91
- 피커스 sp. '사방섬' · 66-69
- 피토니아 '레드 플레임' · 84-85
- 피토니아 '정글 플레임' · 84-85
- 피페로 sp. · 89-91
- 필레아 글라우카 '그레이시' · 89-91

ㅎ
- 하트펀(헤미오니티스 아리폴리아) · 63-65
- 호말로메나 '레드' · 74-76
- 호주 노치도메 · 63-65
- 후마타 고사리 · 63-65,80-93

팔루다리움의 진화
팔루다리움 시장이 뜨겁다
이 흐름은 상당히 지속될것으로 보인다

한국식물레이아웃협회, 국내 최대 규모의 퓨전팔루다리움 시공

한국식물레이아웃협회에서는 높이 6미터, 가로 4미터의 국내 최대 규모의 퓨전 팔루다리움 작품을 시공한 바 있다.

높이가 6미터 정도면 향후 관리가 어렵다는 단점이 있다. 높이가 너무 높기 때문에 이끼 관리나 기타 식물 보수작업이 상당히 어렵기 때문이다. 그래서 높이의 위쪽 50%는 관리가 크게 필요없는 조화 식물로 시공을 하였고 아래쪽 50%는 실제 식물로 식재를 하는 퓨전팔루다리움 방식으로 시공을 하였다.

최근 조화 제품의 품질이 진짜 식물인지 구분하기 힘들 정도로 좋기 때문에 시공후 작업의 완성도가 상당히 높다.

한국식물레이아웃협회에서 시공한 높이 6미터, 가로 4미터의 국내 최대규모 퓨전팔루다리움 작품.

팔루다리움의 장점은 무엇인가?

팔루다리움에 사용되는 식물들을 살펴보자
그전에 미국나사에서 발표한 공기정화식물 순위를 볼 필요가 있다

NASA가 발표한 공기정화식물 1~50위					
1	아레카 야자	18	필로덴트론 에루베스센스	35	그레이프 아이비
2	관음죽	19	싱고니움	36	맥문동
3	대나무(세이브리찌) 야자	20	디펜바키아 콤펙타	37	덴드로비움(서양란)
4	인도고무나무	21	테이블야자	38	접란
5	드라세나데레멘시스	22	벤자민고무나무	39	아글라오네마
6	헤데라(아이비)	23	쉐프렐라	40	안스리움
7	피닉스 야자	24	베고니아	41	크로톤
8	피쿠스아리	25	필로덴트론 세륨	42	포인세티아
9	보스톤 고사리	26	필로덴트론 옥시카디움	43	아잘레아
10	스파티필름	27	산세베리아	44	칼라테아 마코야나
11	행운목	28	디펜바키아 카밀라(마리안느)	45	알로에베라
12	포토스(스킨)	29	필로덴트론 도메스티컴	46	시크라멘
13	네프롤레피스 오블리테라타	30	아라우카리아	47	아나나스
14	포트맘(개량국화)	31	호마르메나 바르시	48	튤립
15	거베라	32	마란타	49	팔레놉시스(호접란)
16	드라세나 와네키	33	왜성바나나	50	칼랑코에
17	드라세나 마지나타	34	게발선인장		

미국항공우주국 NASA선정된 공기정화식물중 1위가 아레카야자는 유독 물질제거능력과 습도조절능력이 뛰어나 1위를 차지했다.
그런데 팔루다리움에는 순위에 있는식물들이 상당히 많이 사용된다.
그리고 많이 사용되는 식물중 하나는 이끼이다.
이끼는 미세먼지제거기능이 탁월하고 공기정화능력이 보통식물의 100배가 넘는다.
이처럼 팔루다리움은 우리들에게 굉장히 유익한 장르이다.

팔루다리움지도사 자격증 제도

한국식물레이아웃에협회에서는 여기에 발맞추어 많은 사람들이 팔루다리움을 쉽게 접하고 배울 수 있도록 민간자격증제도를 실시하고 있다

팔루다리움지도사 자격증은 농림축산부에서 승인을 받고 한국직업능력원에서 최종 승인을 얻어 교육을 하게된다.

대한민국 유일한 교육기관으로써 앞으로 어깨가 무겁다.

한국식물레이아웃협회 자문위원이며 서울지사의 주니멀 전용채 대표도 교육에 관심이 많고 앞으로 시장에 거는 기대가 크다고 전했다.

서울 최대규모로 주니멀 본사가 완공되면 본격적으로 서울지역을 맡아 운영을 하게된다.

한국식물레이아웃협회에서는 일반인들이 쉽게 접할 수 있는 과정으로 가벼운 테라리움부터 팔루다리움, 비바리움, 아쿠아스케이핑 등 한국 최초로 다양한 배움거리들이 있다.

팔루다리움지도사 민간자격증은 2급, 1급 2가지를 발행한다. 필기, 실기 모두 100점만점에 70점이상이면 취득을 할 수가 있다.

물론 자격증 과정 이 아닌 원데이클래스도 수강 가능하다.

TRITON PLANT GALLERY

권유성 010-8576-4482

한국식물레이아웃협회 회장
한국 수경디자인협회회장
트라이톤플랜트갤러리 대표

한국식물레이아웃협회 서울지사
지사장 **전용채** (주니멀 대표)
02-930-9259
010-4824-0728

Aquarium Substrate
Premium Soil
이스타 프리미엄 소일

**100% 천연 소일
과학적 구조,
뛰어난 필터링**

소일 Size

1.5~3.5mm

- 부드러운 다공성의 입자로 가공하여 박테리아서식과 수질 정화에 최적화
- 풍부한 유기산 함유로 수초생장을 촉진하고 새우, 열대어 등 생물에게 최적의 자연환경을 제공
- 뛰어난 흡착능력으로 빠른시간에 탁해진 물을 제거해주고 장기간 깨끗하고 맑은 수질을 유지
- PH/KH를 낮춰주어 약산성의 부드러운 물 환경을 조성

POWER SAND
파워 샌드

수초 성장에 꼭 필요한 초기 저면 비료!

- 천연자재(목탄, 이탄, 피트모스, 코코피트, 경석 등)를 이용하여 생명이 살아 숨쉬는 비료로서 공급효과 지속화로 수초의 생장을 촉진시킵니다.
- 무기영양분(N.P.K) 및 미량요소, 특이물질(아미노산, 핵산, 유기산, 비타민 등)로 수초생장을 지속화 하고 투수성과 통기성이 향상되어 뿌리에 산소를 공급히가 이산화 탄소를 감소시켜 뿌리의 활력을 증진시키고 뿌리가 빠르게 내릴 수 있도록 도와줍니다.
- 수초의 트리밍이나 초기 이식시 수초의 절단된 뿌리에 천연 유기질 비료가 감싸주게 되면 산소와의 결합을 최소화하여 경화를 방지하고 이온화 교환층의 형성으로 고단위 삼투압 현상이 발생되어 발근 이전에 뿌리 골무 조직이 제기능을 하게 됨으로 초보자도 쉽게 수초 재배가 가능합니다.

수입원 아쿠아선두 Tel. 031-574-4719 Fax. 031-527-5571
경기도 남양주시 진건읍 일패로 221
WWW.AQUASUNDOO.COM

LEDSTAR와 함께하면
눈 앞이 즐거워진다!

LED STAR DOT 시리즈 LED조명이 당신의 생활에 즐거움과 활기를 더해줍니다.

LEDSTAR AQ DOT 시리즈

DOT SERIES AQ-M160R
DOT SERIES AQ-M300R
DOT SERIES AQ-M210R

DOT SERIES

- 총 3가지 모델(AQ-M300R / AQ-M210R / AQ-M160R)이 제공됩니다.
- 조명 상단 터치식 버튼으로 쉽고 편하게 전원 온,오프가 가능합니다.
- Full Spectrum RGBW, IP68등급의 방수 등급, 6063 항공 알루미늄 바디, Epistar, Cree, Osram의 LED 채택

MODEL	Power	Control	Input	Connection	Size
DOT SERIES	max. 7W	Touch	5V-2A	USB 2.0	AQ-M300R : H300 X 160Φmm AQ-M160R : H300 X 170 X 170mm AQ-M210R : H300 X 210 X 170mm

(주)어반네이처 / 주소 : 서울 강남구 테헤란로 521, 29층 39-12호 / info@urban-nature.kr / 0507-1357-6410

CUSTOM SOIL

수초와 새우를 포함한 모든 생물에게 최적의 환경을 조성

수초와 새우에게 있어 소일은 원활한 생육을 할 수 있게 도움을 주고, 그에 따른 최적의 수질을 제공해줍니다.
닛소 커스텀 슈림프 블랙 소일은 CRS 계열 새우는 물론 고난이도 수초를 위해 개발된 소일입니다.
까다로운 전경초와 고퀄리티 레드비까지 적용가능한 커스텀 소일을 사용해보세요.

커스텀 블랙
1kg, 3kg, 8kg

쉬림프 블랙
1L, 3L, 8L

닛소 커스텀 소일의 주요특징

새우와 수초의 사육 환경에 적합한 수질제공
새우와 수초에 알맞은 약산성의 pH와 새우에게 필요한 원소들을 제공합니다.

벤토나이트 및 다량의 미량원소를 포함
천연광물 벤토나이트 및 다량의 미량원소가 배합되어 수조안에서 서서히 미네랄을 방출하여, 새우 생육에 큰 이점을 제공하여 줍니다.

유해 물질 흡착 효과
영양과 흡착기능을 동시에 수행하는 소일로 새우에게 유해한 물질을 흡착하는 기능이 있어 수질을 항상 깨끗하게 유지시켜 줍니다.

탁월한 여과재 기능
바닥재로 두껍게 세팅하시면 혐기 공간을 조성하여 질산염 제거 효과가 있고, 저면여과기 위에 깔아주어 여과재로 사용하시면 완전한 여과사이클을 형성하실 수 있습니다.

수입원:  서울아쿠아룸 대전광역시 유성구 교촌로 6번길 72
TEL : 042.541.0771~2 FAX : 042.541.0776
www.seoulaquarium.co.kr

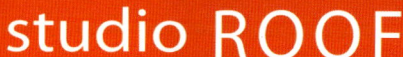

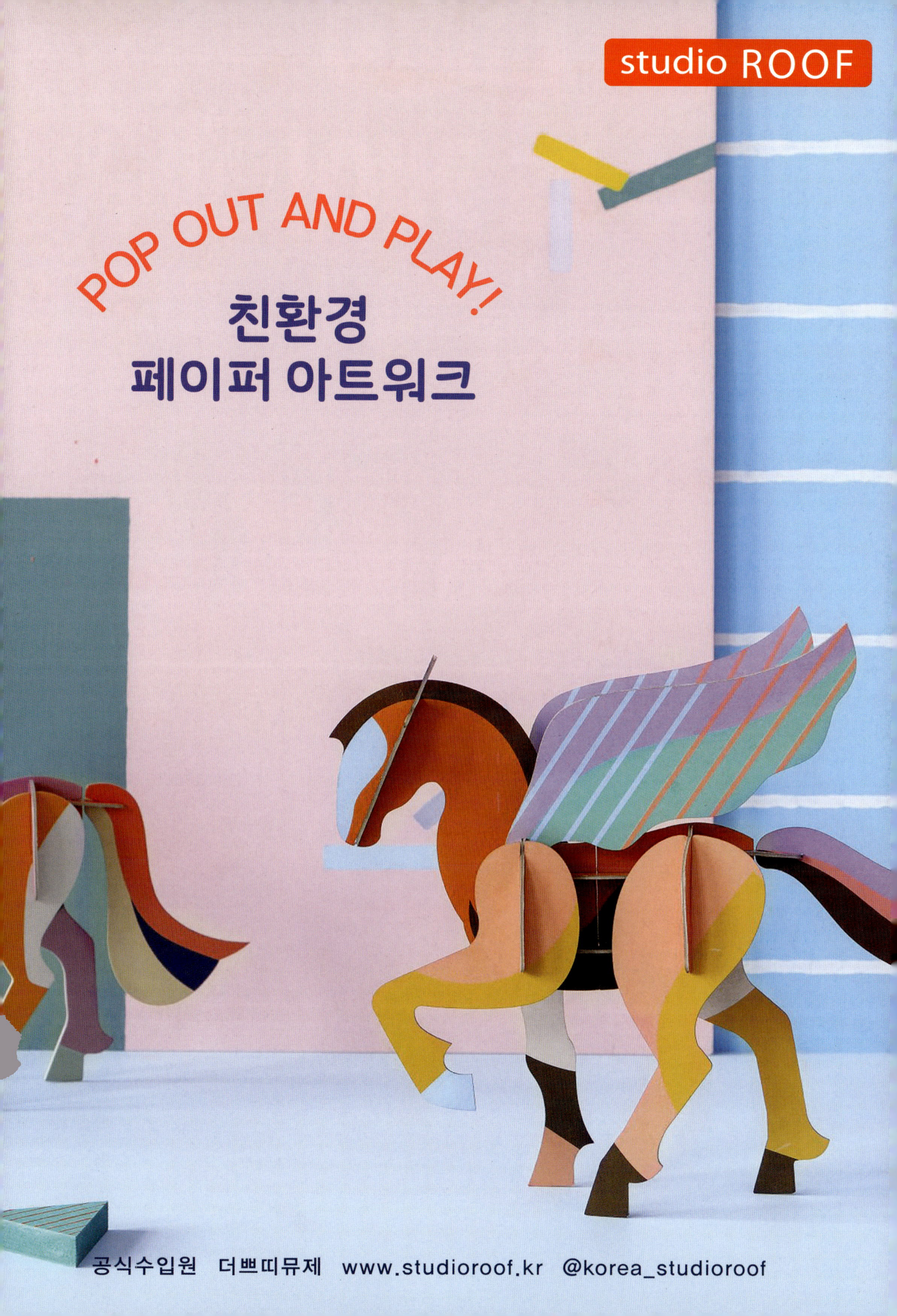
studio ROOF
POP OUT AND PLAY!
친환경
페이퍼 아트워크
공식수입원 더쁘띠뮤제 www.studioroof.kr @korea_studioroof

Tetra

수초 케어의 모든 것

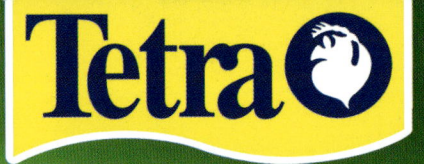

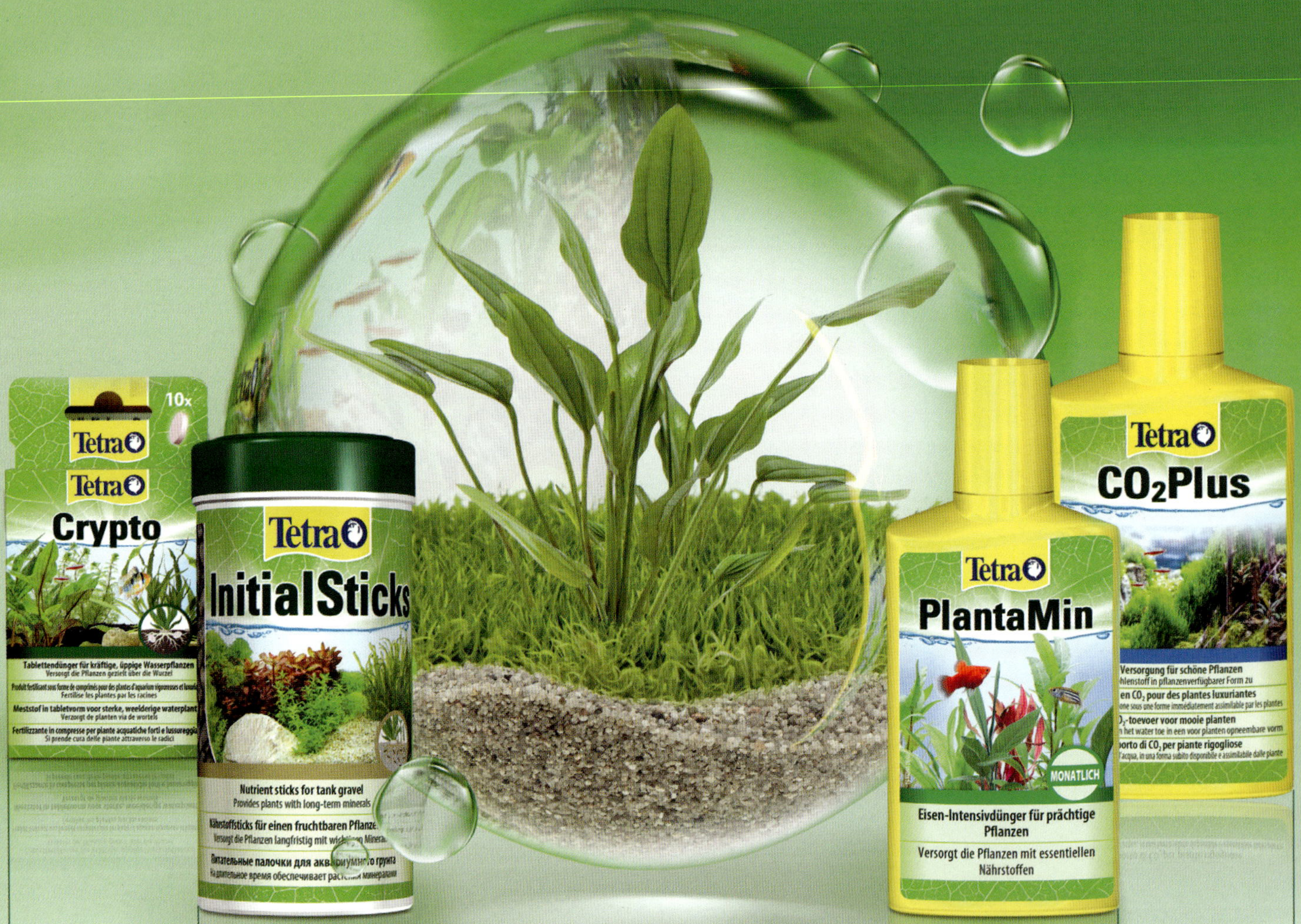

플란타민

수초의 잎을 통해 흡수되는 액상형태의 비료
오랜기간 영양공급 보장

이니셜스틱

토양을 비옥하게 해주는 비료
새로운 수조와 수초생장에 적합

CO_2플러스

탄소를 물에 첨가함으로써 수초가 빠르게 흡수
최적의 이산화탄소 공급

크립토

뿌리를 통해 흡수되는 타블렛형 비료
필수 미네랄과 미량 원소 포함

MAYA
031-955-0200

월간 AQUA LIFE 안내

No.001 ~ No.108

No. 1 2013년 5월호
물고기가 주인공인 수조만들기

No. 2 2013년 6월호
수조의 바닥물고기 총집합

No. 3 2013년 7월호
스마트한 아쿠아리움 즐기기

No. 4 2013년 8월호
시원한 수초 레이아웃

No. 5 2013년 9월호
아름다운 금붕어

No. 6 2013년 10월호
아피스토그라마 바이블

No. 7 2013년 11월호
물고기의 혼영법

No. 8 2013년 12월호
나의 아쿠아리움 스타일

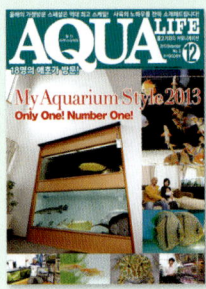
No. 9 2014년 1월호
아마존의 물고기와 레이아웃

No. 10 2014년 2월호
코리도라스 천국

No. 11 2014년 3월호
폴립테루스 도감

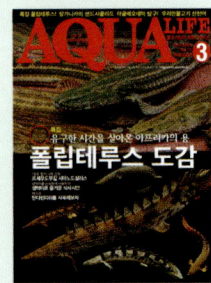
No. 12 2014년 4월호
물과 초록의 절경

No. 13 2014년 5월호
지금, 키우고 싶은 열대어

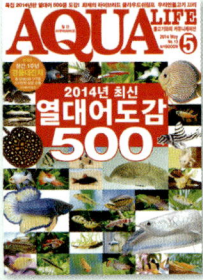
No. 14 2014년 6월호
나의 아쿠아리움 스타일

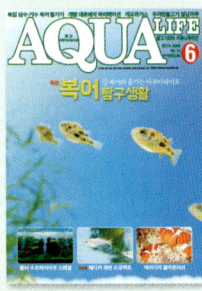
No. 15 2014년 7월호
2016년 열대어도감

No. 16 2014년 8월호
코리도라스 헌팅을 떠나자!

No. 17 2014년 9월호
수조로 놀아보자

No. 18 2014년 10월호
수조 스타일북

No. 19 2014년 11월호
아쿠아리움 베스트 Q&A

No. 20 2014년 12월호
나의 아쿠아리움 스타일

No. 21 2015년 1월호
큰 물고기와 아름다운 수조

No. 22 2015년 2월호
레드비 수조 제작법

No. 23 2015년 3월호
스마트 아쿠아리움 3

No. 24 2015년 4월호
개량베타의 세계

No. 25 2015년 5월호
물생활을 시작해보자!

No. 26 2015년 6월호
초록과 아피스토

No. 27 2015년 7월호
플레코 신시대

No. 28 2015년 8월호
시원한 풍경 만들기

No. 29 2015년 9월호
금붕어는 친구!

No. 30 2015년 10월호
물과 초록의 절경

No. 31 2015년 11월호
지금, 키우고 싶은 열대어

No. 32 2015년 12월호
나의 아쿠아리움 스타일

No. 33 2016년 1월호
2016년 열대어도감

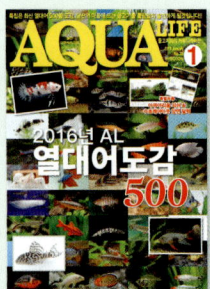
No. 34 2016년 2월호
코리도라스 헌팅을 떠나자!

No. 35 2016년 3월호
수조로 놀아보자

No. 36 2016년 4월호
아마존을 우리집에

No. 37 2016년 5월호
플레코 매력탐구!

No. 38 2016년 6월호
가파이크

No. 39 2016년 7월호
팔루다리움&테라리움

No. 40 2016년 8월호
일본 스타일 아쿠아리움

No. 41 2016년 9월호
물과 초록의 절경 Part 2

No. 42 2016년 10월호
플레코 최전선

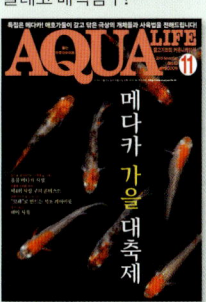
No. 43 2016년 11월호
메다카 가을 대축제

No. 44 2016년 12월호
좋아요! 수조가 있는 생활!!

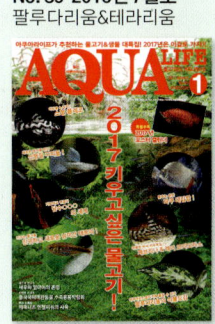
No. 45 2017년 1월호
2017년 키우고 싶은 물고기

No. 46 2017년 2월호
자연과 아쿠아리움의 융합

No. 47 2017년 3월호
수초도감

No. 48 2017년 4월호
모두가 좋아하는 코리도라스

No. 49 2017년 5월호
봄의 메다카 전선 도래

No. 50 2017년 6월호
팔루다리움의 세계 2

No. 51 2017년 7월호
유리속의 작은 정원

No. 52 2017년 8월호
레드비 쉬림프

No. 53 2017년 9월호
60cm 수조의 활용법

No. 54 2017년 10월호
"번식"은 즐겁다

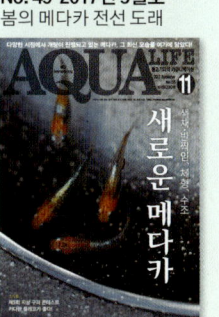
No. 55 2017년 11월호
새로운 메다카

No. 56 2017년 12월호
코리도라스 스타열전

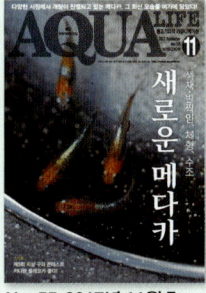
No. 57 2018년 1월호
물생활 천국으로 초대합니다!

No. 58 2018년 2월호
쉬운 수초 레이아웃

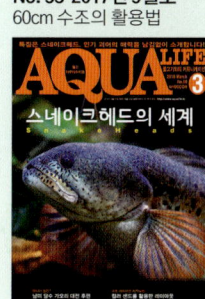
No. 59 2018년 3월호
스네이크헤드의 세계

No. 60 2018년 4월호
아쿠아리움과 인테리어

No. 61 2018년 5월호
메다카를 디자인 한다

No. 62 2018년 6월호
새로운 베타를 키우다

No. 63 2018년 7월호
팔루다리움과 아쿠아테라리움

No. 64 2018년 8월호
네이처 아쿠아리움의 혼

No. 65 2018년 9월호
복어의 매력에 빠지다

No. 66 2018년 10월호
콘셉트 아쿠아리움

No. 67 2018년 11월호
혁명의 메다카

No. 68 2018년 12월호
수조십색

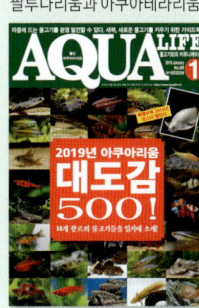
No. 69 2019년 1월호
아쿠아리움 대도감 500!

No. 70 2019년 2월호
물고기의 건강

No. 71 2019년 3월호
구피, 시작되다!

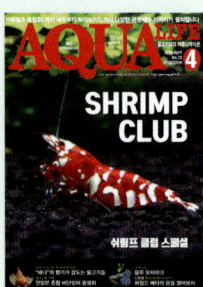 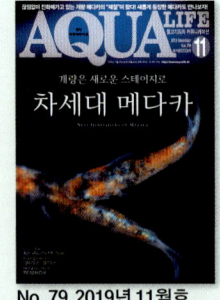    

No. 72 2019년 4월호
쉬림프 클럽 스페셜

No. 73 2019년 5월호
메다카의 힘

No. 74 2019년 6월호
빛나는 베타

No. 75 2019년 7월호
팔루다리움과 아쿠아 테라리움 2

No. 76 2019년 8월호
마음을 흔드는 수경 22

No. 77 2019년 9월호
새로운 테트라

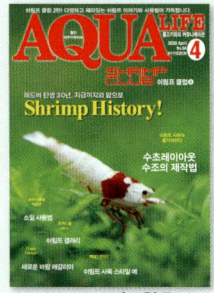  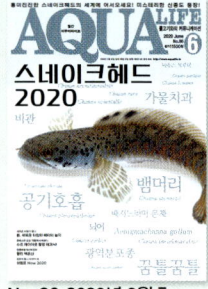   

No. 78 2019년 10월호
60cm 수조로 할 수 있는 여러가지

No. 79 2019년 11월호
차세대 메다카

No. 80 2019년 12월호
개성만점 수조생활

No. 81 2020년 1월호
손 안의 작은 우주

No. 82 2020년 2월호
지금, 키우고 싶은 물고기

No. 83 2020년 3월호
아쿠아리움과 인테리어

     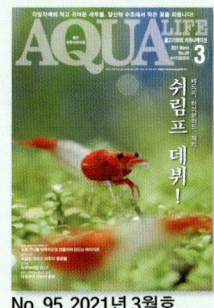

No. 84 2020년 4월호
레드비 30년사

No. 85 2020년 5월호
빛나는 메다카의 봄

No. 86 2020년 6월호
스네이크 헤드 2020

No. 87 2020년 7월호
팔루다리움과 아쿠아테라리움 3

No. 88 2020년 8월호
수초의 건강미

No. 89 2020년 9월호
괴어와 살다

No. 90 2020년 10월호
코리도라스란 무엇인가

No. 91 2020년 11월호
천하제일 메다카 전람회

No. 92 2020년 12월호
모여봐요 우리집 아쿠아리움

No. 93 2021년 1월호
아쿠아리움 대도감 800

No. 94 2021년 2월호
작은 수조를 시작하는 법

No. 95 2021년 3월호
쉬림프 데뷔!

 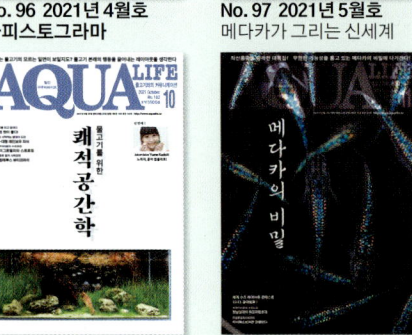 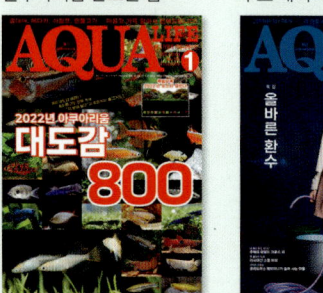

No. 96 2021년 4월호
아피스토그라마

No. 97 2021년 5월호
메다카가 그리는 신세계

No. 98 2021년 6월호
베타, 신시대

No. 99 2021년 7월호
팔루다리움 만드는 법

No. 100 2021년 8월호
수초 레이아웃 비법

No. 101 2021년 9월호
30cm 큐브 수조

No. 102 2021년 10월호
물고기를 위한 쾌적 공간학

No. 103 2021년 11월호
메다카의 비밀

No. 104 2021년 12월호
우리는, 모두 물고기를 좋아한다

No. 105 2022년 1월호
아쿠아리움 대도감 800

No. 106 2022년 2월호
올바른 환수

No. 107 2022년 3월호
소형 수초 수조의 세계

광고 INDEX

내츄럴팟	4
네이처아쿠아시스템(NAS)	표3
더쁘띠뮤제	169
디스커스코리아	168
렙티주(한신트레이딩)	표2, 1
마야	170
서울아쿠아룸	166~167
아쿠아선두	162~163
아쿠아유주	176
아쿠아유주×NAS 디스플레이 매장	2~3
어반네이처	164~165
한강아쿠아(수이사쿠)	171
한국식물레이아웃협회	160~161
ADA(송원무역)	표4

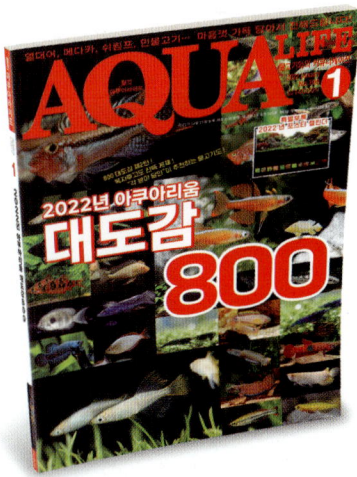

이 책은 이하의 기사를 중심으로 가필 수정하여 새로운 기사를 추가하는 등, 재편집한 것입니다.

월간 아쿠아라이프 연재
- 2016년 10월호~2021년 2월호 "팔루다리움을 즐겨보자"

월간 아쿠아라이프 특집
- 2016년 7월호 "팔루다리움 아쿠아 테라리움의 세계"
- 2017년 6월호 "팔루다리움의 세계2"
- 2018년 7월호 "팔루다리움과 아쿠아 테라리움"
- 2019년 7월호 "팔루다리움과 아쿠아 테라리움2"
- 2020년 3월호 "팔루다와 아쿠아의 식물도감"
- 2020년 7월호 "팔루다리움과 아쿠아 테라리움3"

※이 책에 게재된 정보는 일부를 제외하고 게재 당시의 것입니다.

STAFF (JAPAN)

편집	Shogo Yamaguchi
촬영	Toshiharu Ishiwata (T.I)
	Naoyuki Hashimoto (N.H)
사진협력	Aqua Design Amano (ADA)
	Kuniyuki Takagi (K.T)
	Nederlandse Bond Aqua Terra (N.B.A.T)
일러스트	Yoh_Izumori
디자인	Studio B4
광고	Isamu Kakinuma
	Takashi Ikai
	Fumihiko Itou
	Arima Etou
판매	Suzuki Kazuya

팔루다리움과 아쿠아테라리움

정가 19,500원 2022년 3월 18일 발행

발행인	이경수
편집인	김영재
번역	임지현
발행처	아쿠아미디어
	04624
	서울시 중구 퇴계로 44길 11 문화빌딩 202호
	TEL.02.338.7280
	FAX.02.2274.7280
	http://www.aqualife.com
	aquamedia@naver.com

©MPJ 2022 Printed in Korea
본 책에 게재된 기사, 사진 등의 무단전재, 복제를 금합니다.